#3주_완성
#쉽게
#빠르게
#재미있게

초등
수학 전략

Chunjae
Makes
Chunjae

[수학 전략]

기획총괄 김안나
편집개발 이근우, 김정희, 서진호, 한인숙, 김현주, 최수정, 김혜민, 박웅, 김정민
디자인총괄 김희정
표지디자인 윤순미, 안채리
내지디자인 박희춘
제작 황성진, 조규영

발행일 2021년 12월 15일 초판 2021년 12월 15일 1쇄
발행인 (주)천재교육
주소 서울시 금천구 가산로9길 54
신고번호 제2001-000018호
고객센터 1577-0902

※ 정답 분실 시에는 천재교육 교재 홈페이지에서 내려받으세요.

※ KC 마크는 이 제품이 공통안전기준에 적합하였음을 의미합니다.

※ 주의
책 모서리에 다칠 수 있으니 주의하시기 바랍니다.
부주의로 인한 사고의 경우 책임지지 않습니다.
8세 미만의 어린이는 부모님의 관리가 필요합니다.

수학 전략

초등 수학 2-1

이 책의 **구성과 특징** — 3주 완성

핵심 개념

단원별로 꼭 필요한 핵심 개념을 만화를 보면서
재미있게 익힐 수 있도록 하였습니다.

개념 돌파 전략❶, ❷

개념 돌파 전략❶에서는 단원별로
기본적인 개념을 설명하고 개념의 기초를 확인하는
문제를 제시하였습니다.
개념 돌파 전략❷에서는 기본적인 개념을 알고 있는지
문제로 확인할 수 있습니다.

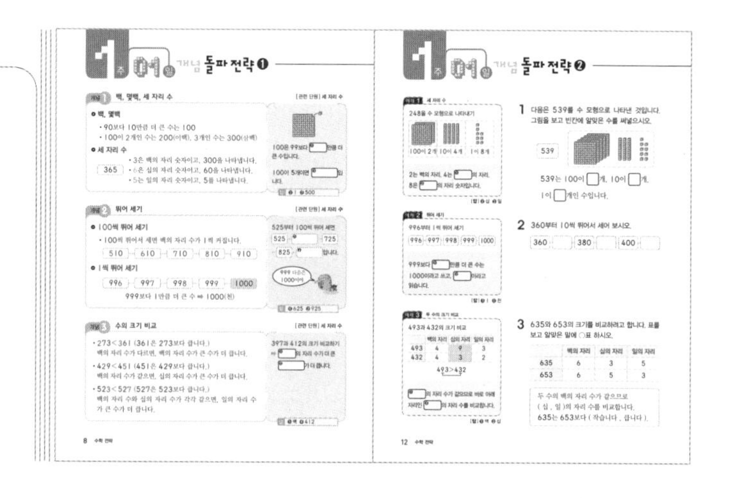
1주 01일 개념 돌파 전략❶

1주 01일 개념 돌파 전략❷

필수 체크 전략❶, ❷

필수 체크 전략❶에서는 단원별로
중요한 유형을 선택하여 반복 연습할 수 있도록
하였습니다.
필수 체크 전략❷에서는 추가적으로
중요한 유형을 선택하여 문제로 확인할 수 있도록
하였습니다.

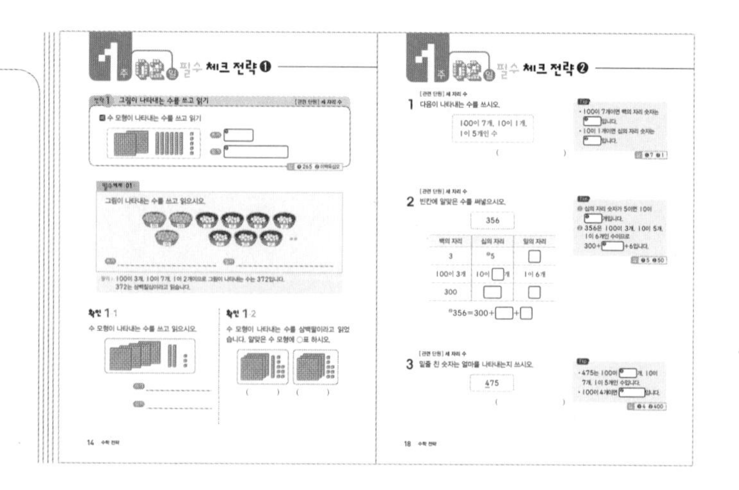
1주 02일 필수 체크 전략❶

1주 02일 필수 체크 전략❷

1주에 4일 구성+1일에 6쪽 구성

교과서 대표 전략❶, ❷

교과서 대표 전략❶에서는 단원별로 교과서에 나오는 대표적인 문제를 제시하였습니다.
교과서 대표 전략❷에서는 한 번 더 확인할 수 있는 문제를 제시하였습니다.

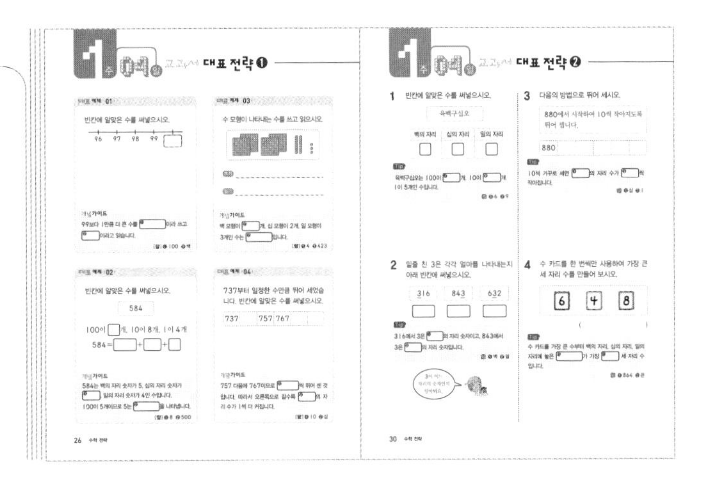

누구나 만점 전략
창의·융합·코딩 전략❶, ❷

누구나 만점 전략에서는 단원별로 꼭 풀어야 하는 문제를 제시하여 누구나 만점을 받을 수 있도록 하였습니다.
창의•융합•코딩 전략에서는 새 교육과정에서 제시하는 창의, 융합, 코딩 문제를 쉽게 접근할 수 있도록 제시하였습니다.

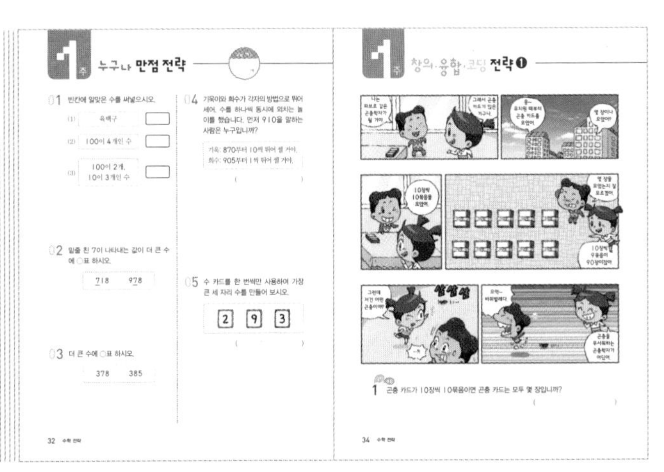

권말정리 마무리 전략
신유형·신경향·서술형 전략
학력진단 전략 1~3회

권말정리 마무리 전략은 만화로 마무리할 수 있게 하였습니다.
신유형•신경향•서술형 전략에서는 신유형, 신경향, 서술형 문제를 쉽게 풀 수 있도록 단계별로 제시하였습니다.
학력진단 전략은 총 3회로 전 단원의 학력을 진단할 수 있도록 구성하였습니다.

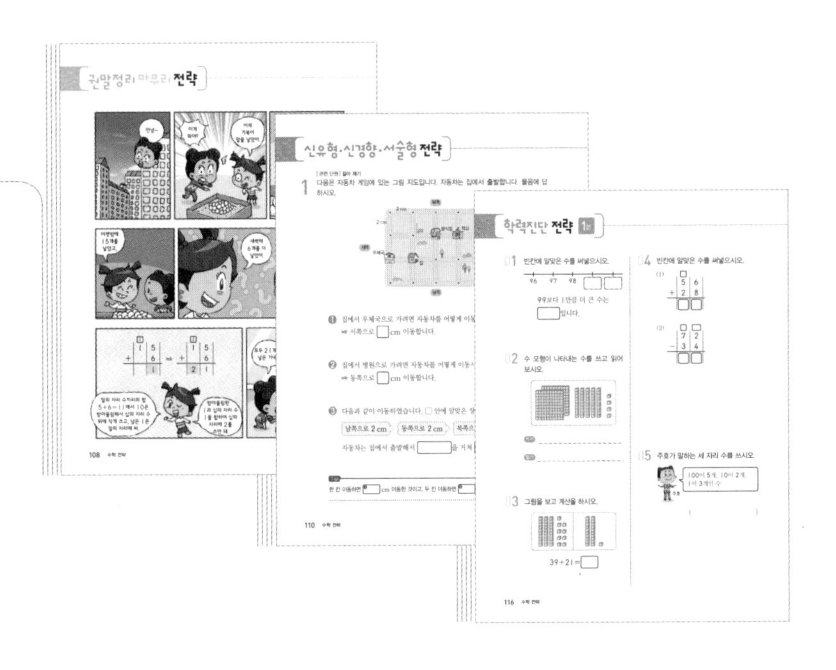

이 책의 차례

74쪽

108쪽

1
주

세 자리 수, 덧셈과 뺄셈

나는 하루에 500원씩 저금하는 습관이 있어.

대단해. 나는 용돈이 생기면 맛있는 것 사 먹는데.
히히~

하루에 더 많은 금액을 저금하는 것이 목표야.

얼마나 하고 싶은데?

500
600
700
800
900
뛰어서 세어 보면 하루에 900원씩 저금하고 싶어.
뛰어서 세어 본다고?

폴짝! 폴짝!
이렇게 뛰면서 세면 된다는 말이지?

100씩 뛰어서 세면 백의 자리 수가 1씩 커진다는 뜻이야.
알아~ 알아. 재미로 그래 본 거야.

학습할 내용

❶ 백, 몇백, 세 자리 수 알아보기
❷ 천 알아보기, 뛰어 세기
❸ 수의 크기 비교
❹ 두 자리 수의 덧셈
❺ 두 자리 수의 뺄셈
❻ 덧셈과 뺄셈의 관계

개념 돌파 전략 ❶

개념 1 백, 몇백, 세 자리 수

[관련 단원] 세 자리 수

백, 몇백

- 90보다 10만큼 더 큰 수는 100
- 100이 2개인 수는 200(이백), 3개인 수는 300(삼백)

세 자리 수

365

- 3은 백의 자리 숫자이고, 300을 나타냅니다.
- 6은 십의 자리 숫자이고, 60을 나타냅니다.
- 5는 일의 자리 숫자이고, 5를 나타냅니다.

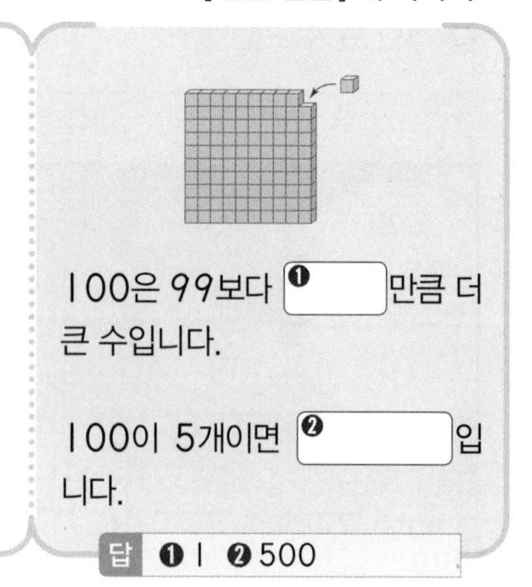

개념 2 뛰어 세기

[관련 단원] 세 자리 수

100씩 뛰어 세기

- 100씩 뛰어서 세면 백의 자리 수가 1씩 커집니다.

510 — 610 — 710 — 810 — 910

1씩 뛰어 세기

996 — 997 — 998 — 999 — 1000

999보다 1만큼 더 큰 수 ➡ 1000(천)

525부터 100씩 뛰어 세면

525 — ❶ — 725 — 825 — ❷ 입니다.

999 다음은 1000이야.

답 ❶ 625 ❷ 925

개념 3 수의 크기 비교

[관련 단원] 세 자리 수

- 273<361 (361은 273보다 큽니다.)
  백의 자리 수가 다르면, 백의 자리 수가 큰 수가 더 큽니다.
- 429<451 (451은 429보다 큽니다.)
  백의 자리 수가 같으면, 십의 자리 수가 큰 수가 더 큽니다.
- 523<527 (527은 523보다 큽니다.)
  백의 자리 수와 십의 자리 수가 각각 같으면, 일의 자리 수가 큰 수가 더 큽니다.

397과 412의 크기 비교하기

➡ ❶ 의 자리 수가 더 큰 ❷ 가 더 큽니다.

답 ❶ 백 ❷ 412

개념 기초 확인

▶정답 및 풀이 2쪽

1-1 수 모형이 나타내는 수를 쓰고 읽으시오.

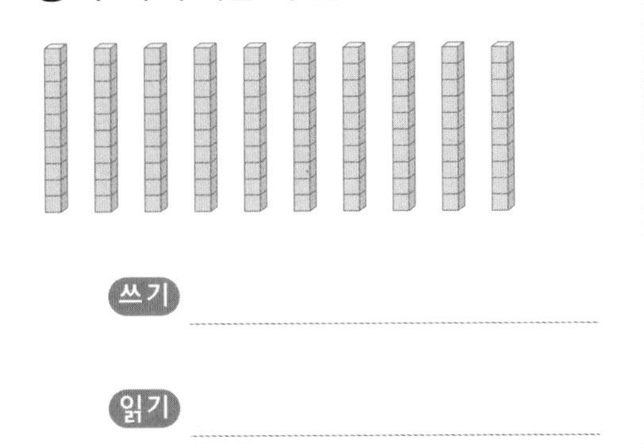

쓰기

읽기

• 풀이 • 10이 10개인 수는 ❶ ☐ 이고, ❷ ☐ 이라고 읽습니다.

답 ❶ 100 ❷ 백

1-2 수 모형이 나타내는 수를 쓰고 읽으시오.

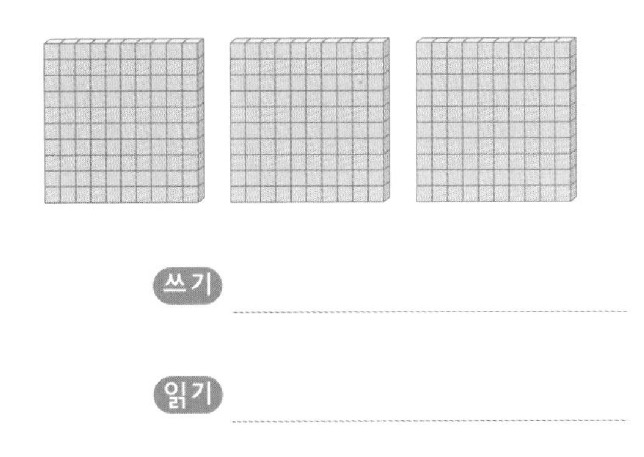

쓰기

읽기

2-1 10씩 뛰어서 세어 보시오.

240 – 250 – 260 – ☐ – ☐

• 풀이 • 240부터 ❶ ☐ 씩 뛰어서 세면 ❷ ☐ 의 자리 수가 1씩 커집니다.

답 ❶ 10 ❷ 십

2-2 100씩 뛰어서 세어 보시오.

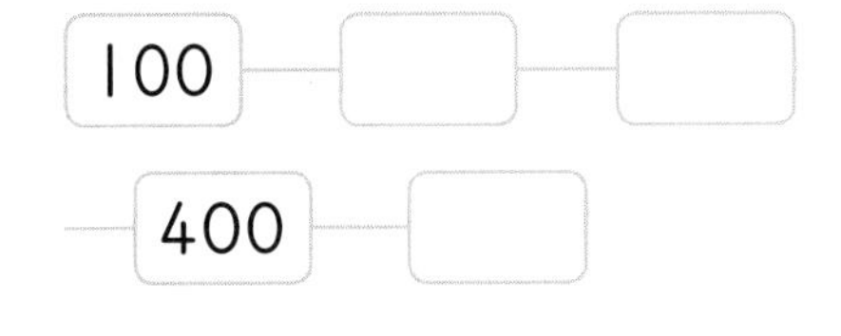

3-1 수 모형을 보고 두 수의 크기를 비교하여 ○ 안에 > 또는 <를 알맞게 써넣으시오.

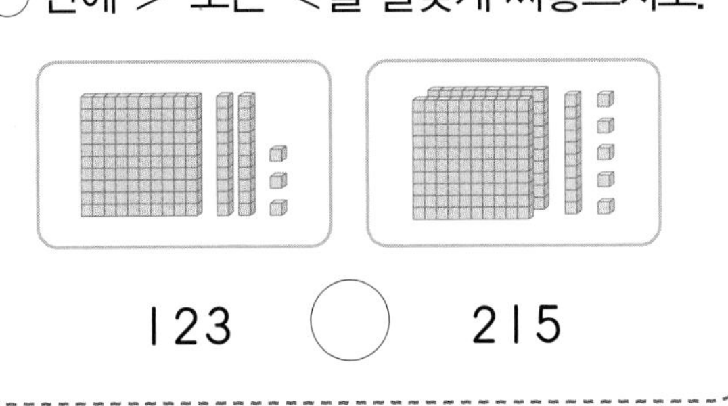

• 풀이 • ❶ ☐ 모형의 수를 비교하면 1이 2보다 작으므로 ❷ ☐ 이 더 작습니다.

답 ❶ 백 ❷ 123

3-2 수 모형을 보고 두 수의 크기를 비교하여 ○ 안에 > 또는 <를 알맞게 써넣으시오.

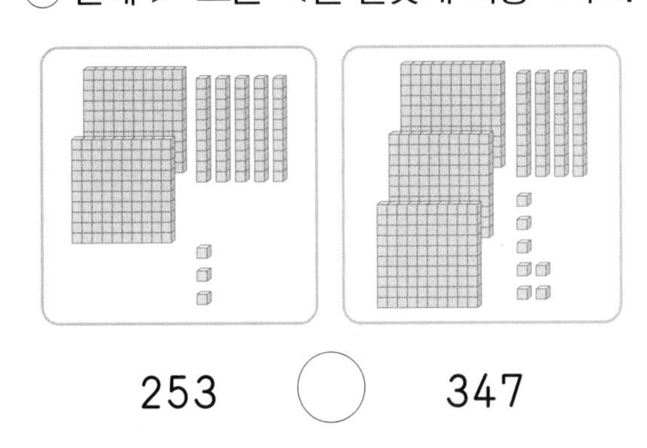

1 주

개념 돌파 전략 ❶

개념 4 덧셈

[관련 단원] 덧셈과 뺄셈

• 일 모형 10개는 십 모형 1개와 같습니다.

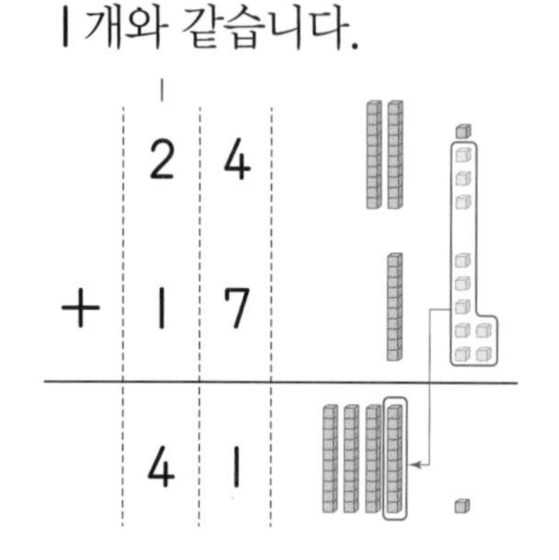

• 십 모형 10개는 백 모형 1개와 같습니다.

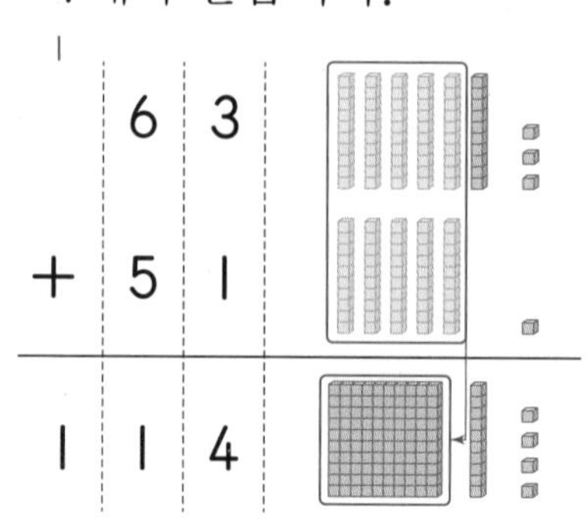

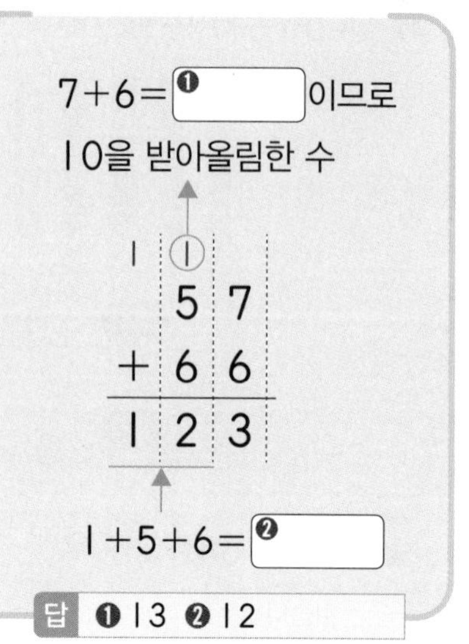

답 ❶ 13 ❷ 12

개념 5 뺄셈

[관련 단원] 덧셈과 뺄셈

• 일 모형끼리 뺄 수 없으면 십 모형 1개를 일 모형 10개로 바꿉니다.

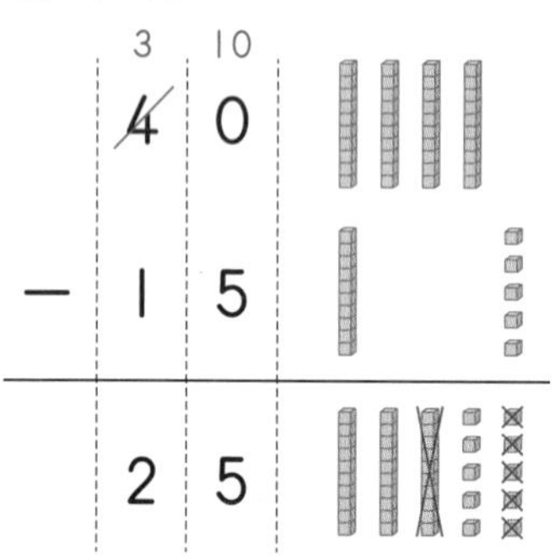

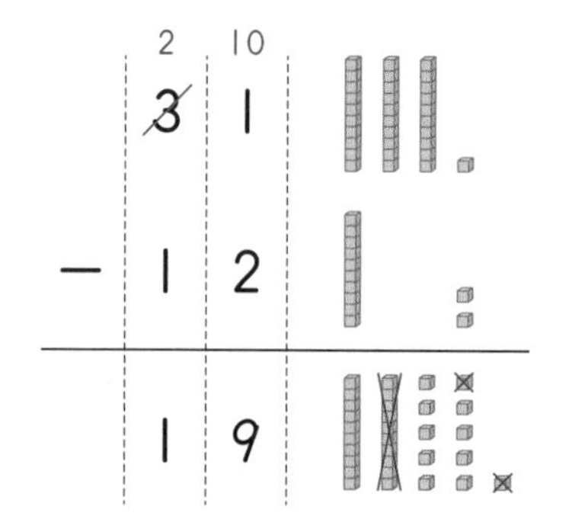

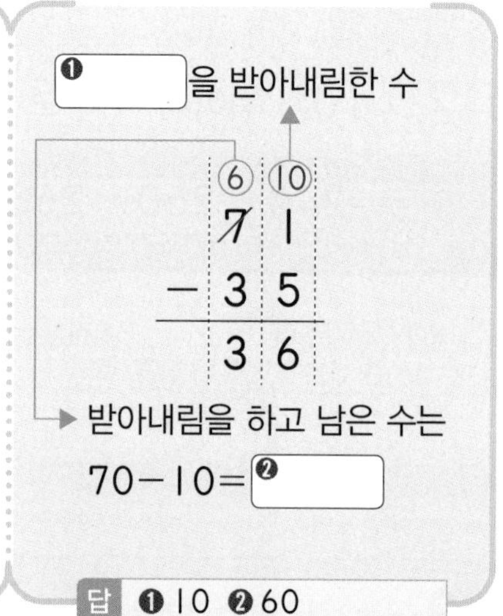

답 ❶ 10 ❷ 60

개념 6 덧셈과 뺄셈의 관계

[관련 단원] 덧셈과 뺄셈

덧셈식을 뺄셈식으로 나타내기

$9+3=12$ → $12-9=3$, $12-3=9$

뺄셈식을 덧셈식으로 나타내기

$15-8=7$ → $7+8=15$, $8+7=15$

(32, 11, 43)

덧셈식 $32+11=$ ❶ 은 뺄셈식 $43-32=11$, $43-11=$ ❷ 로 나타낼 수 있습니다.

답 ❶ 43 ❷ 32

4-1 그림을 보고 덧셈을 하시오.

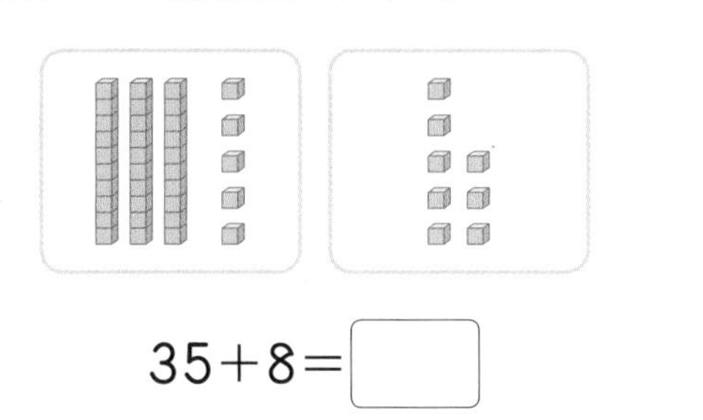

35+8=☐

• 풀이 • 일 모형 10개를 십 모형 ❶☐개로 바꾸면 십 모형 ❷☐개, 일 모형 3개입니다.

답 ❶ 1 ❷ 4

4-2 그림을 보고 덧셈을 하시오.

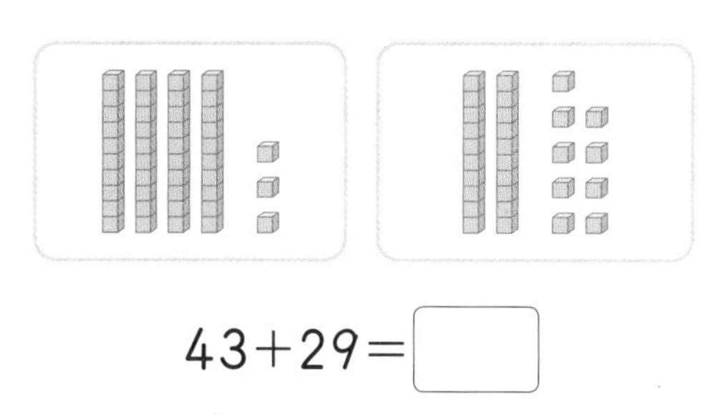

43+29=☐

5-1 그림을 보고 뺄셈을 하시오.

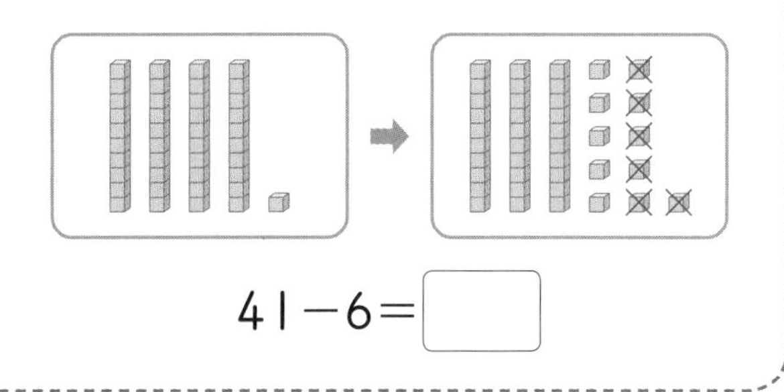

41−6=☐

• 풀이 • 십 모형 1개를 일 모형 10개로 바꿔서 일 모형 ❶☐개를 빼면 십 모형 ❷☐개, 일 모형 5개입니다.

답 ❶ 6 ❷ 3

5-2 그림을 보고 뺄셈을 하시오.

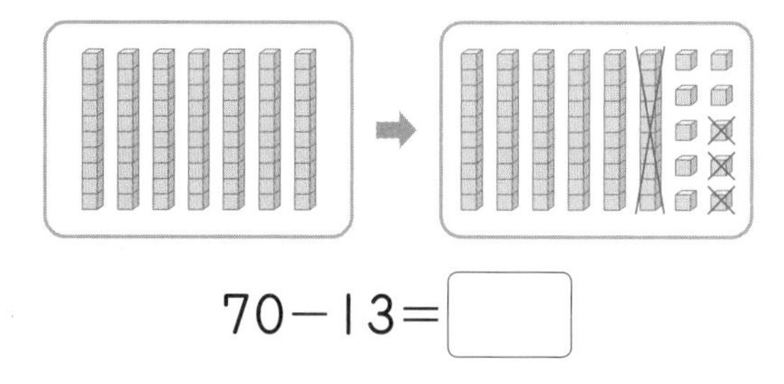

70−13=☐

6-1 아래의 덧셈식을 뺄셈식으로 나타내려고 합니다. 빈칸에 알맞은 수를 써넣으시오.

45+19=64 (45, 19, 64)

64−☐=☐

64−☐=☐

• 풀이 • 64에서 45를 빼면 ❶☐가 남고, 64에서 19를 빼면 ❷☐가 남습니다.

답 ❶ 19 ❷ 45

6-2 아래의 덧셈식을 뺄셈식으로 나타내려고 합니다. 빈칸에 알맞은 수를 써넣으시오.

58+25=83 (58, 25, 83)

83−☐=☐

83−☐=☐

1주 04일 개념 돌파 전략 ❷

예제 1 세 자리 수

248을 수 모형으로 나타내기

100이 2개	10이 4개	1이 8개

2는 백의 자리, 4는 ❶ [ ] 의 자리,
8은 ❷ [ ] 의 자리 숫자입니다.

[답] ❶ 십 ❷ 일

예제 2 뛰어 세기

996부터 1씩 뛰어 세기

996 - 997 - 998 - 999 - 1000

999보다 ❶ [ ] 만큼 더 큰 수는
1000이라고 쓰고, ❷ [ ] 이라고
읽습니다.

[답] ❶ 1 ❷ 천

예제 3 두 수의 크기 비교

493과 432의 크기 비교

	백의 자리	십의 자리	일의 자리
493	4	9	3
432	4	3	2

493>432

❶ [ ] 의 자리 수가 같으므로 바로 아래
자리인 ❷ [ ] 의 자리 수를 비교합니다.

[답] ❶ 백 ❷ 십

1 다음은 539를 수 모형으로 나타낸 것입니다.
그림을 보고 빈칸에 알맞은 수를 써넣으시오.

539

539는 100이 [ ] 개, 10이 [ ] 개,
1이 [ ] 개인 수입니다.

2 360부터 10씩 뛰어서 세어 보시오.

360 - [ ] - 380 - [ ] - 400 - [ ]

3 635와 653의 크기를 비교하려고 합니다. 표를
보고 알맞은 말에 ○표 하시오.

	백의 자리	십의 자리	일의 자리
635	6	3	5
653	6	5	3

두 수의 백의 자리 수가 같으므로
(십 , 일)의 자리 수를 비교합니다.
635는 653보다 (작습니다 , 큽니다).

▶정답 및 풀이 2쪽

예제 4 받아올림이 있는 덧셈

	1	
	3	5
+		5
	4	0

5+5=10이므로 받아올림합니다.

일의 자리 수의 합이 10이거나 ❶ [ ]을 넘으면 ❷ [ ]의 자리로 받아올림합니다.

[답] ❶ 10 ❷ 십

4 빈칸에 알맞은 수를 써넣으시오.

예제 5 받아내림이 있는 뺄셈

	5	10
	~~6~~	3
−	3	7
		6

➡

	5	10
	~~6~~	3
−	3	7
	2	6

일의 자리 수끼리 뺄 수 없으면 ❶ [ ]의 자리에서 ❷ [ ]을 받아 내림합니다.

[답] ❶ 십 ❷ 10

5 빈칸에 알맞은 수를 써넣으시오.

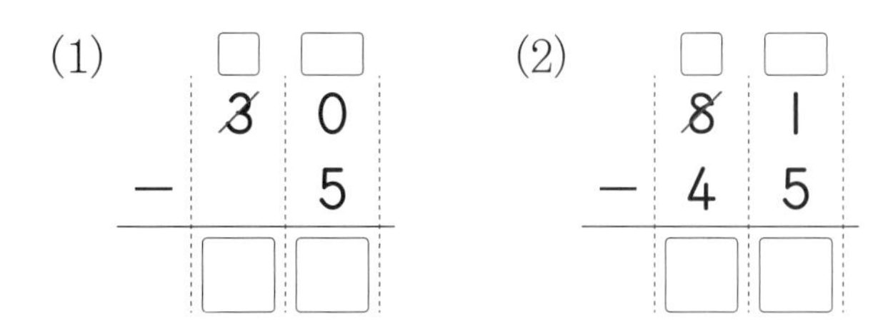

예제 6 덧셈과 뺄셈의 관계

62−34=28

➡ 28+34=62
34+28=62

뺄셈식을 ❶ [ ]셈식 ❷ [ ]개로 나타낼 수 있습니다.

[답] ❶ 덧 ❷ 2

6 아래의 뺄셈식을 덧셈식으로 나타내려고 합니다. 빈칸에 알맞은 수를 써넣으시오.

70−27=43

70
[ ] 27

43+[ ]=[ ]

27+[ ]=[ ]

1주

필수 체크 전략 ❶

전략 1 그림이 나타내는 수를 쓰고 읽기

[관련 단원] 세 자리 수

예 수 모형이 나타내는 수를 쓰고 읽기

쓰기 ❶

읽기 ❷

답 ❶ 265 ❷ 이백육십오

필수 예제 01

그림이 나타내는 수를 쓰고 읽으시오.

쓰기 ______ 읽기 ______

풀이 | 100이 3개, 10이 7개, 1이 2개이므로 그림이 나타내는 수는 372입니다.
372는 삼백칠십이라고 읽습니다.

확인 1-1

수 모형이 나타내는 수를 쓰고 읽으시오.

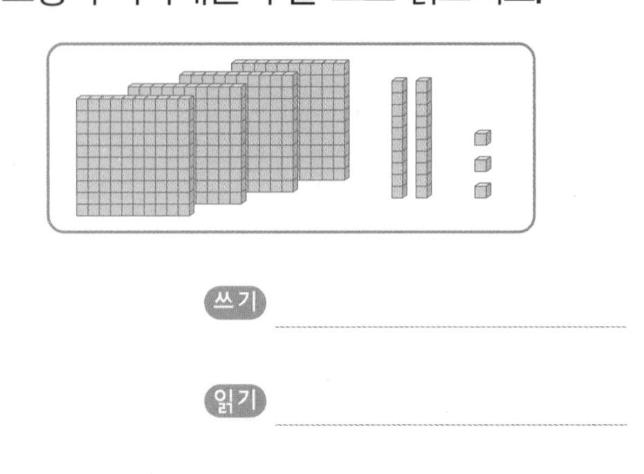

쓰기 ______

읽기 ______

확인 1-2

수 모형이 나타내는 수를 삼백팔이라고 읽었습니다. 알맞은 수 모형에 ○표 하시오.

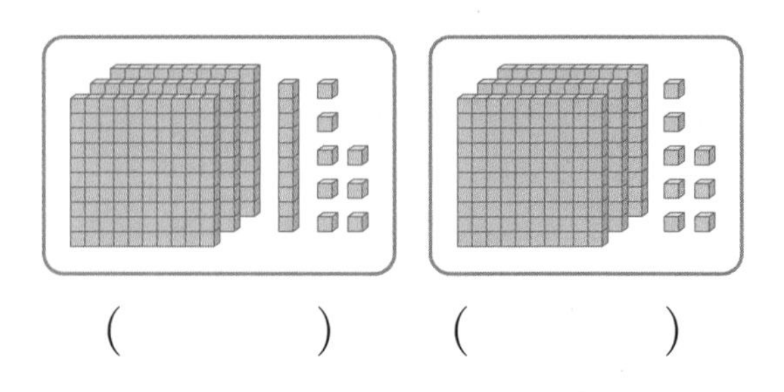

(　　　) (　　　)

전략 2 각 자리의 숫자가 나타내는 값 알기

[관련 단원] 세 자리 수

예 각 자리의 숫자가 나타내는 값 알기

2 3 5

백 모형이 2개 ➡ 2는 ❶ ☐을 나타냅니다.

십 모형이 3개 ➡ 3은 ❷ ☐을 나타냅니다.

일 모형이 5개 ➡ 5는 5를 나타냅니다.

답 ❶ 200 ❷ 30

필수 예제 02

빈칸에 알맞은 수를 써넣으시오.

3 2 1

100 100 100 10 10 1

백의 자리 숫자 3은 ☐을 나타냅니다.

십의 자리 숫자 2는 ☐을 나타냅니다.

일의 자리 숫자 1은 ☐을 나타냅니다.

풀이 | 321은 100이 3개, 10이 2개, 1이 1개인 수입니다.
따라서 321에서 3은 300을 나타내고, 2는 20을 나타내고, 1은 1을 나타냅니다.

확인 2-1

빈칸에 알맞은 수를 써넣으시오.

698에서
- 6은 ☐을 나타냅니다.
- 9는 ☐을 나타냅니다.
- 8은 ☐을 나타냅니다.

확인 2-2

빈칸에 알맞은 수를 써넣으시오.

(1) 칠백이에서 백의 자리 숫자는 ☐이고 ☐을 나타냅니다.

(2) 오백이십사에서 십의 자리 숫자는 ☐이고 ☐을 나타냅니다.

전략 3 두 자리 수의 덧셈과 뺄셈

[관련 단원] 덧셈과 뺄셈

예 수를 넣었을 때 계산 결과 구하기

(1) 5 → +39 →

5+39= ❶ □

(2) 47 → −28 →

47−28= ❷ □

답 ❶ 44 ❷ 19

필수 예제 | 03 |

빈칸에 알맞은 수를 써넣으시오.

(1) 36 → +45 → □

(2)

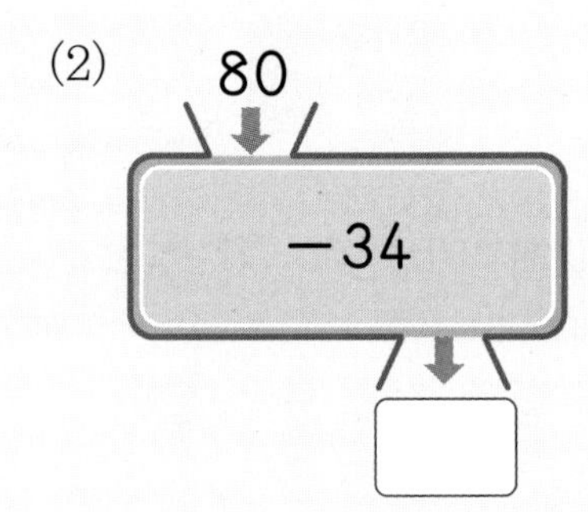

풀이 | 수를 넣으면, 계산을 한 후에 밖으로 나옵니다.

(1) 빈칸에 들어갈 수는 36+45=81입니다.

(2) 빈칸에 들어갈 수는 80−34=46입니다.

확인 3-1

빈칸에 알맞은 수를 써넣으시오.

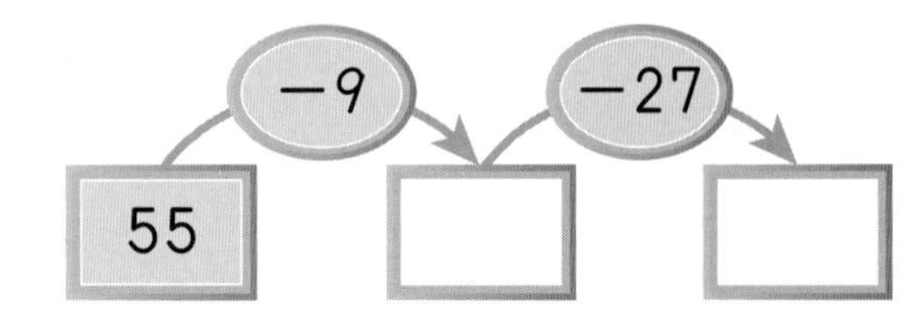

확인 3-2

빈칸에 알맞은 수를 써넣으시오.

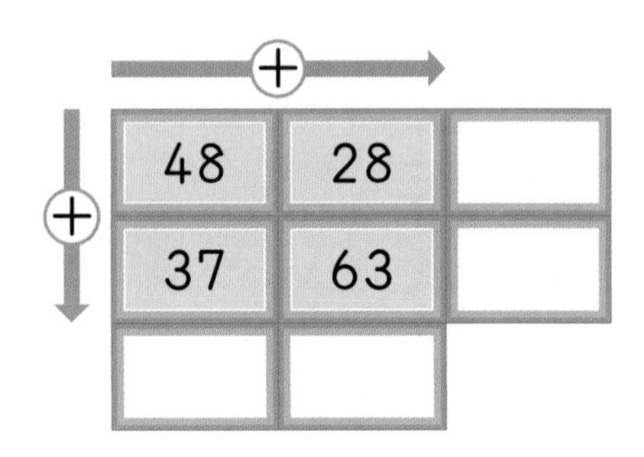

▶정답 및 풀이 3쪽

전략 4 계산한 결과를 비교하기

[관련 단원] 덧셈과 뺄셈

예 계산한 결과가 같은 것끼리 빈칸에 같은 기호로 표시하기

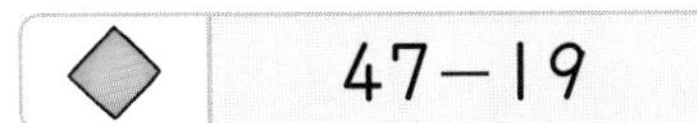

◇	47－19	❶	66－38
△	53－28	❷	73－56
♡	54－37	△	41－16

필수 예제 04

계산한 결과가 보기 의 자동차와 같은 자동차에 ○표 하시오.

보기

(　　　)

(　　　)

풀이 | 72－36＝36입니다. 보기 와 계산 결과가 같은 것을 찾습니다.
65－39＝26, 54－18＝36

확인 4-1

계산 결과가 같은 식에 ○표 하시오.

76－28

61－15	93－35
80－32	83－45

확인 4-2

계산 결과가 같은 식끼리 선으로 이으시오.

85－59 •	• 53－17
82－46 •	• 60－34

필수 체크 전략 ❷

[관련 단원] **세 자리 수**

1 다음이 나타내는 수를 쓰시오.

100이 7개, 10이 1개, 1이 5개인 수

(　　　　　　　　　　)

Tip
- 100이 7개이면 백의 자리 숫자는 ❶☐입니다.
- 10이 1개이면 십의 자리 숫자는 ❷☐입니다.

답 ❶ 7 ❷ 1

[관련 단원] **세 자리 수**

2 빈칸에 알맞은 수를 써넣으시오.

356

백의 자리	십의 자리	일의 자리
3	❶5	☐
100이 3개	10이 ☐개	1이 6개
300	☐	☐

❷$356=300+$☐$+$☐

Tip
❶ 십의 자리 숫자가 5이면 10이 ❶☐개입니다.
❷ 356은 100이 3개, 10이 5개, 1이 6개인 수이므로 $300+$❷☐$+6$입니다.

답 ❶ 5 ❷ 50

[관련 단원] **세 자리 수**

3 밑줄 친 숫자는 얼마를 나타내는지 쓰시오.

<u>4</u>75

(　　　　　　　　　　)

Tip
- 475는 100이 ❶☐개, 10이 7개, 1이 5개인 수입니다.
- 100이 4개이면 ❷☐입니다.

답 ❶ 4 ❷ 400

[관련 단원] **덧셈과 뺄셈**

4 바르게 계산한 것을 찾아 기호를 쓰시오.

㉠ $37+54=90$
㉡ $35+49=84$
㉢ $85+34=129$

(　　　　　　　　　　)

• 37+54에서 일의 자리끼리의 합은 ❶ [　　] 이므로 ❷ [　　] 의 자리로 받아올림합니다.

답 ❶ 11 ❷ 십

[관련 단원] **덧셈과 뺄셈**

5 아래의 공 중에서 두 개를 골라 두 수를 더했더니 50이 되었습니다. 합한 두 수를 고르시오.

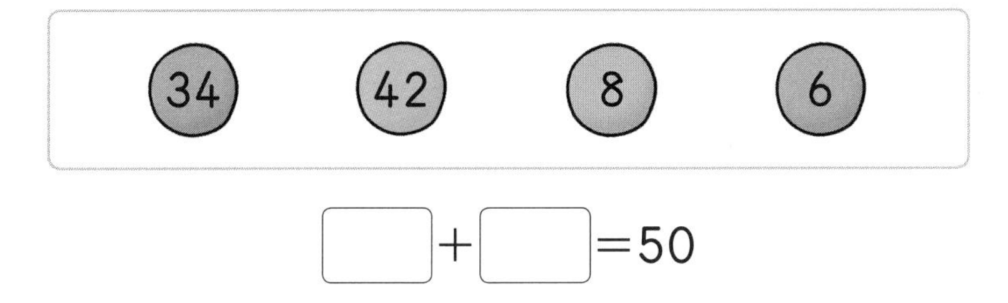

[　] + [　] = 50

Tip

• 두 수의 합이 50이므로 일의 자리 수끼리의 합이 0이나 ❶ [　　] 이어야 합니다.

$34+6=40$ (10)

$42+8=$ ❷ [　　] (10)

답 ❶ 10 ❷ 50

[관련 단원] **덧셈과 뺄셈**

6 ❶민우는 줄넘기를 93회 했고, ❷준서는 민우보다 48회 더 적게 했습니다. 준서는 줄넘기를 몇 회 했습니까?

(　　　　　　　　　　)

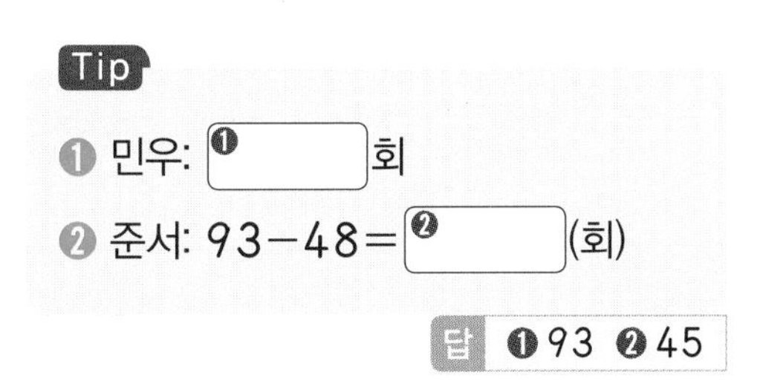

답 ❶ 93 ❷ 45

필수 체크 전략 ❶

전략 1 규칙 찾아 뛰어 세기

[관련 단원] 세 자리 수

예 뛰어 세는 규칙 찾기

725	735	745	❶	765	775

➡ 십의 자리 수가 1씩 커집니다.

➡ 725부터 ❷ ☐씩 뛰어서 세었습니다.

답 ❶ 755 ❷ 10

필수 예제 01

다음은 995부터 일정한 수만큼 뛰어 센 것입니다. 빈칸에 알맞은 수를 써넣고, 몇씩 뛰어서 세었는지 쓰시오.

995	996	997			

➡ 995부터 ☐씩 뛰어서 세었습니다.

풀이 | 995 다음에 995보다 1만큼 더 큰 996을 세었으므로, 995부터 1씩 뛰어 센 것입니다.
따라서 일의 자리 수가 1씩 커지도록 995, 996, 997, 998, 999로 셉니다.
999보다 1만큼 더 큰 수는 1000이고 천이라고 읽습니다.

확인 1-1

보기와 같은 방법으로 318부터 뛰어 세시오.

보기

355	455	555	655	755

318				

확인 1-2

보기와 같은 방법으로 485부터 뛰어 세시오.

보기

838	848	858	868	878

485				

▶정답 및 풀이 4쪽

전략 2 수의 크기 비교하기

[관련 단원] 세 자리 수

예 표에 수를 써넣고 수의 크기 비교하기

		백의 자리	십의 자리	일의 자리
295	➡	2	❶	5
274	➡	2	7	4

295 ❷ ◯ 274

답 ❶ 9 ❷ >

필수 예제 02

빈칸에 알맞은 수를 써넣은 후 두 수의 크기를 비교하여 ◯ 안에 > 또는 <를 알맞게 써넣으시오.

		백의 자리	십의 자리	일의 자리
412	➡	4	1	2
385	➡			

412 ◯ 385

풀이 | 두 수의 백의 자리 수끼리 비교하면 4가 3보다 크므로 412가 385보다 큽니다.

확인 2-1

빈칸에 알맞은 수를 써넣은 후 두 수의 크기를 비교하여 ◯ 안에 > 또는 <를 알맞게 써넣으시오.

		백의 자리	십의 자리	일의 자리
473	➡	4	7	3
470	➡			

473 ◯ 470

확인 2-2

빈칸에 알맞은 수를 써넣은 후 두 수의 크기를 비교하여 더 큰 수에 ◯표 하시오.

		백의 자리	십의 자리	일의 자리
오백삼	➡	5		
오백삼십	➡			

전략 3 덧셈과 뺄셈의 관계

[관련 단원] 덧셈과 뺄셈

예 덧셈식을 뺄셈식으로 표현하기

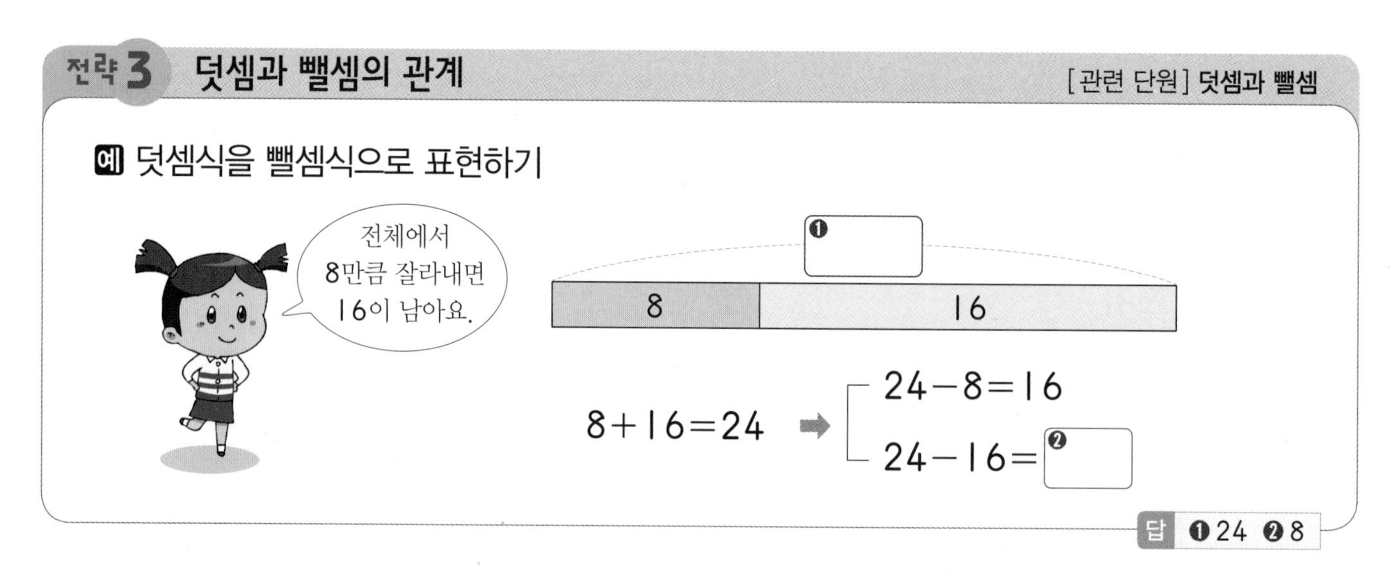

답 ❶ 24 ❷ 8

필수 예제 03

그림을 보고 덧셈식을 뺄셈식으로 표현하시오.

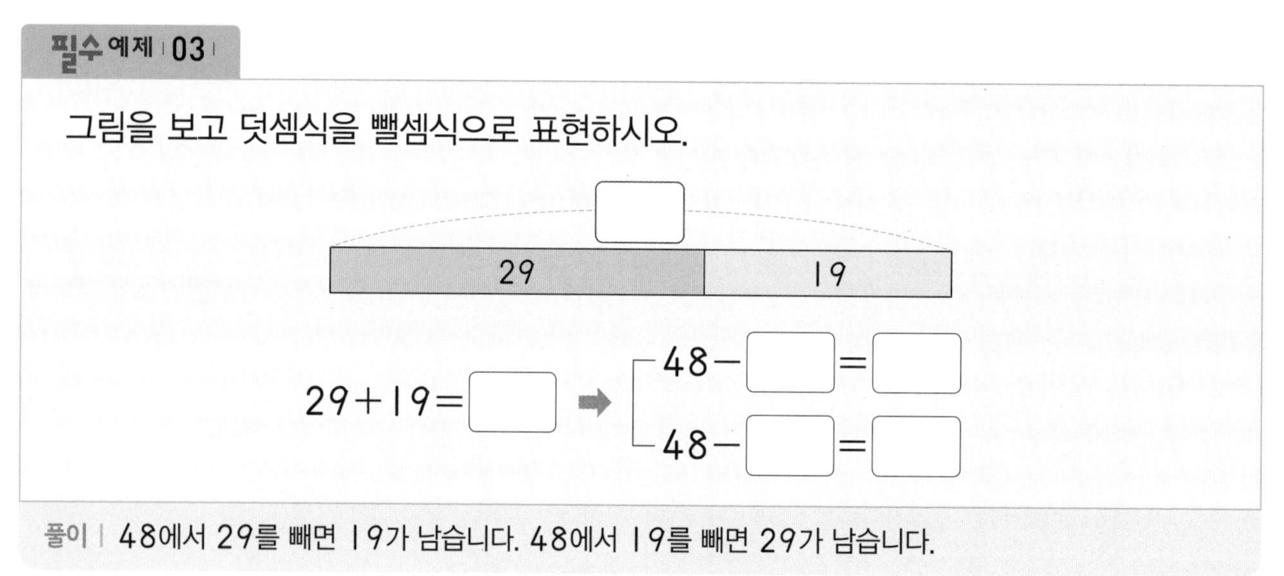

풀이 | 48에서 29를 빼면 19가 남습니다. 48에서 19를 빼면 29가 남습니다.

확인 3-1

그림을 보고 덧셈식을 뺄셈식으로 표현하시오.

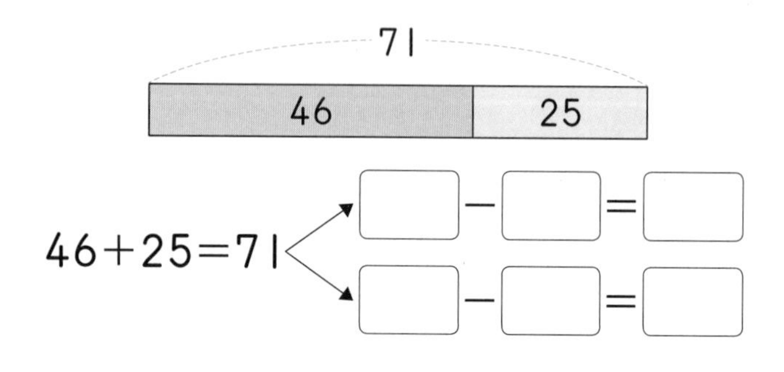

확인 3-2

그림을 보고 뺄셈식을 덧셈식으로 표현하시오.

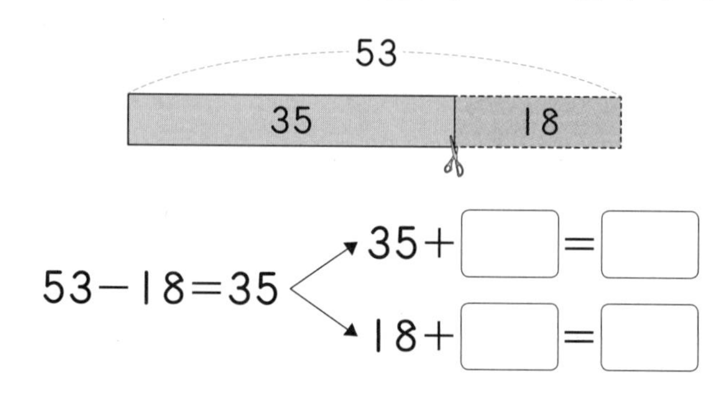

전략 4 세 수의 계산

[관련 단원] **덧셈과 뺄셈**

예 세 수를 계산하기

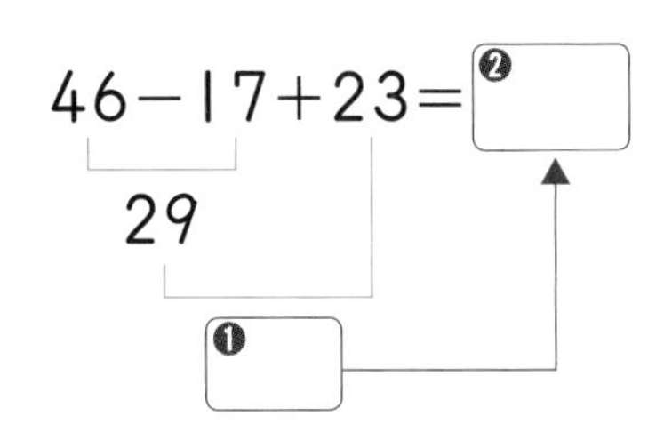

3 10
4̸ 6
− 1 7
❸

1
2 9
+ 2 3
5 2

① 앞에서부터 차례로 46−17을 계산합니다.
② 46−17을 계산한 값인 29에 23을 더합니다.

답 ❶ 52 ❷ 52 ❸ 29

필수 예제 | 04

세 수를 계산해 보시오.

62−38+16=☐

5 10
6̸ 2
− 3 8
☐

1
2 4
+ 1 6
☐

풀이 | 앞에서부터 차례로 62−38을 계산하고, 계산한 값인 24에 16을 더합니다.
24+16=40입니다.

확인 4-1

세 수를 계산해 보시오.

38+53−59=☐

확인 4-2

세 수를 계산해 보시오.

(1) 58+42−47=☐

(2) 72−15+39=☐

1주

1주 03일 필수 체크 전략 ❷

[관련 단원] **세 자리 수**

1 10씩 뛰어 세려고 합니다. 빈칸에 알맞은 수를 써넣으시오.

390		410		

Tip

• 390보다 10만큼 더 큰 수는 ❶ ☐ 입니다.

• 400보다 10만큼 더 큰 수는 ❷ ☐ 입니다.

답 ❶ 400 ❷ 410

[관련 단원] **세 자리 수**

2 두 수의 크기를 비교하시오.

❶ 이백오십팔 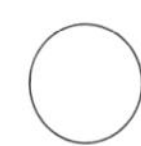 ❷ 이백오십

Tip

① 이백오십팔을 수로 쓰면 ❶ ☐ 입니다.

② 이백오십을 수로 쓰면 ❷ ☐ 입니다.

답 ❶ 258 ❷ 250

[관련 단원] **세 자리 수**

3 세 수를 비교하여 작은 수부터 쓰시오.

83　　239　　229

Tip

• 두 자리 수는 세 자리 수보다 항상 ❶ ☐ 니다.

• 백의 자리 수가 같은 세 자리 수는 ❷ ☐ 의 자리 수를 비교합니다.

답 ❶ 작습 ❷ 십

▶정답 및 풀이 5쪽

[관련 단원] **덧셈과 뺄셈**

4 뺄셈식을 덧셈식으로 나타내시오.

94−29=65	
➡	□+□=□
	□+□=□

Tip

• 94에서 29를 빼면 ❶□가 남습니다.

• 65와 29를 더하면 ❷□입니다.

답 ❶65 ❷94

[관련 단원] **덧셈과 뺄셈**

5 어떤 수에 5를 더했더니 41이 되었습니다. ❷어떤 수를 구하시오.

❶■+5=41

(　　　　　　)

Tip

❶ ■+5=41을 뺄셈식으로 바꾸면 41−❶□=■입니다.

❷ ■의 값이 어떤 수이므로 어떤 수는 ❷□입니다.

답 ❶5 ❷36

[관련 단원] **덧셈과 뺄셈**

6 승재는 만화책 32권을 가지고 있습니다. 그중 14권을 읽었습니다. 아직 읽지 않은 만화책은 몇 권입니까?

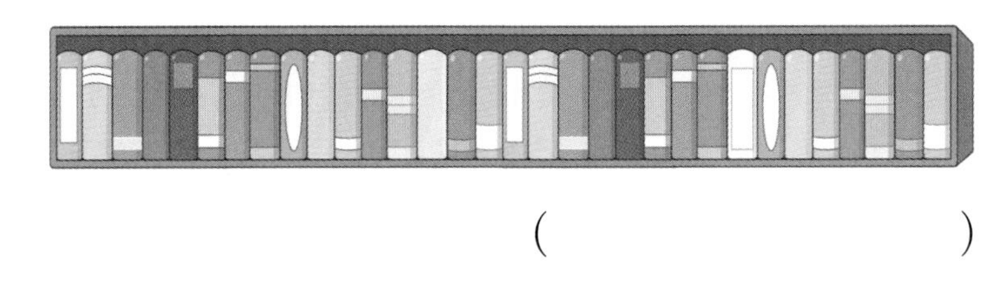

(　　　　　　)

Tip

• 32와 14의 ❶□를 구합니다.

➡ 32−14=❷□

답 ❶차 ❷18

1주 04일 교과서 대표 전략 ❶

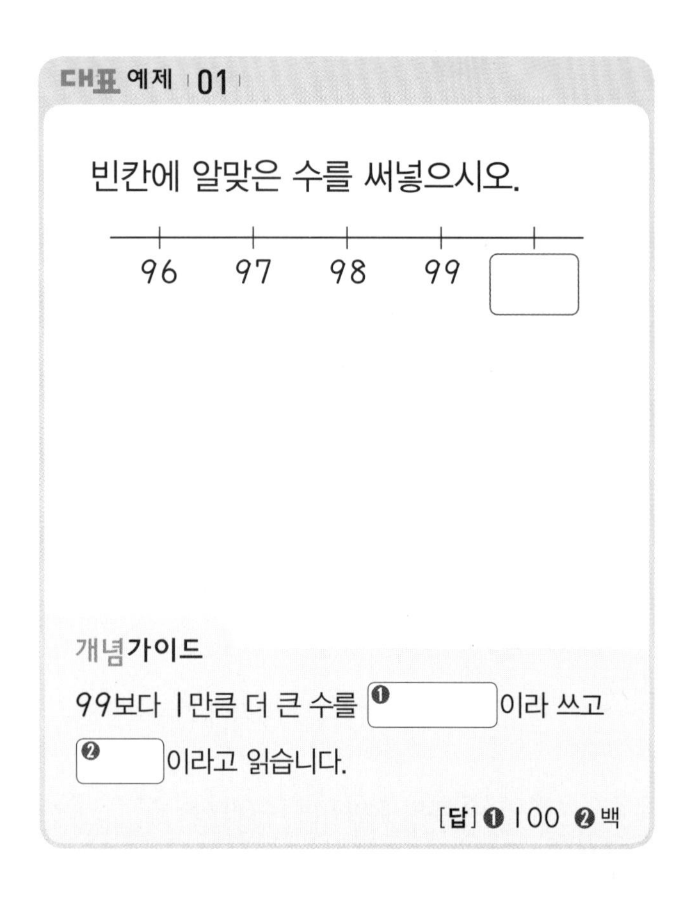

대표 예제 01

빈칸에 알맞은 수를 써넣으시오.

96 97 98 99 □

개념가이드

99보다 1만큼 더 큰 수를 ❶□이라 쓰고 ❷□이라고 읽습니다.

[답] ❶ 100 ❷ 백

대표 예제 02

빈칸에 알맞은 수를 써넣으시오.

584

100이 □개, 10이 8개, 1이 4개

584=□+□+□

개념가이드

584는 백의 자리 숫자가 5, 십의 자리 숫자가 ❶□, 일의 자리 숫자가 4인 수입니다.

100이 5개이므로 5는 ❷□을 나타냅니다.

[답] ❶ 8 ❷ 500

대표 예제 03

수 모형이 나타내는 수를 쓰고 읽으시오.

쓰기 ______

읽기 ______

개념가이드

백 모형이 ❶□개, 십 모형이 2개, 일 모형이 3개인 수는 ❷□입니다.

[답] ❶ 4 ❷ 423

대표 예제 04

737부터 일정한 수만큼 뛰어 세었습니다. 빈칸에 알맞은 수를 써넣으시오.

737		757	767		

개념가이드

757 다음에 767이므로 ❶□씩 뛰어 센 것입니다. 따라서 오른쪽으로 갈수록 ❷□의 자리 수가 1씩 더 커집니다.

[답] ❶ 10 ❷ 십

▶정답 및 풀이 6쪽

대표 예제 05

다음의 방법으로 뛰어서 세어 보시오.

370에서 시작하여
10씩 커지도록 셉니다.

370	380				

개념가이드

10씩 뛰어서 세면 ❶ [ ] 의 자리 수가 1씩 커집니다. 390보다 10만큼 더 큰 수는 100이 4개인 ❷ [ ] 입니다.

[답] ❶ 십 ❷ 400

대표 예제 06

빈칸에 알맞은 수를 쓰고 732와 734의 크기를 비교하시오.

	백의 자리	십의 자리	일의 자리
732	7	3	2
734			

732 ◯ 734

개념가이드

두 수의 백의 자리 수는 7로 같고, 십의 자리 수는 ❶ [ ] 으로 같습니다. 따라서 두 수의 크기를 비교할 때에는 ❷ [ ] 의 자리 수를 비교합니다.

[답] ❶ 3 ❷ 일

대표 예제 07

231과 252의 크기를 비교하여 ◯ 안에 > 또는 <를 알맞게 써넣으시오.

231 ◯ 252

개념가이드

두 수의 백 모형의 수는 ❶ [ ] 개로 같으므로 ❷ [ ] 모형이 더 많을수록 큽니다.

[답] ❶ 2 ❷ 십

대표 예제 08

수의 크기를 비교하여 가장 작은 수부터 차례대로 쓰시오.

334 343 434

(   )

개념가이드

백의 자리, ❶ [ ] 의 자리, ❷ [ ] 의 자리 수를 차례대로 비교합니다.

[답] ❶ 십 ❷ 일

1 주

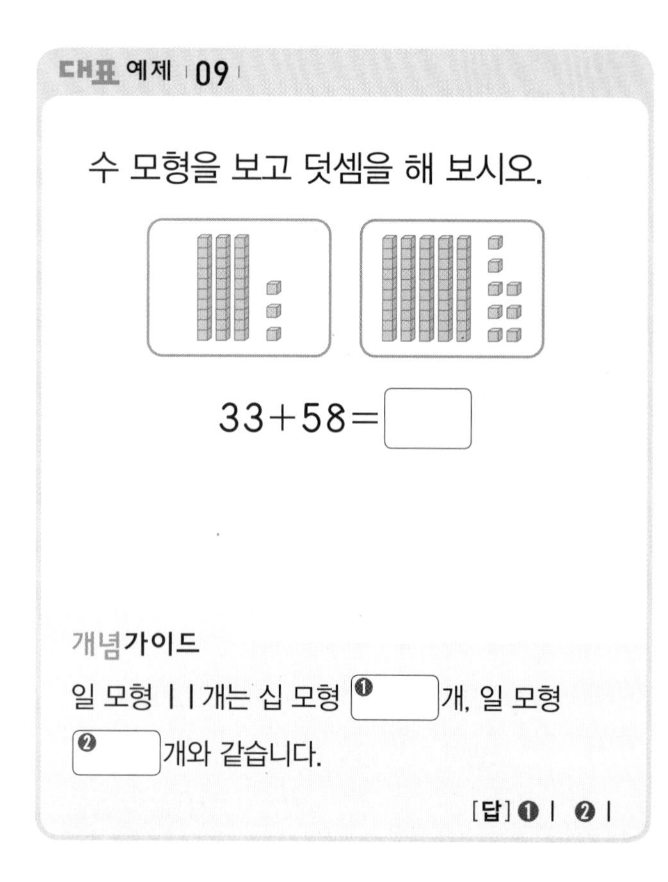

대표 예제 09

수 모형을 보고 덧셈을 해 보시오.

$33+58=\square$

개념가이드

일 모형 11개는 십 모형 ❶ [ ]개, 일 모형 ❷ [ ]개와 같습니다.

[답] ❶ 1 ❷ 1

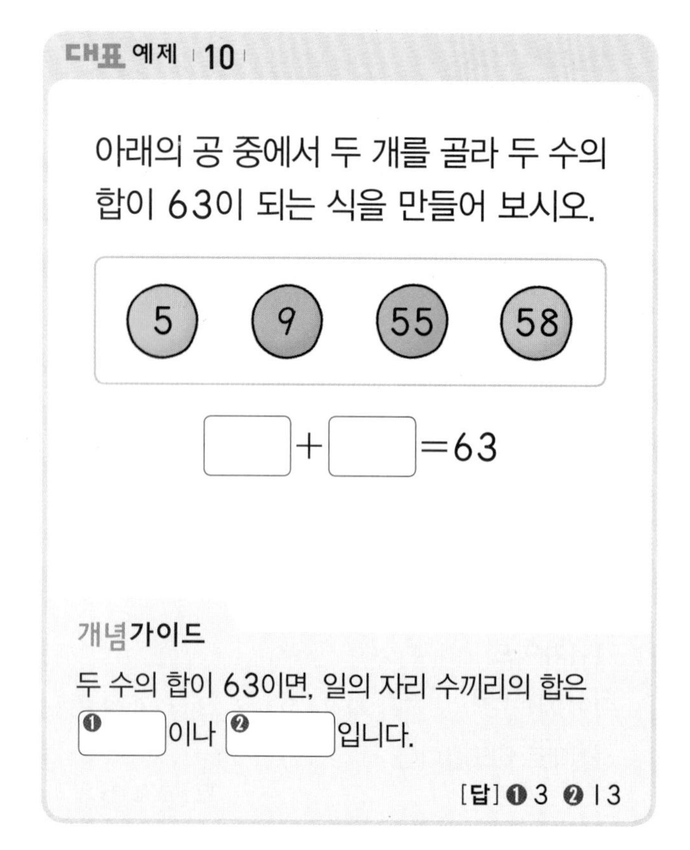

대표 예제 10

아래의 공 중에서 두 개를 골라 두 수의 합이 63이 되는 식을 만들어 보시오.

$\square+\square=63$

개념가이드

두 수의 합이 63이면, 일의 자리 수끼리의 합은 ❶ [ ]이나 ❷ [ ]입니다.

[답] ❶ 3 ❷ 13

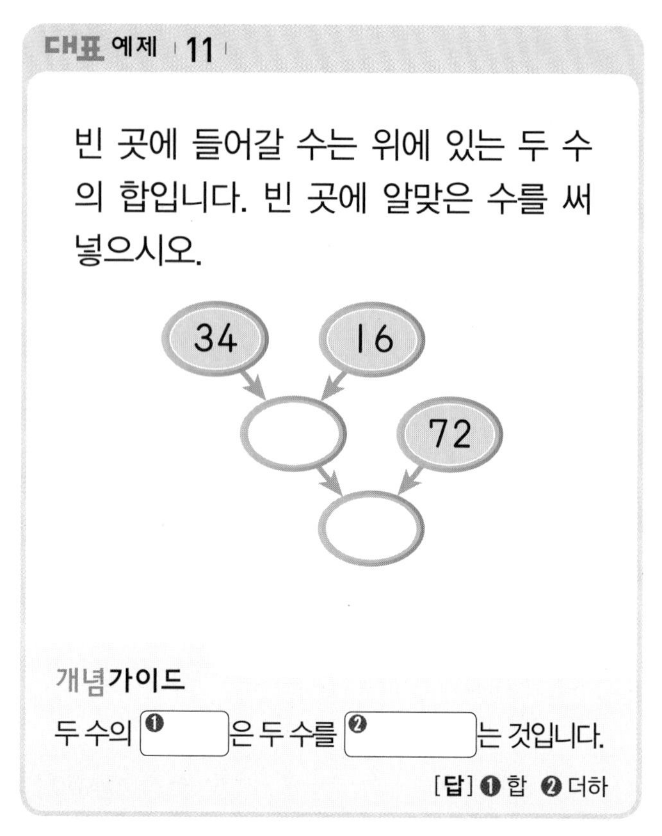

대표 예제 11

빈 곳에 들어갈 수는 위에 있는 두 수의 합입니다. 빈 곳에 알맞은 수를 써넣으시오.

개념가이드

두 수의 ❶ [ ]은 두 수를 ❷ [ ]는 것입니다.

[답] ❶ 합 ❷ 더하

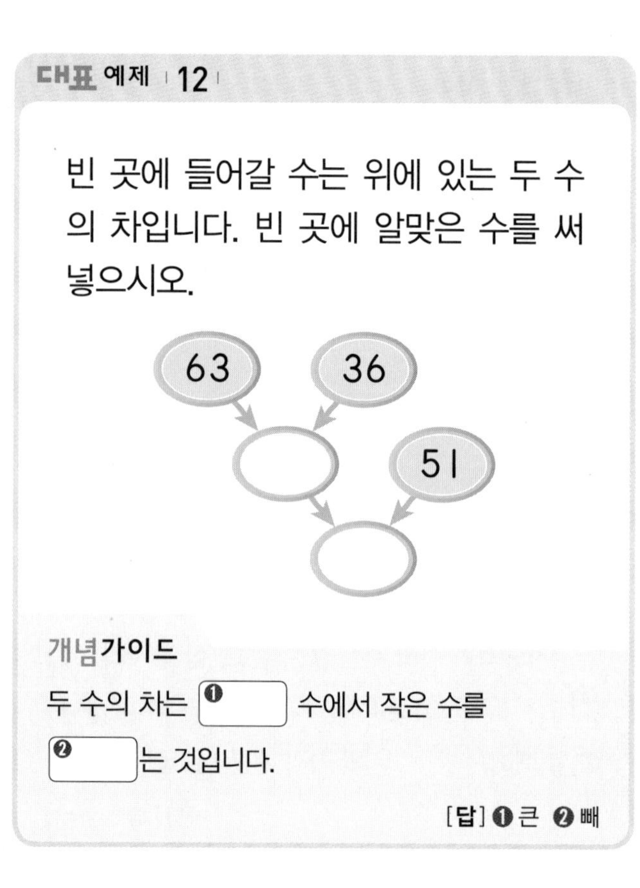

대표 예제 12

빈 곳에 들어갈 수는 위에 있는 두 수의 차입니다. 빈 곳에 알맞은 수를 써넣으시오.

개념가이드

두 수의 차는 ❶ [ ] 수에서 작은 수를 ❷ [ ]는 것입니다.

[답] ❶ 큰 ❷ 빼

▶정답 및 풀이 6쪽

대표 예제 | 13 |

어제 범퍼카를 탄 사람은 53명입니다. 오늘 범퍼카를 탄 사람은 어제보다 17명 적을 때, 오늘 범퍼카를 탄 사람은 몇 명입니까?

(　　　　　　　　)

개념가이드

53과 ❶ ☐의 ❷ ☐를 구합니다.

[답] ❶ 17 ❷ 차

대표 예제 | 14 |

덧셈식을 뺄셈식으로 나타내시오.

$34+47=81$

➡ $81-\square=\square$

$81-\square=\square$

개념가이드

81에서 34를 빼면 ❶ ☐이 남습니다.

81에서 47을 빼면 ❷ ☐가 남습니다.

[답] ❶ 47 ❷ 34

대표 예제 | 15 |

계산 결과를 비교하여 ○ 안에 >, =, <를 알맞게 써넣으시오.

$85-48$ ○ $53-16$

개념가이드

$85-48=$ ❶ ☐이고,

$53-16=$ ❷ ☐입니다.

[답] ❶ 37 ❷ 37

대표 예제 | 16 |

세 수를 계산하시오.

$53-15+29=\square$

개념가이드

세 수를 계산할 때는 ❶ ☐에서부터 ❷ ☐대로 합니다.

[답] ❶ 앞 ❷ 순서

1 주

교과서 대표 전략 ❷

1 빈칸에 알맞은 수를 써넣으시오.

육백구십오

백의 자리	십의 자리	일의 자리
□	□	□

Tip

육백구십오는 100이 ❶ □개, 10이 ❷ □개, 1이 5개인 수입니다.

답 ❶6 ❷9

2 밑줄 친 3은 각각 얼마를 나타내는지 아래 빈칸에 써넣으시오.

316	843	632
□	□	□

Tip

316에서 3은 ❶ □의 자리 숫자이고, 843에서 3은 ❷ □의 자리 숫자입니다.

답 ❶백 ❷일

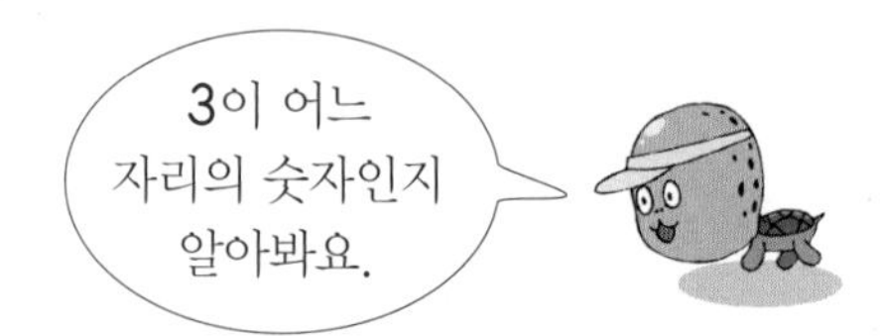

3 다음의 방법으로 뛰어 세시오.

880에서 시작하여 10씩 작아지도록 뛰어 셉니다.

880					

Tip

10씩 거꾸로 세면 ❶ □의 자리 수가 ❷ □씩 작아집니다.

답 ❶십 ❷1

4 수 카드를 한 번씩만 사용하여 가장 큰 세 자리 수를 만들어 보시오.

( )

Tip

수 카드를 가장 큰 수부터 백의 자리, 십의 자리, 일의 자리에 놓은 ❶ □가 가장 ❷ □ 세 자리 수입니다.

답 ❶864 ❷큰

5 계산에서 잘못된 곳을 찾아 다시 계산해 보시오.

$$\begin{array}{r} 39 \\ +\ 13 \\ \hline 42 \end{array} \Rightarrow \begin{array}{r} 39 \\ +\ 13 \\ \hline \square \end{array}$$

Tip

❶ ☐의 자리로 받아올림한 수는 ❷ ☐의 자리 수끼리의 합에 더해야 합니다.

답 ❶십 ❷십

6 집에 딸기가 25개 있었는데, 옆집 할머니께서 딸기 15개를 주셨습니다. 집에 있는 딸기는 모두 몇 개입니까?

식

답

Tip

딸기가 25개 있었는데, ❶ ☐개가 더 많아졌으므로 ❷ ☐셈을 합니다.

답 ❶15 ❷덧

7 어떤 수에 4를 더했더니 29가 되었습니다. 어떤 수를 ☐로 하여 식을 만들고 어떤 수를 구해 보시오.

식

답

Tip

(어떤 수)+❶ ☐=❷ ☐입니다.

답 ❶4 ❷29

8 밤송이 줍기 축제에 남학생 53명, 여학생 38명이 참가했는데 중간에 23명이 집에 돌아갔습니다. 마지막까지 축제에 참여한 학생은 몇 명입니까?

식

답

Tip

중간에 23명이 집에 돌아갔으므로 53과 38을 더하고 ❶ ☐을 ❷ ☐.

답 ❶23 ❷뺍니다

1 주

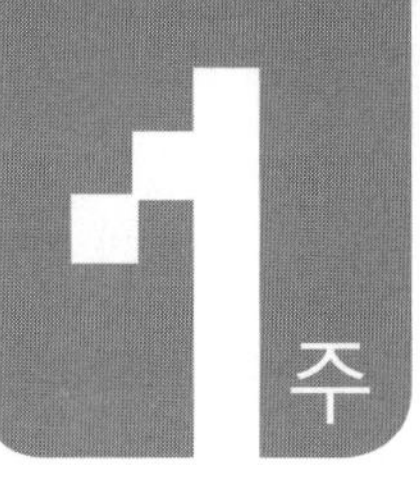

누구나 만점 전략

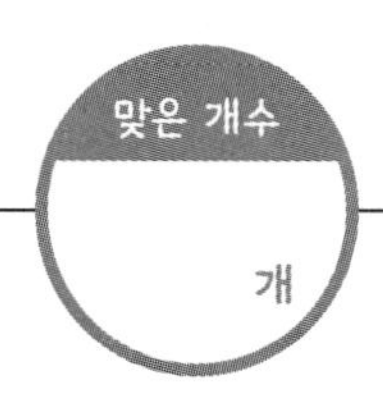

01 빈칸에 알맞은 수를 써넣으시오.

(1) 육백구 → [　　]

(2) 100이 4개인 수 → [　　]

(3) 100이 2개, 10이 3개인 수 → [　　]

02 밑줄 친 7이 나타내는 값이 더 큰 수에 ○표 하시오.

7̲18　　　97̲8

03 더 큰 수에 ○표 하시오.

378　　　385

04 기욱이와 희수가 각자의 방법으로 뛰어 세어, 수를 하나씩 동시에 외치는 놀이를 했습니다. 먼저 910을 말하는 사람은 누구입니까?

> 기욱: 870부터 10씩 뛰어 셀 거야.
> 희수: 905부터 1씩 뛰어 셀 거야.

(　　　　　　　　)

05 수 카드를 한 번씩만 사용하여 가장 큰 세 자리 수를 만들어 보시오.

[2]　[9]　[3]

(　　　　　　　　)

▶정답 및 풀이 8쪽

06 옛날 어느 마을에 의좋은 형제가 살았습니다. 형이 쌀 75가마니 중에 37가마니를 동생에게 선물했습니다. 그런데 착한 동생이 쌀 48가마니를 다시 형에게 선물했습니다. 형이 가진 쌀은 몇 가마니입니까?

식 ______________________

답 ______________

07 계산 결과를 비교하여 ○ 안에 >, =, <를 알맞게 써넣으시오.

62+29 ◯ 48+33

08 빈칸에 알맞은 수를 써넣으시오.

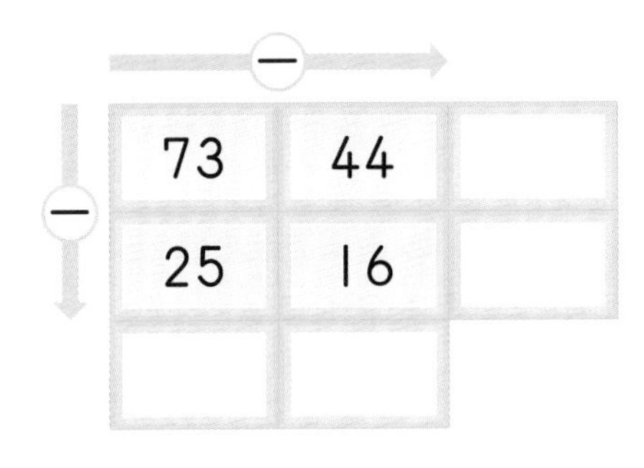

09 아래의 공 중에서 두 개를 골라 두 수의 차를 구했더니 34였습니다. 고른 두 공에 적힌 수를 쓰시오.

(   ), (   )

10 어제는 병아리가 12마리 있었는데, 오늘 병아리를 세어 보니 21마리였습니다. 알에서 새로 깨어난 병아리는 몇 마리입니까?

식 ______________________

답 ______________

1 주

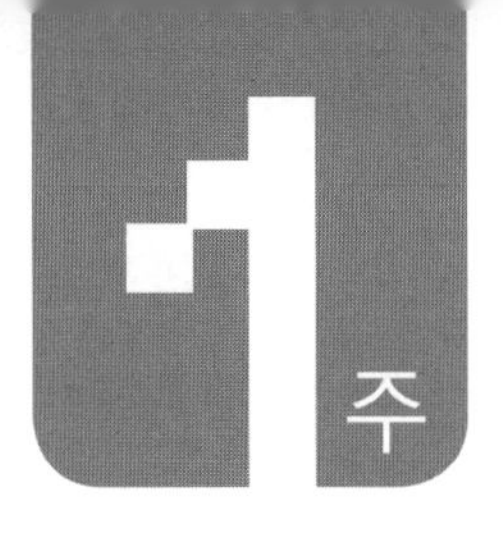

창의·융합·코딩 전략 ❶

창의 융합

1 곤충 카드가 10장씩 10묶음이면 곤충 카드는 모두 몇 장입니까?

( )

▶정답 및 풀이 9쪽

1주

문제 해결

2 지우가 훌라후프를 첫 번째는 6번, 두 번째는 15번 돌렸습니다. 훌라후프를 모두 몇 번 돌렸는지 구하시오.

(　　　　　　　　　　)

창의·융합·코딩 전략 ❷

창의 융합

1 다음은 민호와 동주의 저금통입니다. 빈칸에 알맞은 수나 말을 써넣으시오.

민호는 [　　] 원을 가지고 있고, 동주는 [　　] 원을 가지고 있습니다.

따라서 돈을 더 많이 가지고 있는 사람은 [　　] 입니다.

Tip

50원짜리 동전 2개는 ❶[　　] 원이므로 100원짜리 동전 4개와 50원짜리 동전 2개는 모두 ❷[　　] 원입니다.

[답] ❶ 100 ❷ 500

추론

2 다음은 각 놀이기구를 기다리는 사람의 수를 쓴 표지판입니다. 그런데 몇 개의 숫자는 가려져서 보이지 않습니다. 기다리는 사람이 가장 많은 놀이기구를 쓰시오.

디스코 퐁퐁	파라오의 모험	날아라 바이킹	맹꽁이 열차
2■9	15■	30■	31■

(　　　　　　　　)

Tip

세 자리 수의 크기를 비교할 때에는 ❶[　　] 의 자리 ❷[　　] 의 자리, 일의 자리 수를 차례대로 비교합니다.

[답] ❶ 백 ❷ 십

▶정답 및 풀이 9쪽

코딩

3 화살표 방향으로 차례로 놓인 3개의 식을 계산했을 때, ♥에 들어갈 알맞은 수를 구하시오.

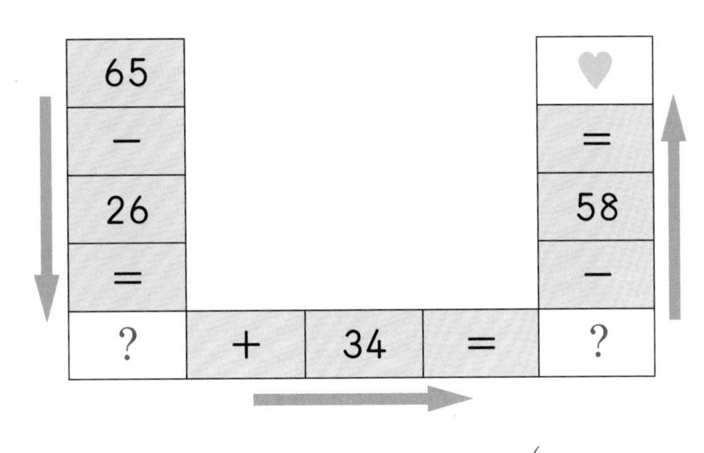

(　　　　　　　　　　)

Tip

첫 번째 물음표에 들어갈 수는 65−❶☐=❷☐입니다.

[답] ❶ 26 ❷ 39

문제 해결

4 동연이의 가족의 나이를 구해 보시오.

동연: 아빠의 나이는 46살입니다.
아빠와 엄마의 나이를 합하면 85살입니다.
누나는 엄마보다 26살 적습니다.

엄마 (　　　　　　　　　　), 누나 (　　　　　　　　　　)

Tip

엄마의 나이를 ■로 두면, 46+■=❶☐입니다.

덧셈과 뺄셈의 관계를 이용하면 85−❷☐=■입니다.

[답] ❶ 85 ❷ 46

창의·융합·코딩 전략 ❷

5 개구리가 375에서 출발하여 10씩 뛰어 센 수가 쓰인 꽃을 지나가려고 합니다. 개구리가 마지막으로 도착하는 꽃에 쓰인 수를 쓰시오.

( )

Tip

10씩 뛰어서 세면 ❶ ☐의 자리 수가 ❷ ☐씩 커집니다.

[답] ❶ 십 ❷ 1

추론

6 저울을 이용하여 과일의 무게를 재었습니다. 무게를 나타내는 수가 다음과 같을 때 더 무거운 과일의 이름을 쓰시오.(단, 수가 클수록 무겁습니다.)

사과　　복숭아

- 사과의 무게를 나타내는 수는 100이 5개, 10이 2개, 1이 5개인 수입니다.
- 복숭아의 무게를 나타내는 수는 500에서 10씩 3번 뛰어서 센 수입니다.

( )

Tip

사과의 무게를 나타내는 수는 백의 자리 수가 ❶ ☐, 십의 자리 수가 ❷ ☐, 일의 자리 수가 5입니다.

[답] ❶ 5 ❷ 2

▶정답 및 풀이 9쪽

창의 융합

7 종우가 바다에 들어갔습니다. 합이 50이 되는 바다 속 생물을 찾아 ⬭표로 묶으시오.

Tip

두 수의 합이 50이 되려면 일의 자리 수끼리의 합이 ❶ [ ] 또는 ❷ [ ] 이어야 합니다.

[답] ❶ 0 ❷ 10

추론

8 주어진 수 카드의 수를 한 번씩만 써넣어 문장을 완성해 보시오.

52	28	80

연지는 집에서 학교까지 가는 데 우체통과 소방서를 차례로 지나갑니다.
집에서 소방서까지는 30걸음이고 집에서 학교까지는 [ ] 걸음입니다.
집에서 우체통은 소방서보다 가깝습니다.
집에서 우체통까지는 [ ] 걸음이므로 우체통에서 학교까지는 [ ] 걸음입니다.

Tip

집에서 ❶ [ ] 이 가장 가깝고 ❷ [ ] 가 가장 멉니다.

[답] ❶ 우체통 ❷ 학교

1 주

여러 가지 도형, 길이 재기

모양				
변의 수	3	4	5	6
꼭짓점의 수	3	4	5	6

학습할 내용

❶ 여러 가지 도형 알아보기
❷ 칠교판 알아보기
❸ 쌓기나무로 쌓은 모양을 보고 똑같은 모양으로 쌓기
❹ 여러 가지 단위로 길이 재기
❺ 1 cm를 알아보고, 자로 길이 재기
❻ 길이 어림하기

2주 04일 개념 돌파 전략 ❶

개념 1 원, 삼각형, 사각형, 오각형, 육각형

[관련 단원] 여러 가지 도형

○ 변, 꼭짓점

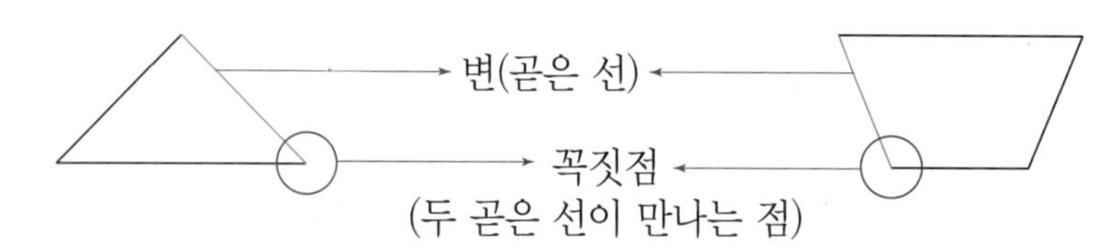

	원	삼각형	사각형	오각형	육각형
모양					
변	없음	3개	4개	5개	6개
꼭짓점	없음	3개	4개	5개	6개

위의 도형은 ❶ [ ] 입니다.

원은 변과 ❷ [ ] 이 없습니다. 원은 크기는 달라도 모양은 같습니다.

답 ❶ 원 ❷ 꼭짓점

개념 2 칠교판

[관련 단원] 여러 가지 도형

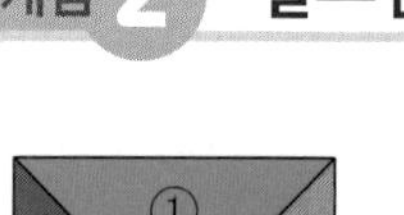

삼각형 조각	사각형 조각
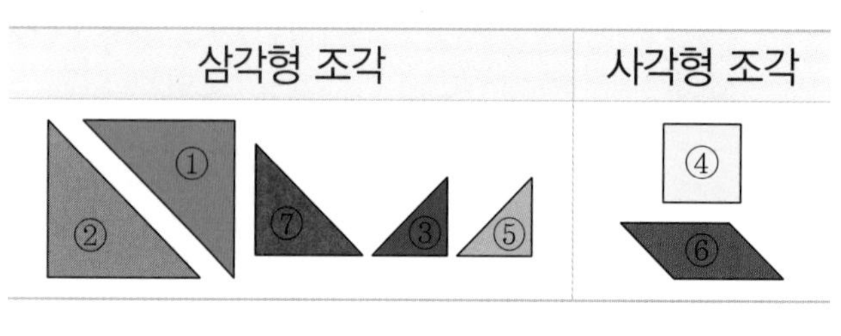	

- 칠교판의 조각은 7개입니다.
- 칠교판의 조각으로 여러 가지 모양을 만들 수 있습니다.

칠교판은 삼각형 조각 ❶ [ ] 개와 사각형 조각 ❷ [ ] 개로 이루어져 있습니다.

답 ❶ 5 ❷ 2

개념 3 똑같이 쌓기

[관련 단원] 여러 가지 도형

○ 쌓은 모양 설명하기

똑같은 모양으로 쌓으려면 쌓기나무의 수, 색, 층수, 전체적인 모양, 쌓기나무를 놓는 위치나 방향 등을 생각합니다.

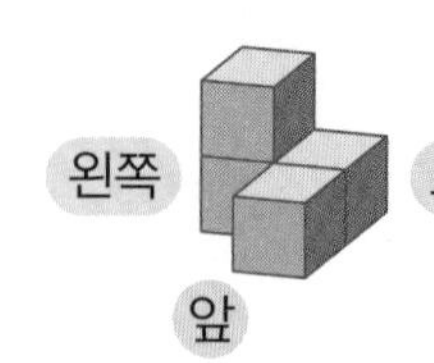

왼쪽에는 쌓기나무 2개가 2층으로 있고, 오른쪽에는 쌓기나무가 앞뒤로 2개 있습니다.

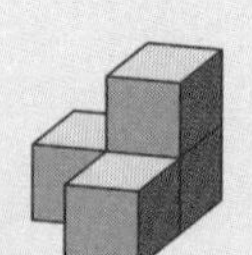

1층에는 쌓기나무가 ❶ [ ] 개 있고, 2층에는 쌓기나무가 ❷ [ ] 개 있습니다.

답 ❶ 3 ❷ 1

개념 기초 확인

▶정답 및 풀이 10쪽

1-1 다음 중 삼각형에 ○표 하시오.

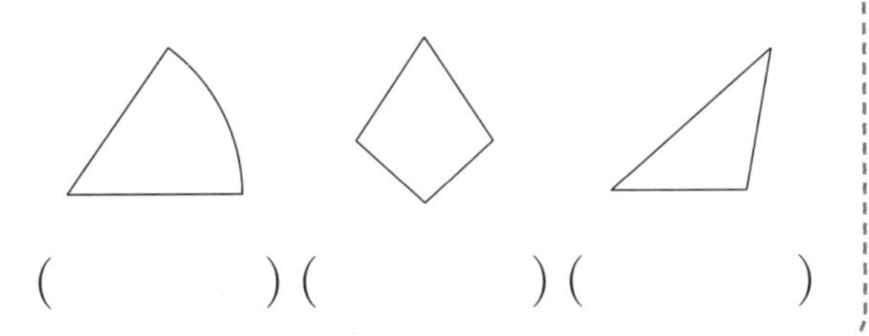

( ) ( ) ( )

• **풀이** • 삼각형은 꼭짓점이 ❶ 개이고, ❷ 개의 곧은 선으로 둘러싸여 있습니다.

답 ❶ 3 ❷ 3

1-2 다음 중 원에 ○표 하시오.

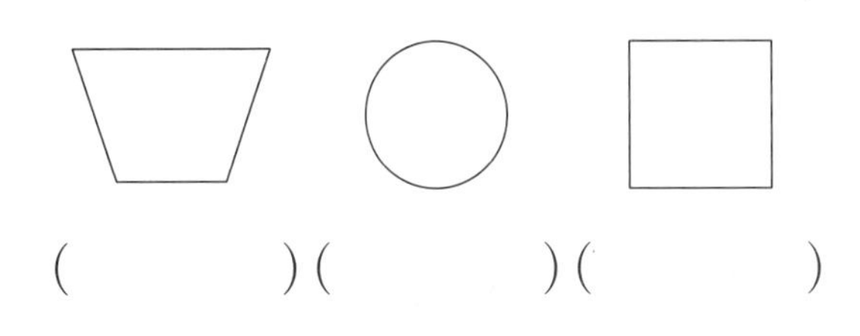

( ) ( ) ( )

2-1 칠교판의 조각 중 사각형 모양 조각을 모두 찾아 번호를 쓰시오.

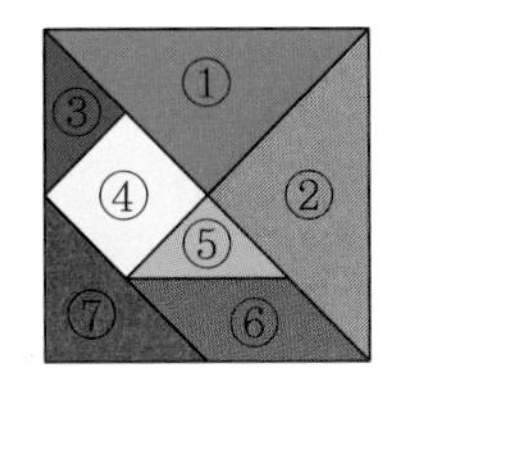

( )

• **풀이** • 칠교판의 조각 중 변이 ❶ 개이고, 꼭짓점이 ❷ 개인 것을 찾습니다.

답 ❶ 4 ❷ 4

2-2 칠교판의 조각 중 ③보다 큰 삼각형을 모두 찾아 번호를 쓰시오.

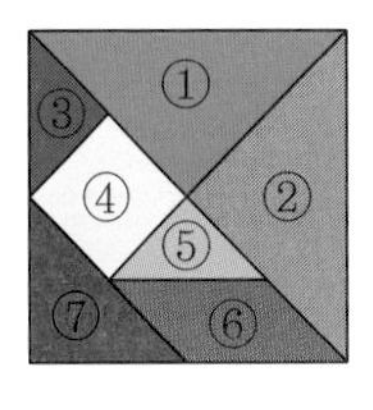

( )

3-1 설명하는 쌓기나무를 찾아 ○표 하시오.

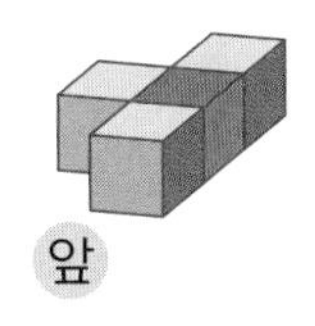

빨간색 쌓기나무의 앞에 있는 쌓기나무

• **풀이** • 빨간색 쌓기나무의 왼쪽, ❶ , 뒤쪽에 쌓기나무가 ❷ 개씩 있습니다.

답 ❶ 앞쪽 ❷ 1

3-2 설명하는 쌓기나무를 찾아 ○표 하시오.

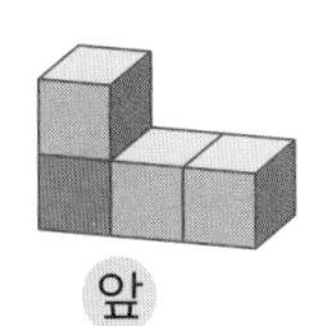

빨간색 쌓기나무의 위에 있는 쌓기나무

2 주

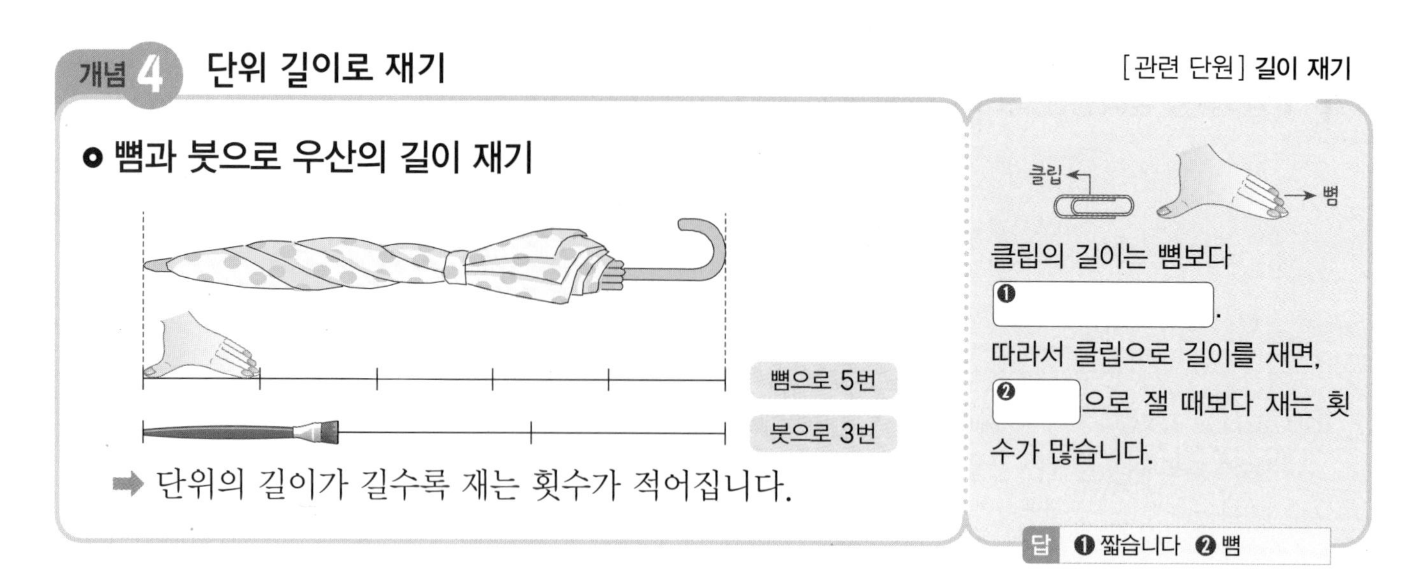

개념 4 단위 길이로 재기

[관련 단원] 길이 재기

● 뼘과 붓으로 우산의 길이 재기

➡ 단위의 길이가 길수록 재는 횟수가 적어집니다.

클립의 길이는 뼘보다 ❶ ☐.
따라서 클립으로 길이를 재면, ❷ ☐으로 잴 때보다 재는 횟수가 많습니다.

답 ❶ 짧습니다 ❷ 뼘

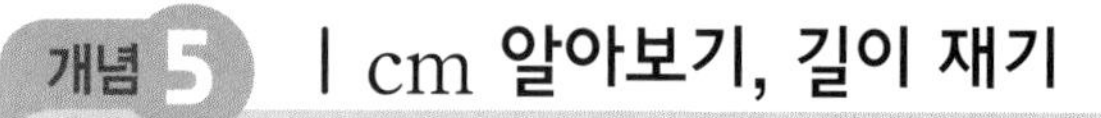

개념 5 1 cm 알아보기, 길이 재기

[관련 단원] 길이 재기

● 1 cm 알아보기

에서 ▬의 길이는 1 cm입니다.

1 cm는 1 센티미터라고 읽습니다.

● 자로 길이 재는 방법

① 물건의 한쪽 끝을 자의 한 눈금에 맞춥니다.

② 그 눈금에서 다른 쪽 끝까지 1 cm가 몇 번 들어가는지 셉니다.
1 cm가 3번 들어가면 3 cm, 4번 들어가면 4 cm입니다.

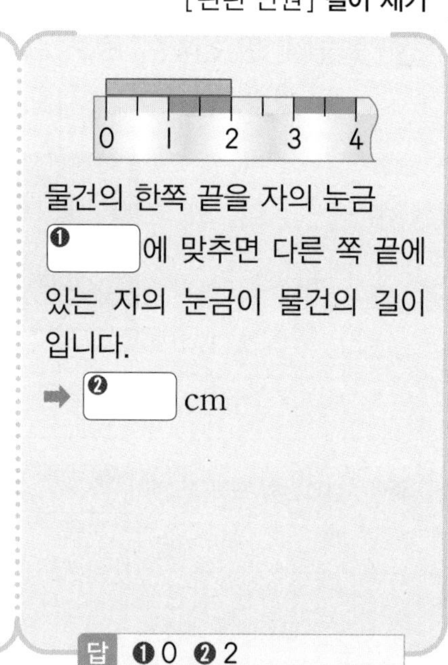

물건의 한쪽 끝을 자의 눈금 ❶ ☐에 맞추면 다른 쪽 끝에 있는 자의 눈금이 물건의 길이입니다.

➡ ❷ ☐ cm

답 ❶ 0 ❷ 2

개념 6 어림하기

[관련 단원] 길이 재기

● 길이 어림하기

• 길이를 대강 짐작하는 것을 '길이를 어림한다'라고 합니다.

➡ 3 cm에 가깝기 때문에 약 3 cm입니다.

• 실제 길이와 차이가 작을수록 더 가깝게 어림한 것입니다.

길이가 자의 눈금 사이에 있을 때, 눈금과 ❶ ☐ 숫자를 읽고, 숫자 앞에 ❷ ☐을 붙여 말합니다.

답 ❶ 가까운 ❷ 약

개념 기초 확인

▶정답 및 풀이 10쪽

4-1 뼘으로 책상의 긴 쪽의 길이를 재시오.

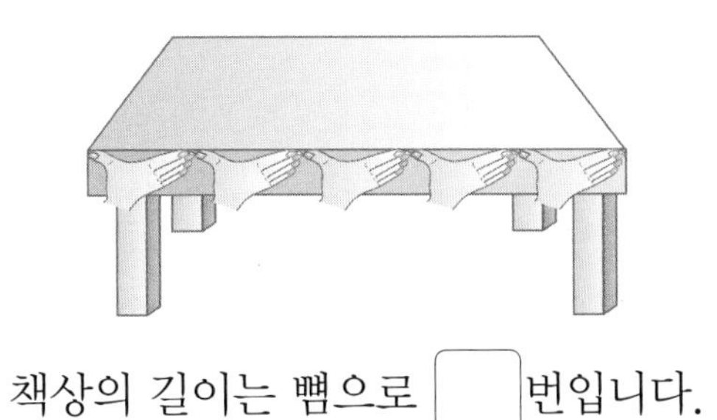

책상의 길이는 뼘으로 □번입니다.

• **풀이** • 책상의 긴 쪽에 ❶□이 ❷□번 들어갑니다.

답 ❶ 뼘 ❷ 5

4-2 연필로 책상의 긴 쪽의 길이를 재시오.

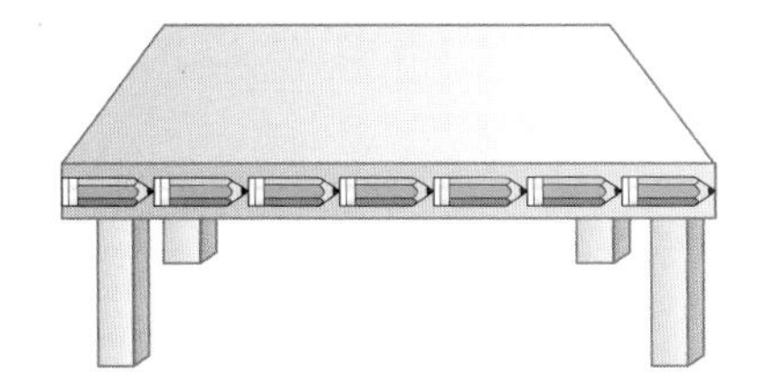

책상의 길이는 연필로 □번입니다.

5-1 눈금 한 칸이 1 cm일 때, 2 cm만큼 선을 그으시오.

|--------|--------|--------|--------|--------|--------|

• **풀이** • 2 cm는 1 cm가 ❶□번입니다.
눈금 한 칸이 1 cm이므로 두 칸이 ❷□cm입니다.

답 ❶ 2 ❷ 2

5-2 눈금 한 칸이 1 cm일 때, 5 cm만큼 선을 그으시오.

|--------|--------|--------|--------|--------|--------|

6-1 다음 막대의 길이를 1 cm의 길이와 비교하여 어림했습니다. 빈칸에 알맞은 수를 써넣으시오.

막대의 길이는 1 cm가 3번 정도 됩니다.
막대는 약 □cm입니다.

• **풀이** • 막대의 길이는 1 cm가 ❶□번 정도 됩니다.
따라서 막대의 길이를 어림하면 ❷□ 3 cm입니다.

답 ❶ 3 ❷ 약

6-2 다음 막대의 길이를 1 cm의 길이와 비교하여 어림했습니다. 빈칸에 알맞은 수를 써넣으시오.

막대의 길이는 1 cm가 □번 정도 됩니다.
막대는 약 □cm입니다.

예제 1 변과 꼭짓점

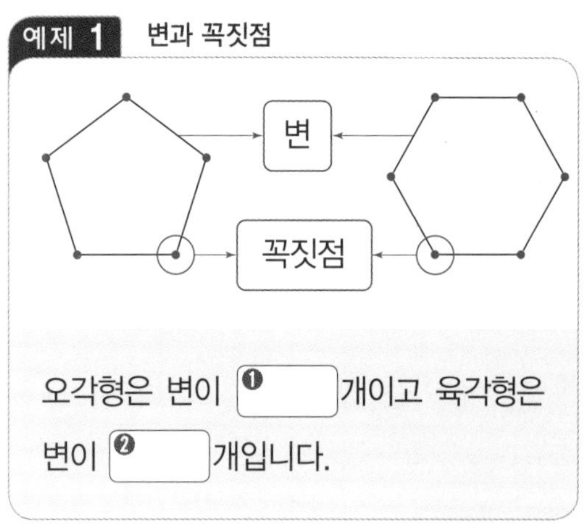

오각형은 변이 ❶ ☐개이고 육각형은 변이 ❷ ☐개입니다.

[답] ❶ 5 ❷ 6

1 벌집 한 칸의 모양은 어떤 도형인지 이름을 쓰시오.

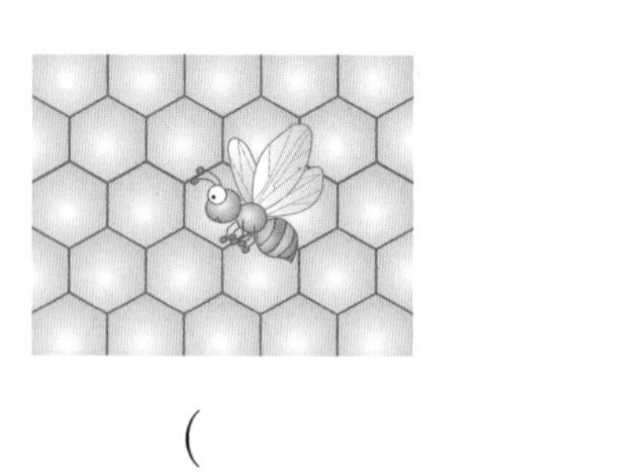

( )

예제 2 칠교판

칠교판의 조각을 이용해 여러 가지 모양을 만들 수 있습니다.

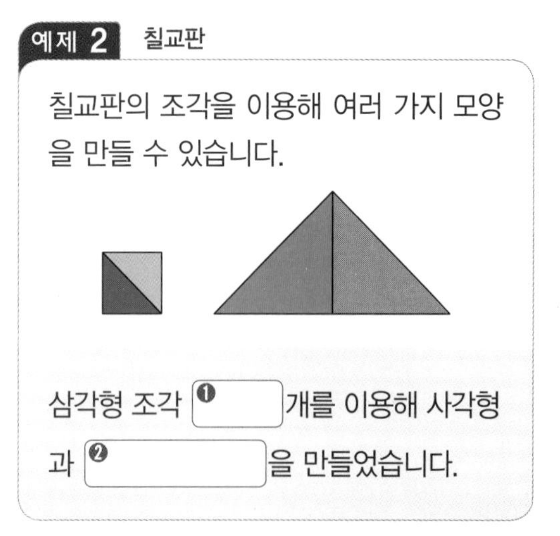

삼각형 조각 ❶ ☐개를 이용해 사각형과 ❷ ☐을 만들었습니다.

[답] ❶ 2 ❷ 삼각형

2 다음은 칠교판의 조각을 이용하여 만든 것입니다. 빈칸에 알맞은 수를 쓰고 알맞은 말에 ○표 하시오.

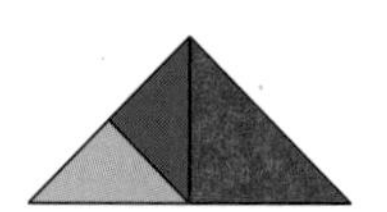

삼각형 조각 ☐개를 사용하여 (삼각형 , 사각형)을 만들었습니다.

예제 3 쌓기나무

쌓기나무 3개로 만들 수 있는 모양

왼쪽의 모양은 쌓기나무가 1층에는 2개, 2층에는 ❶ ☐개 있습니다.
오른쪽의 모양은 쌓기나무가 1층에 ❷ ☐개가 옆으로 나란히 있습니다.

[답] ❶ 1 ❷ 3

3 다음 중 쌓기나무 4개로 만든 모양에 ○표 하시오.

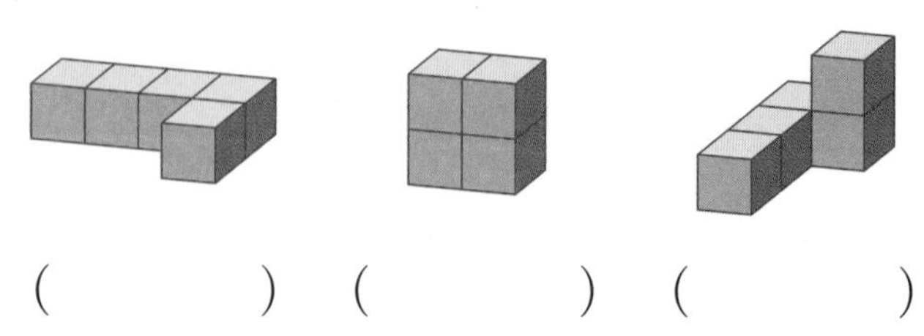

( ) ( ) ( )

▶정답 및 풀이 11쪽

예제 4 클립을 이용하여 길이 재기

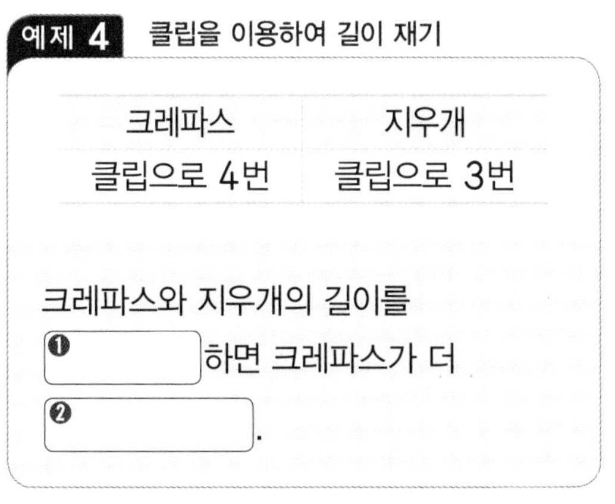

크레파스	지우개
클립으로 4번	클립으로 3번

크레파스와 지우개의 길이를 ❶ ☐ 하면 크레파스가 더 ❷ ☐.

[답] ❶ 비교 ❷ 깁니다

4 못을 이용하여 도마와 국자의 길이를 재었습니다. 더 긴 것은 무엇입니까?

국자	도마
6번	8번

( )

예제 5 1 센티미터

3 cm는 1 cm가 3번 있습니다.

1 cm 1 cm 1 cm

0 1 2 3 4

1 cm가 3번 있는 것을 ❶ ☐ 라고 쓰고, ❷ ☐ 라고 읽습니다.

[답] ❶ 3 cm ❷ 3 센티미터

5 빈칸에 알맞은 수를 써넣으시오.

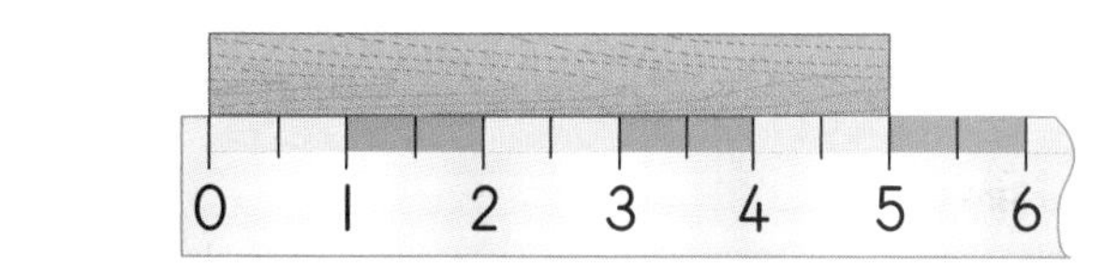

한쪽 끝에서 다른 끝까지 1 cm가 ☐ 번 있습니다. 길이는 ☐ 입니다.

예제 6 길이 어림하기

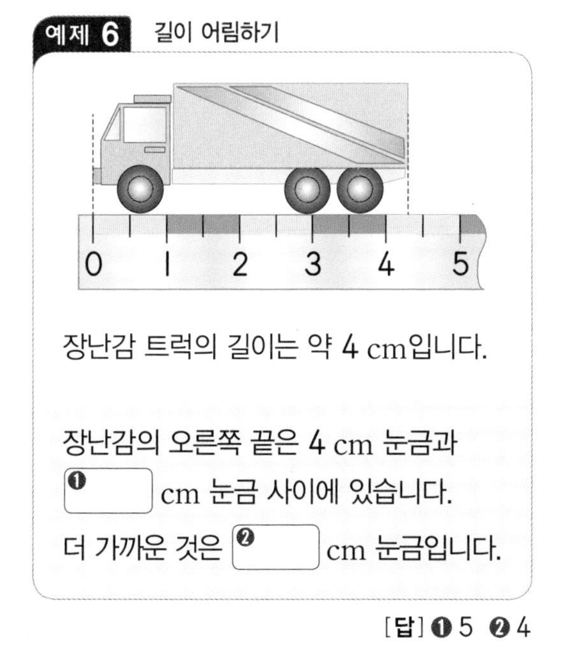

장난감 트럭의 길이는 약 4 cm입니다.

장난감의 오른쪽 끝은 4 cm 눈금과 ❶ ☐ cm 눈금 사이에 있습니다. 더 가까운 것은 ❷ ☐ cm 눈금입니다.

[답] ❶ 5 ❷ 4

6 머리핀의 길이를 알아보려고 합니다. 빈칸에 알맞은 수를 써넣으시오.

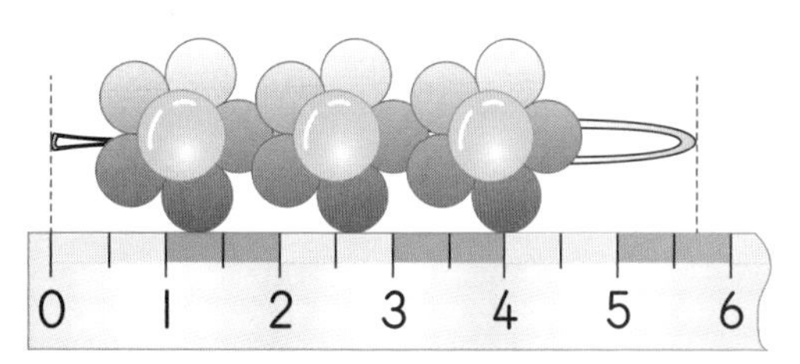

오른쪽 끝이 ☐ cm 눈금에 더 가깝습니다.

머리핀의 길이는 약 ☐ cm입니다.

필수 체크 전략 ❶

전략 1 여러 가지 도형 찾기

[관련 단원] 여러 가지 도형

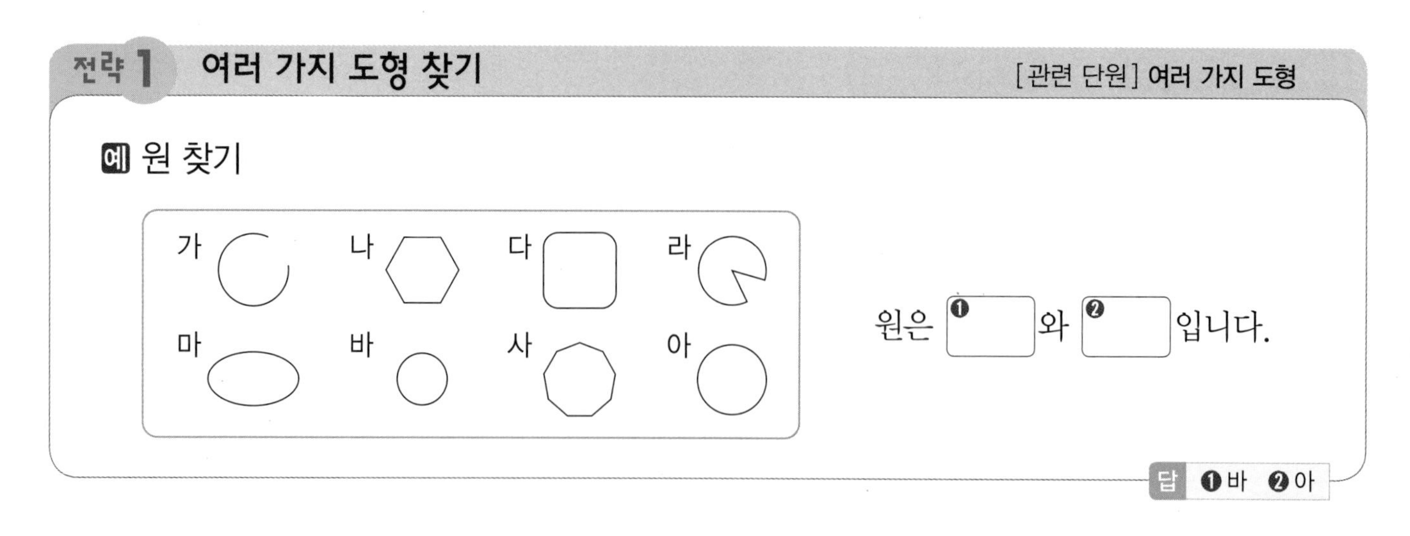

필수 예제 01

다음 중 삼각형을 모두 골라 기호를 쓰시오.

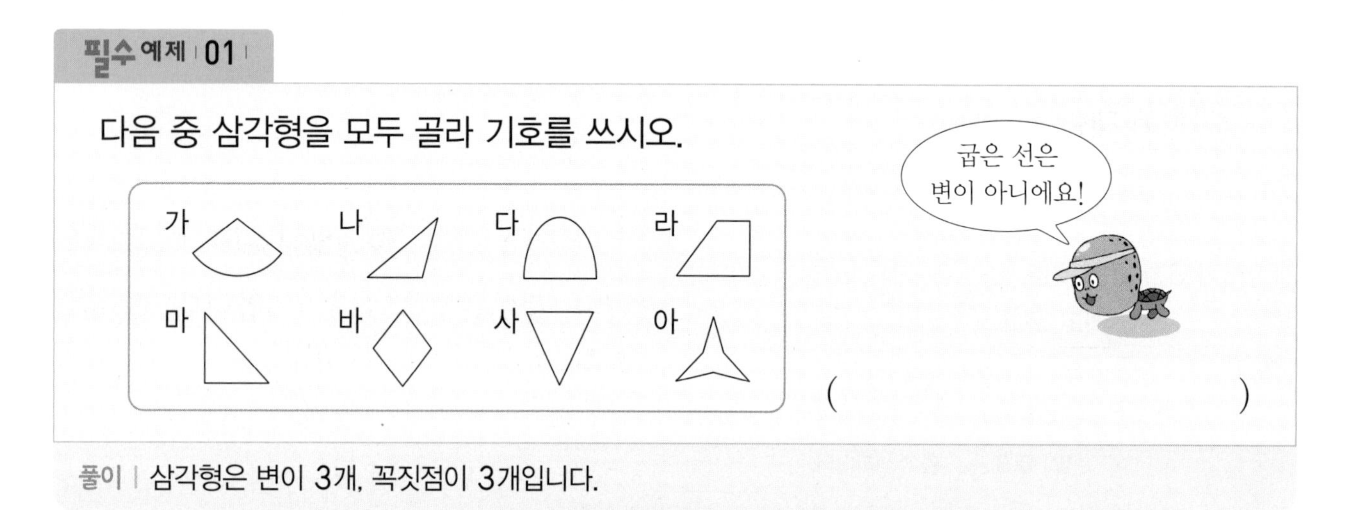

(　　　　　　　　)

풀이 | 삼각형은 변이 3개, 꼭짓점이 3개입니다.

확인 1-1

다음 중 사각형이 아닌 것을 골라 기호를 쓰시오.

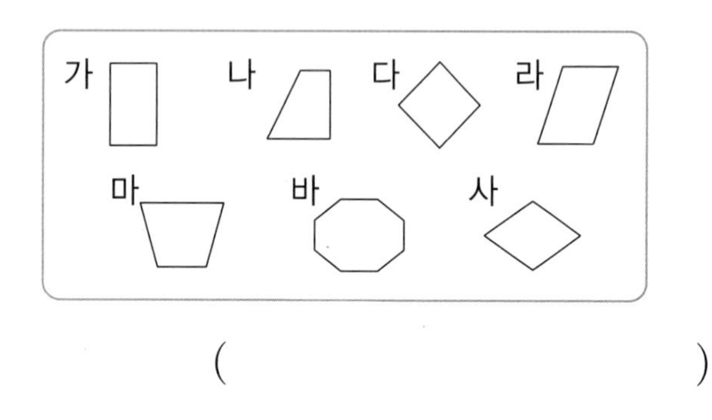

(　　　　　　　　)

확인 1-2

다음 중 오각형이 아닌 것을 모두 골라 기호를 쓰시오.

가 나 다 라
마 바 사

(　　　　　　　　)

▶정답 및 풀이 11쪽

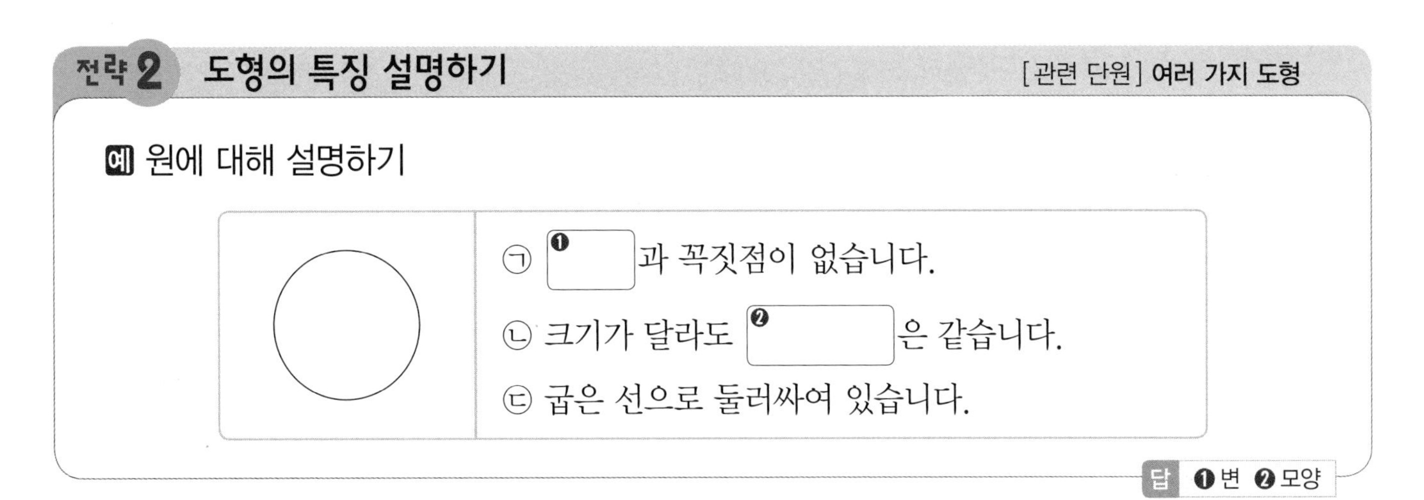

전략 2 도형의 특징 설명하기

[관련 단원] 여러 가지 도형

예 원에 대해 설명하기

㉠ ❶ ☐ 과 꼭짓점이 없습니다.
㉡ 크기가 달라도 ❷ ☐ 은 같습니다.
㉢ 굽은 선으로 둘러싸여 있습니다.

답 ❶ 변 ❷ 모양

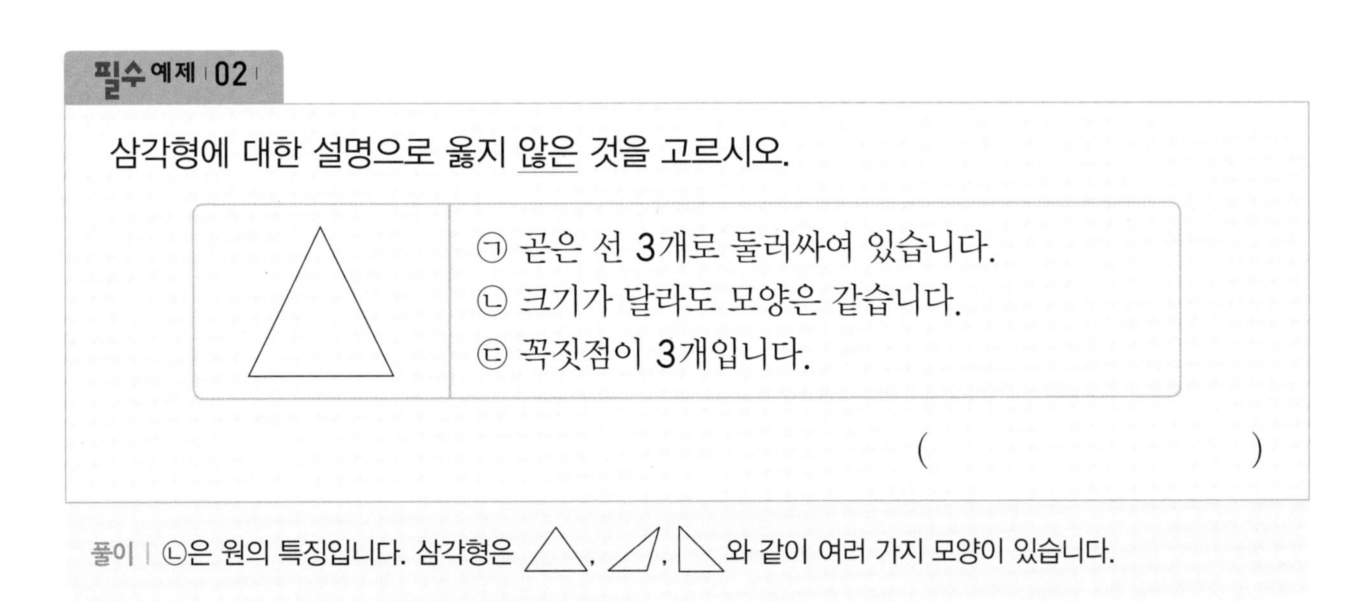

필수 예제 02

삼각형에 대한 설명으로 옳지 않은 것을 고르시오.

㉠ 곧은 선 3개로 둘러싸여 있습니다.
㉡ 크기가 달라도 모양은 같습니다.
㉢ 꼭짓점이 3개입니다.

( )

풀이 | ㉡은 원의 특징입니다. 삼각형은 △, ◺, ◺와 같이 여러 가지 모양이 있습니다.

확인 2-1

사각형에 대한 설명으로 옳지 않은 것을 고르시오.

㉠ 꼭짓점은 4개입니다.
㉡ 변은 꼭짓점보다 1개 더 적습니다.
㉢ 곧은 선으로 둘러싸여 있습니다.

( )

확인 2-2

오각형에 대한 설명으로 옳은 것을 고르시오.

㉠ 육각형보다 변이 1개 더 적습니다.
㉡ 육각형보다 꼭짓점이 더 많습니다.
㉢ 오각형은 백 원짜리 동전을 본뜨면 그릴 수 있습니다.

( )

전략 3 자 없이 길이 비교하기

[관련 단원] 길이 재기

예 뼘으로 피아노와 침대의 길이 비교하기

〈재민이의 뼘으로 피아노와 침대의 긴 쪽의 길이를 잰 횟수〉

피아노	침대
12뼘	10뼘

어떤 물건이 더 길까?

12> ❶ [ ] 이므로, 긴 쪽의 길이는 피아노가 ❷ [ ] 보다 더 깁니다.

답 ❶ 10 ❷ 침대

필수 예제 | 03

준형이가 우산으로 신발장과 학교 화단의 긴 쪽의 길이를 잿습니다. 더 긴 것은 무엇입니까?

〈준형이의 우산으로 신발장과 학교 화단의 긴 쪽의 길이를 잰 횟수〉

신발장	학교 화단
5번	8번

( )

풀이 | 신발장의 긴 쪽에는 우산이 5번 들어가고, 학교 화단의 긴 쪽에는 우산이 8번 들어갑니다.
따라서 학교 화단이 신발장보다 더 깁니다.

확인 3-1

지현이가 풀로 토끼 집과 강아지 집의 긴 쪽의 길이를 잿습니다. 더 긴 것을 쓰시오.

〈지현이가 풀로 길이를 잰 횟수〉

토끼 집	강아지 집
9번	6번

( )

확인 3-2

현우와 연서는 아래와 같이 상자를 이어 다리를 만들었습니다. 현우는 20개, 연서는 15개를 이었을 때 누구의 다리가 더 깁니까?

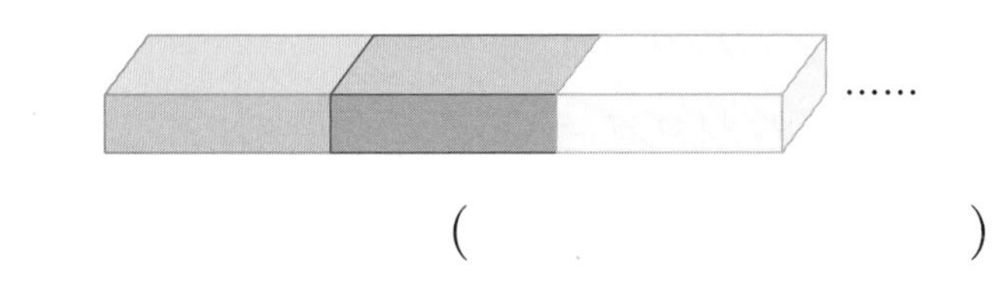

( )

전략 4 자로 길이 재기

[관련 단원] 길이 재기

예 자로 연필의 길이 재기

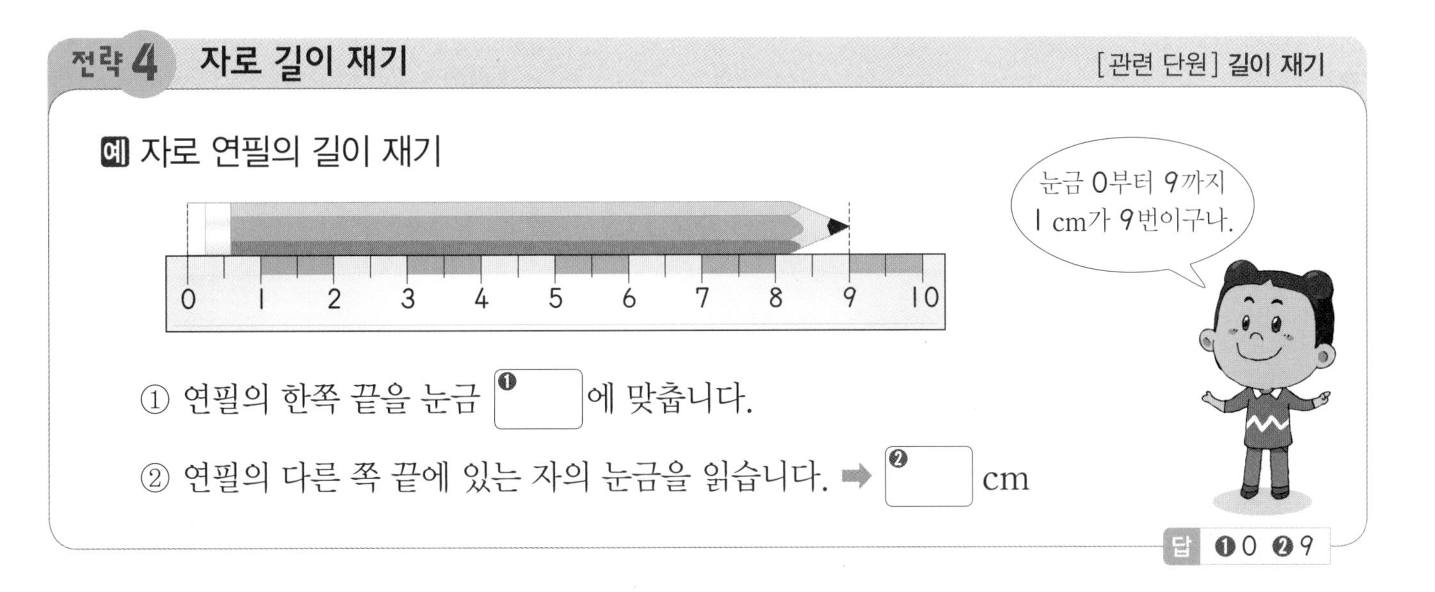

① 연필의 한쪽 끝을 눈금 ❶ [ ] 에 맞춥니다.

② 연필의 다른 쪽 끝에 있는 자의 눈금을 읽습니다. ➡ ❷ [ ] cm

답 ❶ 0 ❷ 9

필수 예제 04

포크의 길이를 재어 보시오.

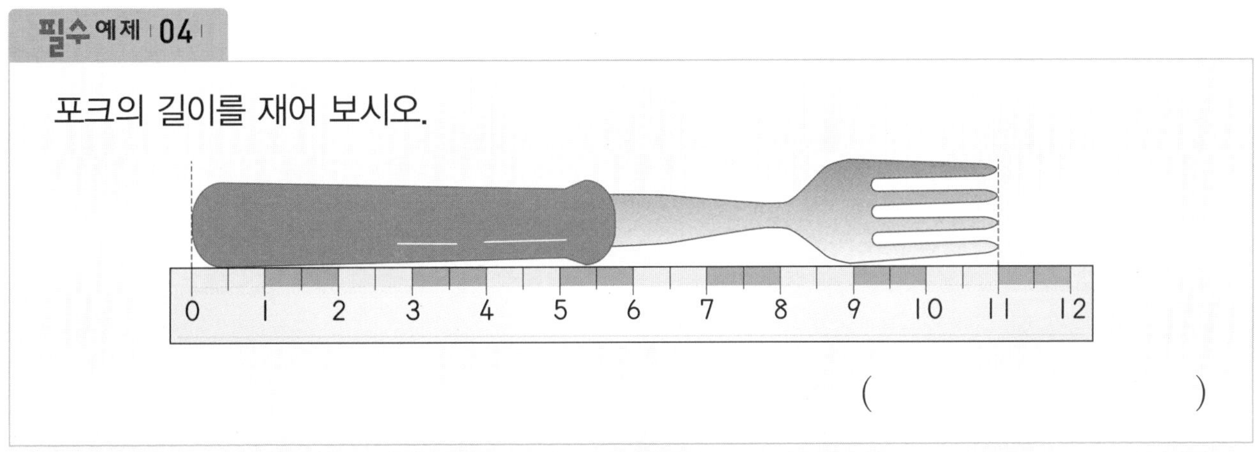

( )

풀이 | 한쪽 끝이 눈금 0에 맞춰져 있으므로 다른 쪽 끝에 있는 자의 눈금을 읽습니다.
따라서 포크의 길이는 11 cm입니다.

확인 4-1

콩 3개를 늘어놓은 길이를 쓰고 읽어 보시오.

쓰기 ______________

읽기 ______________

확인 4-2

성냥의 길이를 바르게 잰 것에 ○표 하시오.

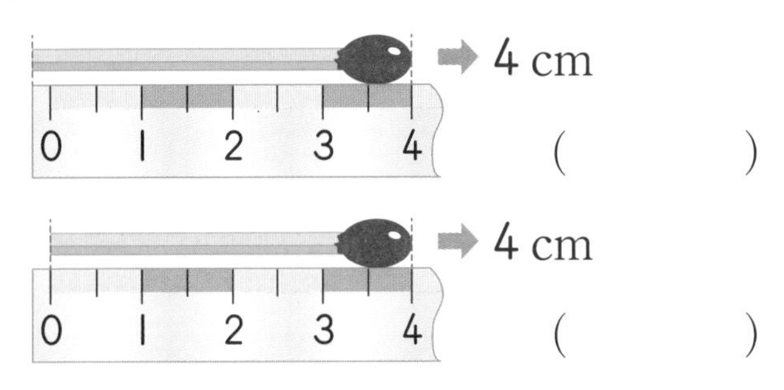

( )

( )

[관련 단원] **여러 가지 도형**

1 다음 그림에서 삼각형은 모두 몇 개입니까?

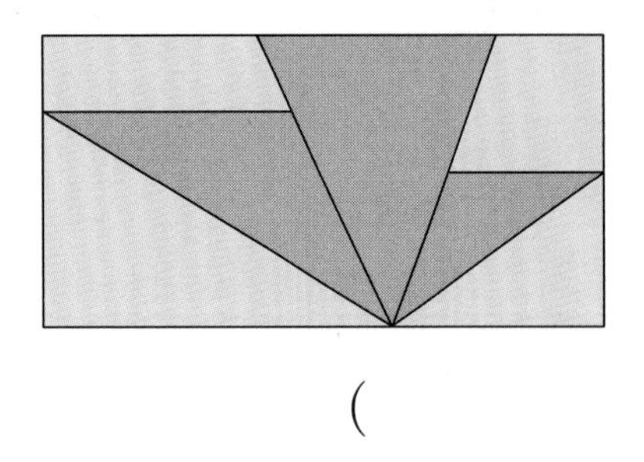

(　　　　　　　　　)

Tip
- 삼각형은 변이 ❶ ☐ 개이고, 꼭짓점이 ❷ ☐ 개입니다.

답 ❶ 3 ❷ 3

[관련 단원] **여러 가지 도형**

2 주어진 점을 번호 순서대로 곧은 선으로 연결하여 도형을 그리고, 표를 완성하시오.

1, 6, 2, 5, 3, 4

변의 수	
꼭짓점의 수	
도형의 이름	

Tip
- 주어진 점은 ❶ ☐ 개입니다.
- 점과 점 사이를 연결한 곧은 선은 ❷ ☐ 개입니다.

답 ❶ 6 ❷ 6

[관련 단원] **여러 가지 도형**

3 대화를 읽고 두 사람이 보고 있는 도형의 이름을 쓰시오.

수현: 동전을 본떠서 그려 봤더니 이 도형과 크기는 다르지만, ❶모양은 똑같네. 어느 쪽에서 봐도 똑같이 동그래.
찬혁: 곧은 선이 없어서, 이 도형을 그릴 때 ❷자는 필요 없겠어.

(　　　　　　　　　)

Tip
❶ 동전은 뾰족한 부분이 ❶ ☐ .
❷ ❷ ☐ 는 곧은 선을 그릴 때 사용합니다.

답 ❶ 없습니다 ❷ 자

▶정답 및 풀이 12쪽

[관련 단원] **길이 재기**

4 다음은 교실의 책상을 뼘으로 잰 횟수입니다. 한 뼘의 길이가 더 짧은 사람을 쓰시오.

유빈	수아
4뼘	5뼘

(　　　　　　　　　　)

Tip

• 한 ❶[　　]의 길이가 짧을수록 재야 하는 횟수는 ❷[　　]집니다.

답 ❶뼘 ❷많아

[관련 단원] **길이 재기**

5 다음은 경수가 지팡이와 숟가락으로 길이를 잰 것입니다. ❶지팡이가 숟가락보다 더 깁니다. 책꽂이와 가족사진 중에서 긴 쪽의 길이가 더 긴 것은 무엇입니까?

책꽂이의 긴 쪽	가족사진의 긴 쪽
❷숟가락으로 3번	할머니 지팡이로 3번

(　　　　　　　　　　)

Tip

❶ 지팡이의 길이는 숟가락의 길이보다 더 깁니다.

❷ 지팡이 ❶[　　]개를 늘어놓은 것은 ❷[　　] 3개를 늘어놓은 것보다 깁니다.

답 ❶3 ❷숟가락

2주

[관련 단원] **길이 재기**

6 길이를 재어 보고, 길이가 다른 테이프에 그려진 모양을 그리시오.

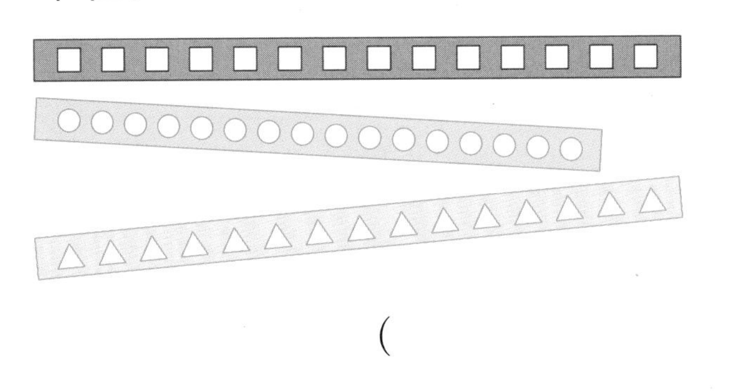

(　　　　　　　　　　)

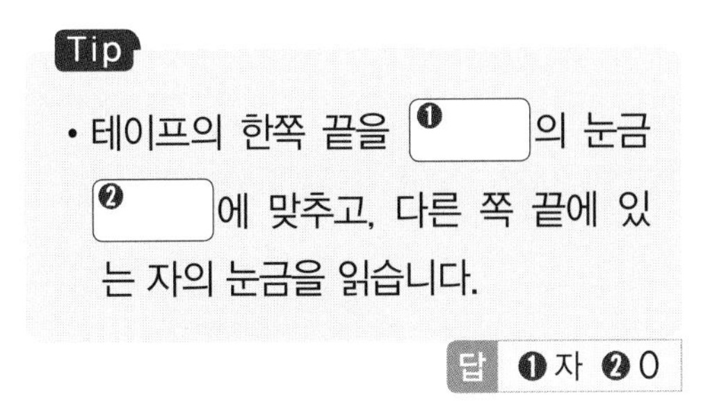

Tip

• 테이프의 한쪽 끝을 ❶[　　]의 눈금 ❷[　　]에 맞추고, 다른 쪽 끝에 있는 자의 눈금을 읽습니다.

답 ❶자 ❷0

전략 1 칠교판으로 만든 여러 가지 모양

[관련 단원] 여러 가지 도형

예 칠교판으로 만든 여러 가지 모양

왼쪽 모양은 삼각형 조각 ❶ ☐ 개를 이용하여 만든 ❷ ☐ 모양입니다.

변이 4개,
꼭짓점이
4개인 모양을
만들었구나.

답 ❶ 3 ❷ 사각형

필수 예제 01

칠교판으로 다음 모양을 만들었습니다. 빈칸에 알맞은 수를 쓰고, 알맞은 말에 ○표 하시오.

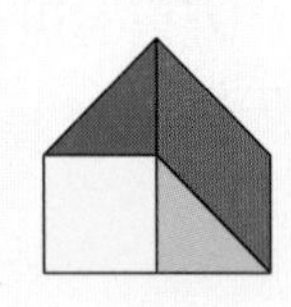

왼쪽 모양은 삼각형 조각 ☐ 개와 사각형 조각 ☐ 개를 이용하여 만든 (오각형 , 육각형) 모양입니다.

풀이 | 이용한 칠교판 조각은 삼각형 조각 2개와 사각형 조각 2개입니다.
칠교판으로 만든 모양은 변이 5개, 꼭짓점이 5개인 오각형입니다.

확인 1-1

칠교판으로 다음 모양을 만들었습니다. 빈칸에 알맞은 수나 말을 써넣으시오.

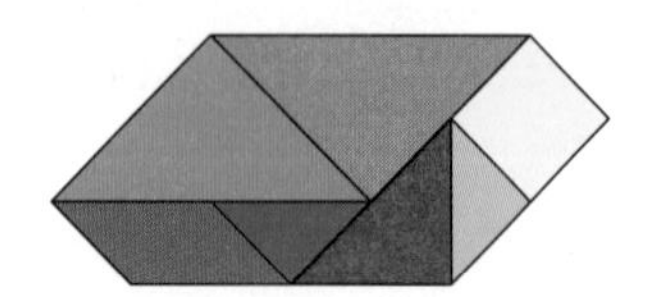

삼각형 ☐ 개와 사각형 ☐ 개를 이용하여 만든 ☐ 모양입니다.

확인 1-2

칠교판의 ▲, ▲, ▲ 세 조각을 모두 이용하여 다음 도형을 만들고, 만든 도형의 이름을 쓰시오.

(　　　　　　　　)

전략 2 똑같은 모양을 만드는 데 필요한 쌓기나무의 개수

[관련 단원] 여러 가지 도형

예 똑같은 모양을 만드는 데 필요한 쌓기나무의 개수

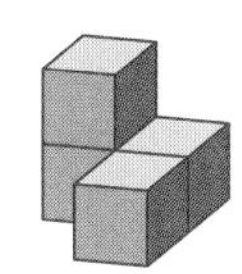

I층에는 3개의 쌓기나무가 있습니다.

2층에는 ❶[ ]개의 쌓기나무가 있습니다.

똑같은 모양을 만들기 위해 3+I=❷[ ](개)의 쌓기나무가 필요합니다.

답 ❶ I ❷ 4

필수 예제 02

다음 모양을 똑같이 만들려고 합니다. 빈칸에 알맞은 수를 써넣으시오.

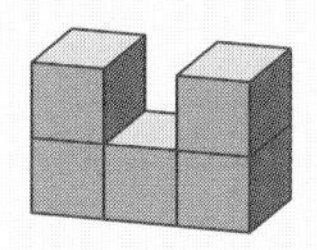

I층에는 [ ]개의 쌓기나무가 있습니다.

2층에는 [ ]개의 쌓기나무가 있습니다.

똑같은 모양을 만들기 위해 3+2=[ ](개)의 쌓기나무가 필요합니다.

풀이 | I층에는 쌓기나무 3개가 옆으로 나란히 있고, 2층에는 왼쪽과 오른쪽에 쌓기나무가 I개씩 있습니다.
따라서 똑같은 모양을 만들기 위해 5개의 쌓기나무가 필요합니다.

확인 2-1

다음 모양을 똑같이 만드는 데에 필요한 쌓기나무의 개수를 쓰시오.

( )

확인 2-2

왼쪽 모양을 오른쪽 모양과 똑같이 만들려고 합니다. 쌓기나무는 몇 개 더 필요합니까?

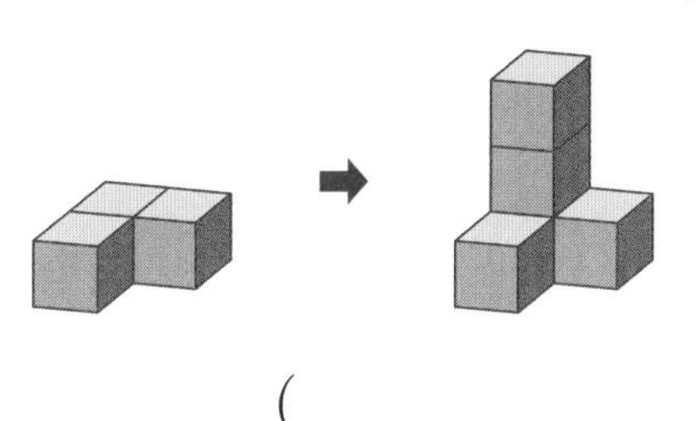

( )

전략 3 자로 길이 재는 방법

[관련 단원] 길이 재기

예 0이 아닌 눈금에서부터 길이 재기

0 1 ② 3 4 5 6 7 ⑧ 9 10

연필의 왼쪽 끝이 2 cm 눈금에 있습니다.

2부터 오른쪽 끝 눈금 ❶[ ]까지 1 cm는 6번 들어갑니다.

➡ 연필의 길이는 ❷[ ] cm입니다.

답 ❶ 8 ❷ 6

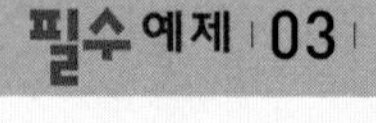

크레파스의 길이를 알아보려고 합니다. 빈칸에 알맞은 수를 써넣으시오.

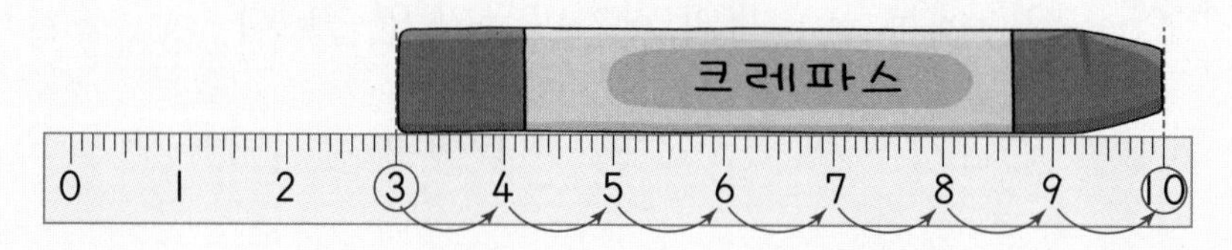

왼쪽 끝 3 cm 눈금부터 오른쪽 끝 10 cm 눈금까지 1 cm는 [ ]번 들어갑니다.

➡ 크레파스의 길이는 [ ] cm입니다.

풀이 | 크레파스의 왼쪽 끝 3 cm 눈금부터 오른쪽 끝 10 cm 눈금까지 1 cm가 7번 들어가므로 7 cm입니다.

확인 3-1

붓의 길이를 재어 보시오.

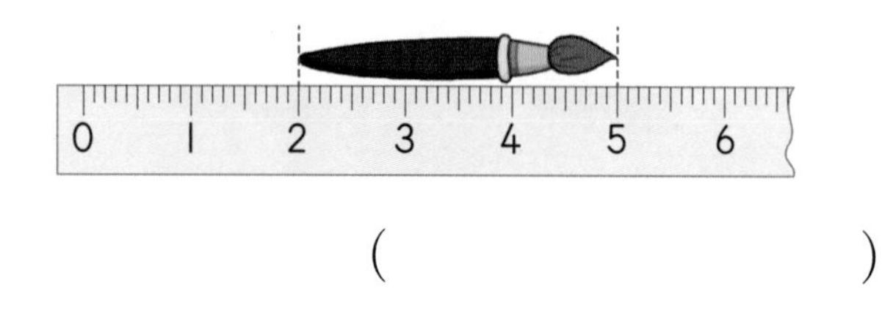

( )

확인 3-2

부러진 자를 이용하여 피리의 길이를 재어 보시오.

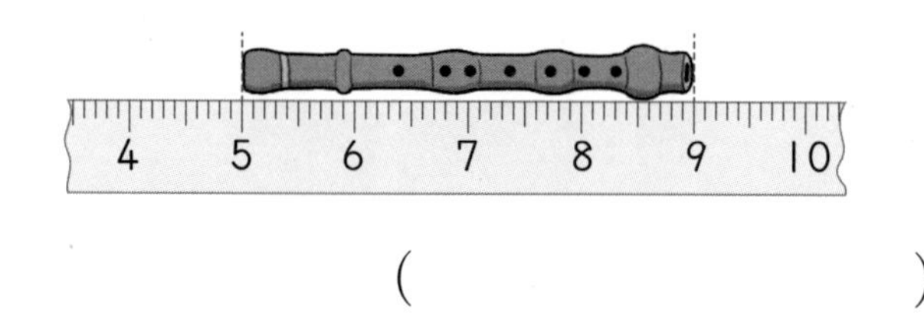

( )

▶정답 및 풀이 13쪽

전략 4 길이 어림하기

[관련 단원] 길이 재기

예 길이를 어림하여 나타내기

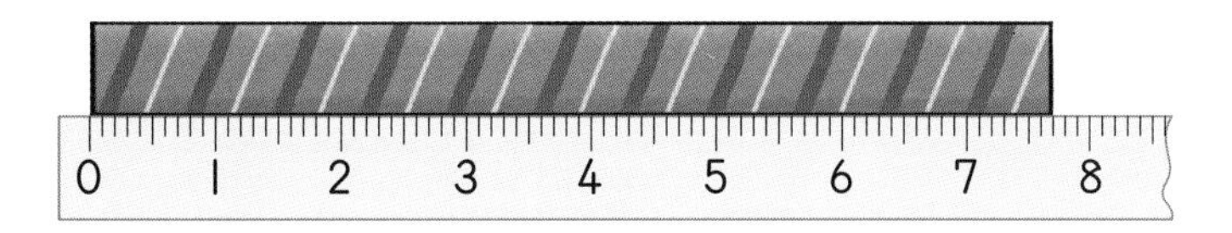

막대의 오른쪽 끝이 7 cm 눈금보다 ❶ ☐ cm 눈금에 더 가깝습니다.

막대의 길이는 약 ❷ ☐ cm입니다.

답 ❶ 8 ❷ 8

필수 예제 04

막대의 길이를 알아보려고 합니다. 빈칸에 알맞은 수를 써넣으시오.

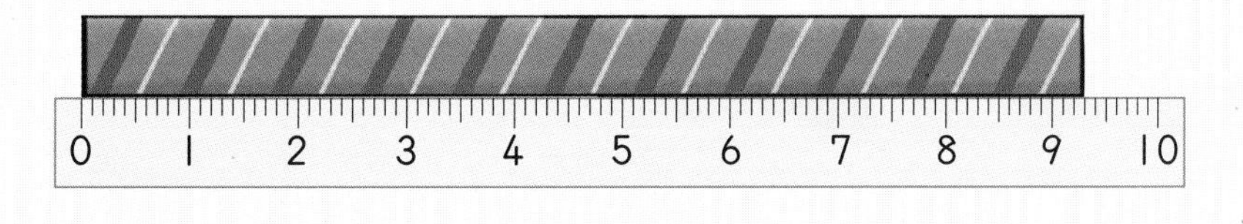

막대의 오른쪽 끝이 ☐ cm 눈금에 가깝습니다.

막대의 길이는 약 ☐ cm입니다.

풀이 | 막대의 오른쪽 끝은 10 cm 눈금보다 9 cm 눈금에 더 가깝습니다. 따라서 약 9 cm입니다.

확인 4-1

분홍색 막대의 길이는 약 몇 cm인지 알아보시오.

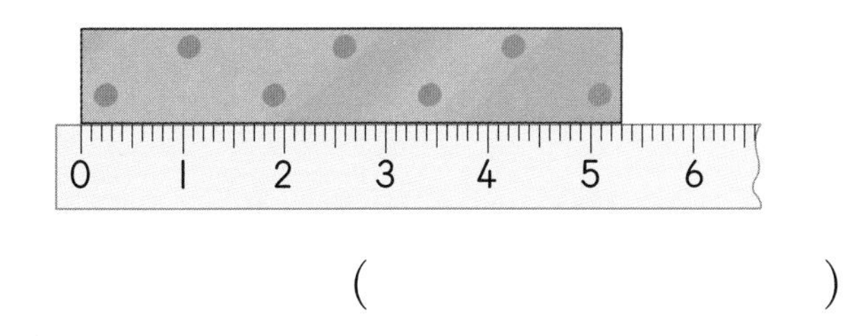

( )

확인 4-2

연두색 막대의 길이는 약 몇 cm인지 알아보시오.

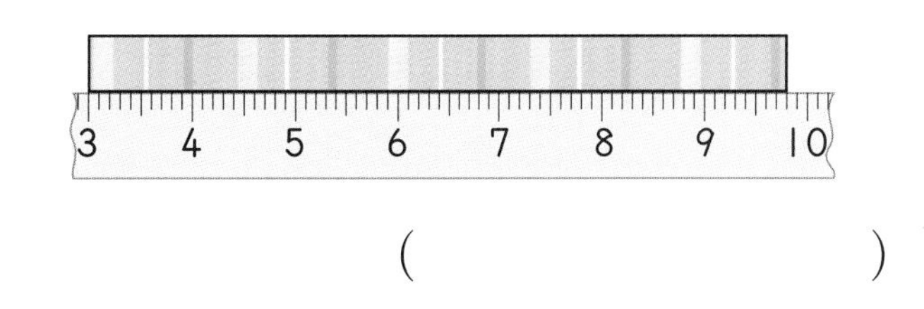

( )

2주

[관련 단원] 여러 가지 도형

1 칠교판의 (사각형), (정사각형), (삼각형), (삼각형) 네 조각을 모두 이용하여 다음 도형을 만드시오.

Tip
- 왼쪽 끝이나 ❶ [ ] 끝에는 [ ] 모양 조각이 들어갈 수 ❷ [ ].

답 ❶ 오른쪽 ❷ 없습니다

[관련 단원] 여러 가지 도형

2 왼쪽 모양에서 쌓기나무 1개를 옮겨 오른쪽과 똑같은 모양을 만들려고 합니다. 옮겨야 할 쌓기나무는 어느 것인지 왼쪽 그림에서 ○표 하시오.

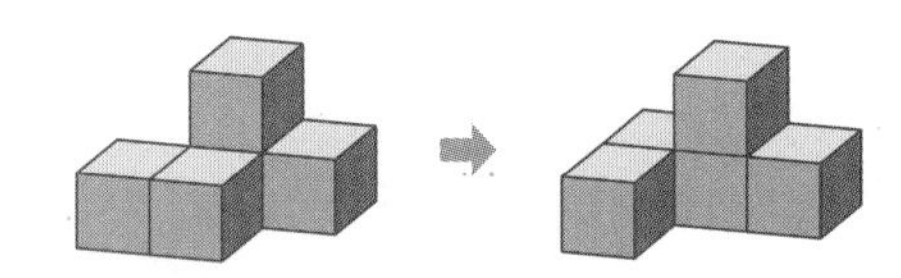

Tip
- 왼쪽 모양에서 위치가 바뀐 쌓기나무는 ❶ [ ]층 ❷ [ ]쪽에 있는 쌓기나무입니다.

답 ❶ 1 ❷ 앞

[관련 단원] 여러 가지 도형

3 다음 모양과 똑같이 쌓으려고 합니다. 보기 에 있는 말을 모두 한 번씩 빈칸에 써넣으시오.

① 1층에 3개의 쌓기나무를 [ ]으로 나란히 놓습니다.

② 왼쪽 쌓기나무 [ ]에 1개를 쌓습니다.

③ 오른쪽 쌓기나무 [ ]에 1개를 놓습니다.

Tip
- 쌓은 모양은 1층에 쌓기나무가 ❶ [ ]개 있습니다.
- 쌓은 모양은 2층에 쌓기나무가 ❷ [ ]개 있습니다.

답 ❶ 4 ❷ 1

▶정답 및 풀이 13쪽

[관련 단원] **길이 재기**

4 다음은 버섯 마을 집과 당근 마을 집입니다. 더 긴 집을 지은 마을을 쓰시오.

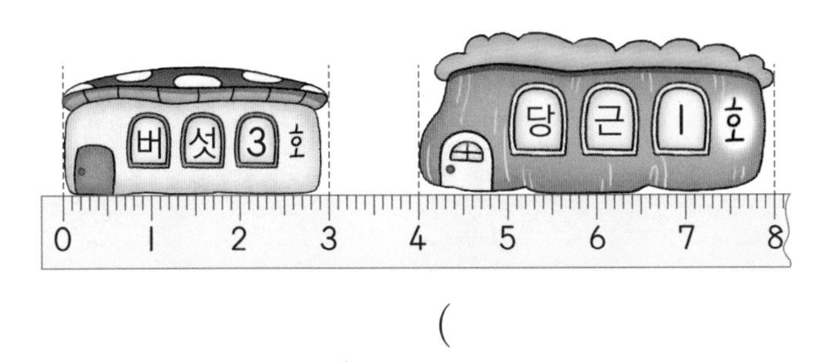

(   )

Tip

• 버섯 마을 집은 왼쪽 끝이 눈금 ❶ [   ]에 맞춰져 있습니다.

• 당근 마을 집은 왼쪽 끝이 ❷ [   ] cm 눈금에 맞춰져 있습니다.

답 ❶0 ❷4

[관련 단원] **길이 재기**

5 물고기는 약 몇 cm인지 알아보시오.

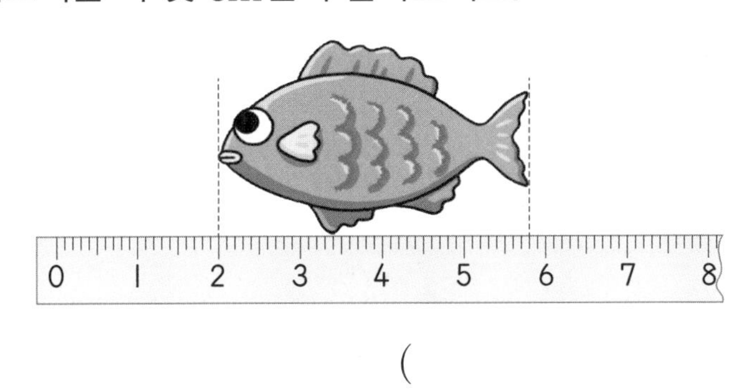

(   )

Tip

• 물고기의 오른쪽 끝은 ❶ [   ] cm 눈금에 가깝습니다.

• 물고기의 왼쪽 끝은 ❷ [   ] cm 눈금에 있습니다.

답 ❶6 ❷2

[관련 단원] **길이 재기**

6 해빈이와 정훈이가 약 5 cm를 어림하여 아래와 같이 종이테이프를 잘랐습니다. ❶종이테이프를 직접 자로 재어 보고 ❷5 cm에 더 가깝게 어림한 사람을 쓰시오.

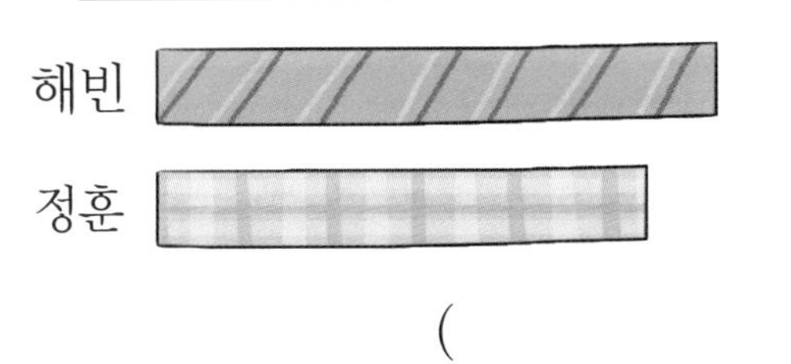

(   )

Tip

❶ 해빈이가 자른 종이테이프의 길이는 ❶ [   ] 5 cm입니다.
정훈이가 자른 종이테이프의 길이는 약 ❷ [   ] cm입니다.

❷ 어림한 결과가 약 5 cm인 사람을 찾습니다.

답 ❶약 ❷4

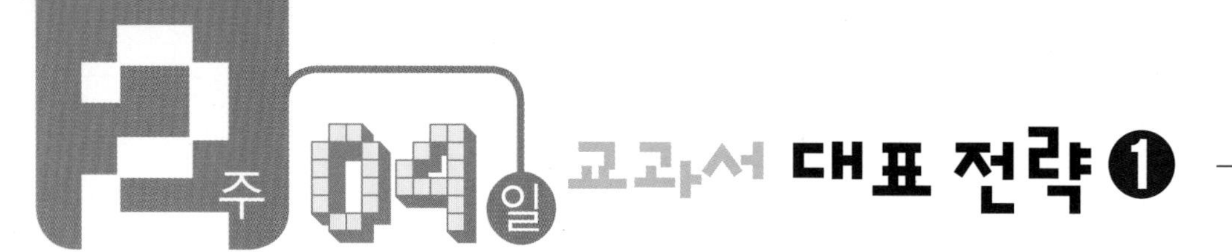

2주 04일 교과서 대표 전략 ❶

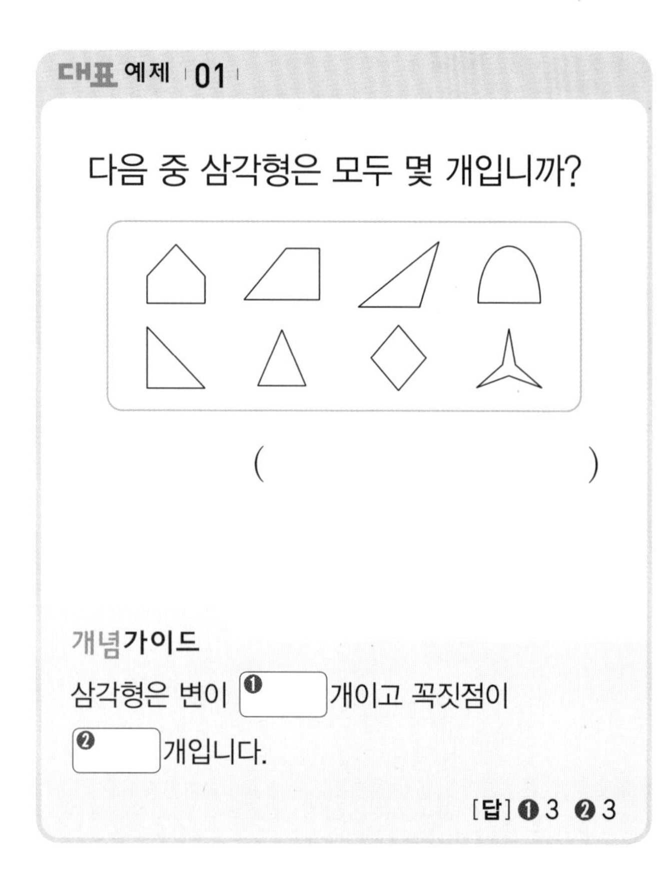

대표 예제 01

다음 중 삼각형은 모두 몇 개입니까?

(　　　　　　　　)

개념가이드

삼각형은 변이 ❶☐개이고 꼭짓점이 ❷☐개입니다.

[답] ❶ 3 ❷ 3

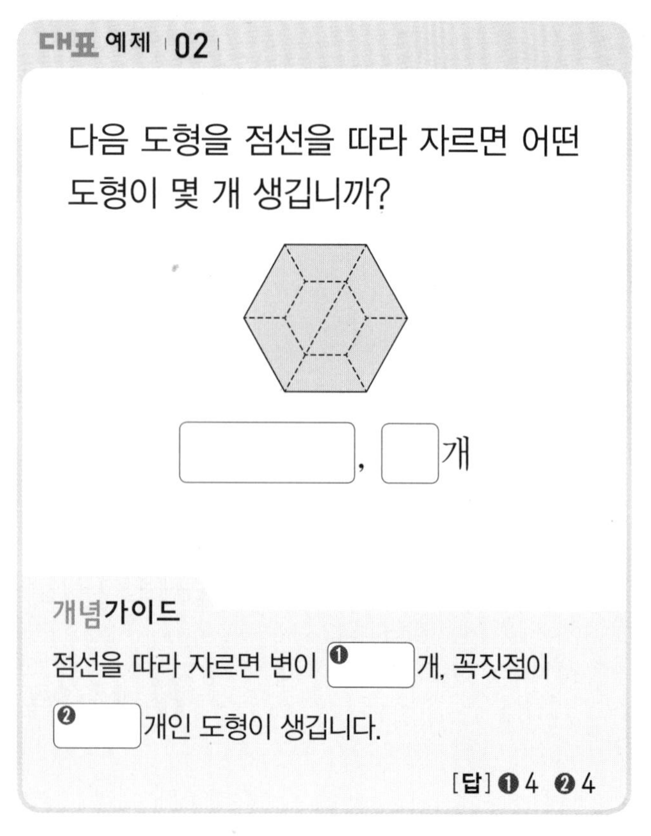

대표 예제 02

다음 도형을 점선을 따라 자르면 어떤 도형이 몇 개 생깁니까?

☐, ☐개

개념가이드

점선을 따라 자르면 변이 ❶☐개, 꼭짓점이 ❷☐개인 도형이 생깁니다.

[답] ❶ 4 ❷ 4

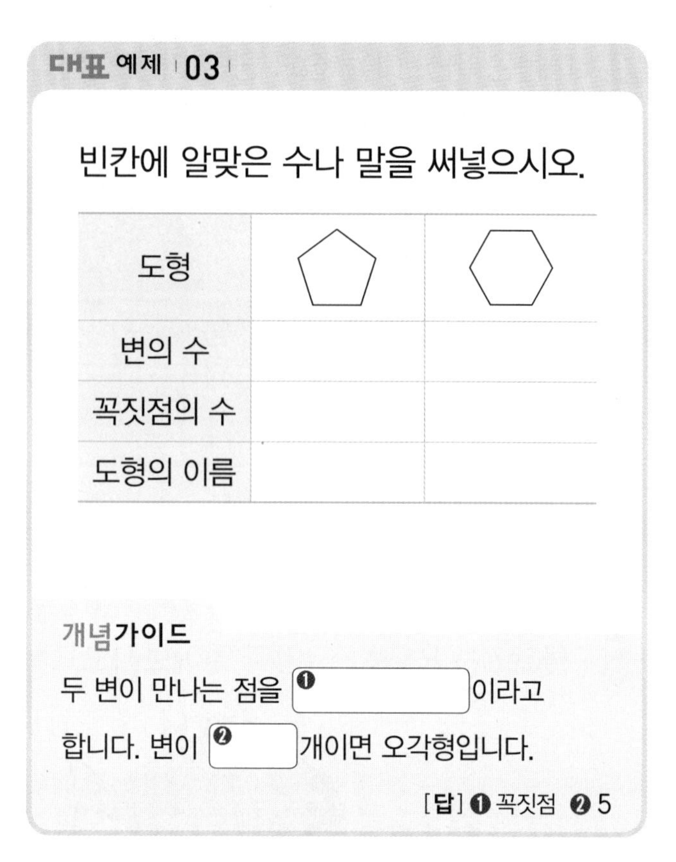

대표 예제 03

빈칸에 알맞은 수나 말을 써넣으시오.

도형	(오각형 그림)	(육각형 그림)
변의 수		
꼭짓점의 수		
도형의 이름		

개념가이드

두 변이 만나는 점을 ❶☐이라고 합니다. 변이 ❷☐개이면 오각형입니다.

[답] ❶ 꼭짓점 ❷ 5

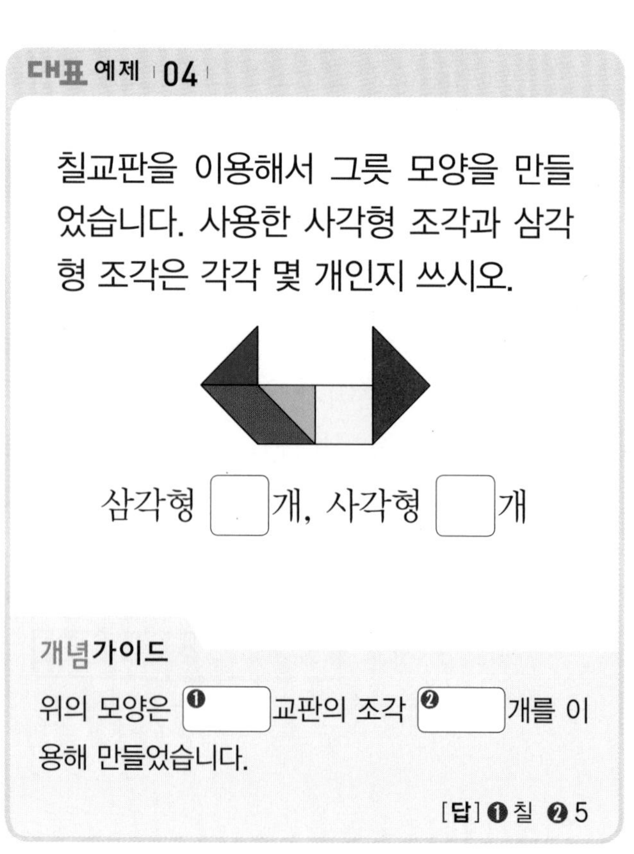

대표 예제 04

칠교판을 이용해서 그릇 모양을 만들었습니다. 사용한 사각형 조각과 삼각형 조각은 각각 몇 개인지 쓰시오.

삼각형 ☐개, 사각형 ☐개

개념가이드

위의 모양은 ❶☐교판의 조각 ❷☐개를 이용해 만들었습니다.

[답] ❶ 칠 ❷ 5

대표 예제 05

칠교판의 ◣, ▲, △ 세 조각을 모두 이용하여 삼각형을 만드시오.

개념가이드
작은 두 삼각형 조각으로 삼각형을 먼저 만들고, 큰 삼각형 조각과 합쳐서 ❶ [ ]이 3개, 꼭짓점이 ❷ [ ]개가 되도록 만듭니다.

[답] ❶ 변 ❷ 3

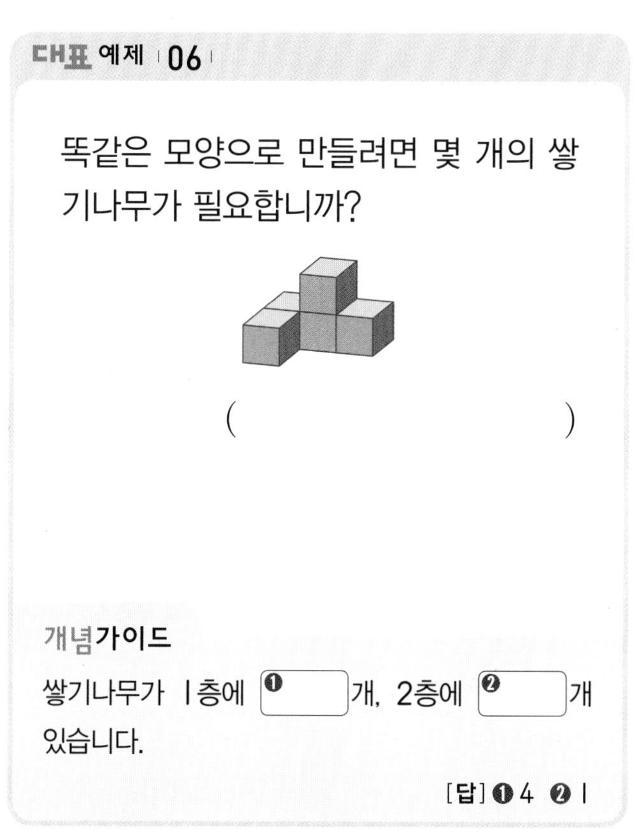

대표 예제 06

똑같은 모양으로 만들려면 몇 개의 쌓기나무가 필요합니까?

( )

개념가이드
쌓기나무가 1층에 ❶ [ ]개, 2층에 ❷ [ ]개 있습니다.

[답] ❶ 4 ❷ 1

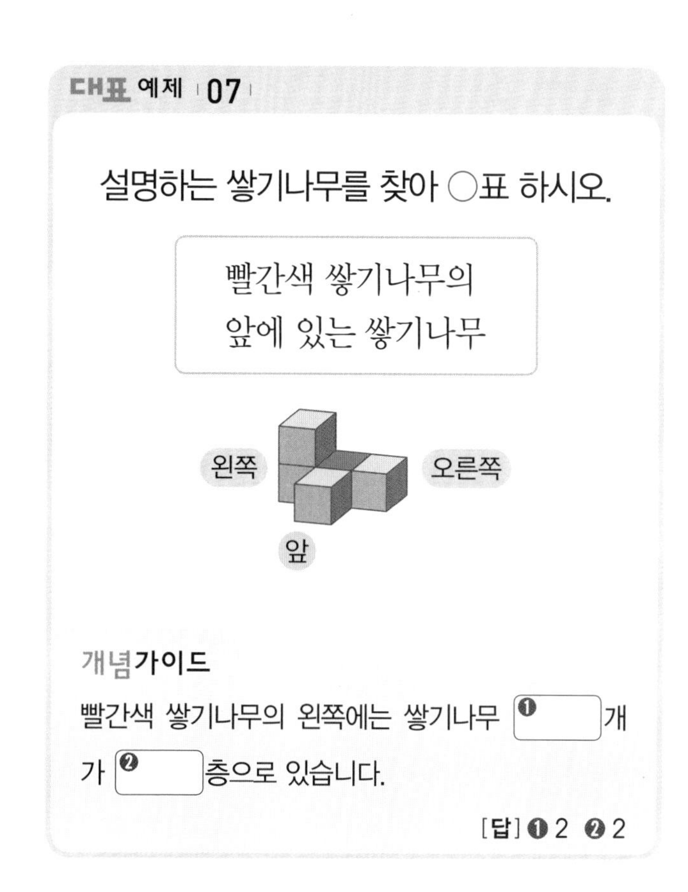

대표 예제 07

설명하는 쌓기나무를 찾아 ○표 하시오.

빨간색 쌓기나무의
앞에 있는 쌓기나무

개념가이드
빨간색 쌓기나무의 왼쪽에는 쌓기나무 ❶ [ ]개가 ❷ [ ]층으로 있습니다.

[답] ❶ 2 ❷ 2

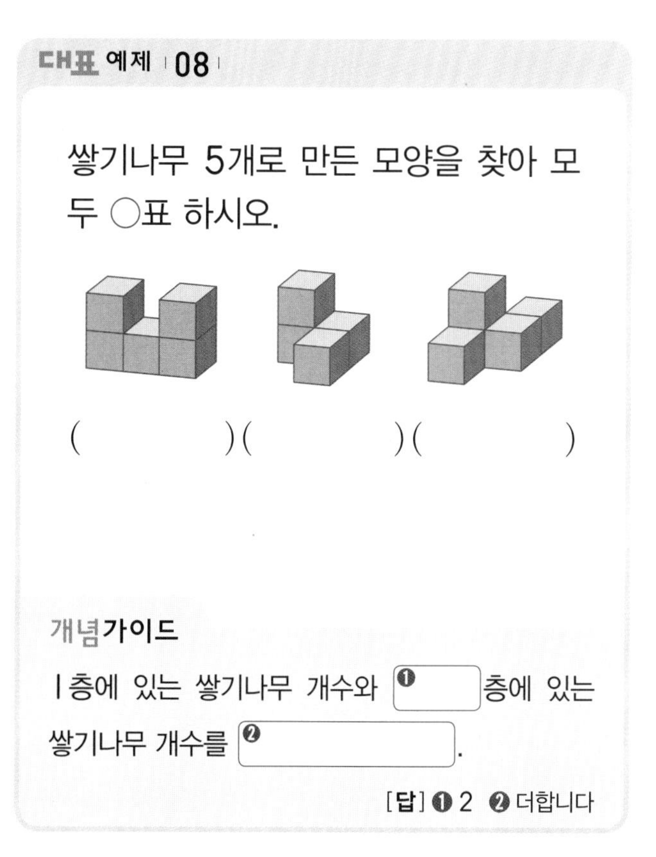

대표 예제 08

쌓기나무 5개로 만든 모양을 찾아 모두 ○표 하시오.

( )( )( )

개념가이드
1층에 있는 쌓기나무 개수와 ❶ [ ]층에 있는 쌓기나무 개수를 ❷ [ ].

[답] ❶ 2 ❷ 더합니다

2 주

대표 예제 | 09

막대의 길이를 풀로 재었습니다. 빈칸에 알맞은 수를 쓰시오.

풀 풀 풀 풀

막대의 길이는 풀로 □번입니다.

개념가이드

막대의 길이는 ❶□을 ❷□개 늘어놓은 것과 같습니다.

[답] ❶ 풀 ❷ 4

대표 예제 | 10

국자가 클립보다 더 깁니다. 텔레비전의 길이를 재었을 때 보기의 수를 빈칸에 한 번씩 써넣으시오.

보기
3　30

텔레비전의 길이는 국자로 □번이고, 클립으로 □번입니다.

개념가이드

단위가 길수록 ❶□를 재는 횟수는 ❷□.

[답] ❶ 길이 ❷ 적습니다

대표 예제 | 11

뼘으로 책꽂이와 식탁의 긴 쪽의 길이를 재었습니다. 더 긴 것은 무엇입니까?

책꽂이	뼘으로 5번
식탁	뼘으로 9번

(　　　　　　)

개념가이드

책꽂이의 긴 쪽에는 뼘이 ❶□번 들어가고, 식탁의 긴 쪽에는 뼘이 ❷□번 들어갑니다.

[답] ❶ 5 ❷ 9

대표 예제 | 12

한 칸의 길이가 1 cm일 때, 긴 쪽의 길이가 4 cm가 되도록 색칠하시오.

개념가이드

4 cm는 1 ❶□가 ❷□번입니다.

[답] ❶ cm ❷ 4

▶정답 및 풀이 14쪽

대표 예제 13

민수가 아래와 같이 연필의 길이를 잿습니다. ☐ 안에 알맞은 수를 써넣으시오.

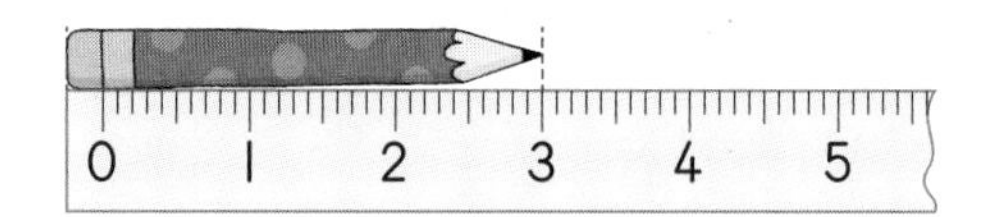

민수: 연필의 길이는 3 cm야.
운재: 아니야. 왼쪽 끝이 눈금 ☐에 맞춰져 있지 않잖아.

개념가이드

❶☐로 길이를 잴 때는 왼쪽 끝을 눈금 ❷☐에 맞추는 것이 편리합니다.

[답] ❶ 자 ❷ 0

대표 예제 15

아빠가 배 모양 기념품을 사 오셨습니다. 기념품의 길이를 자로 직접 재어 보고 약 몇 cm인지 쓰시오.

(   )

개념가이드

기념품의 왼쪽 끝을 눈금 ❶☐에 맞추면 오른쪽 끝은 ❷☐ cm 눈금에 가깝습니다.

[답] ❶ 0 ❷ 4

대표 예제 14

장난감의 길이를 재어 보시오.

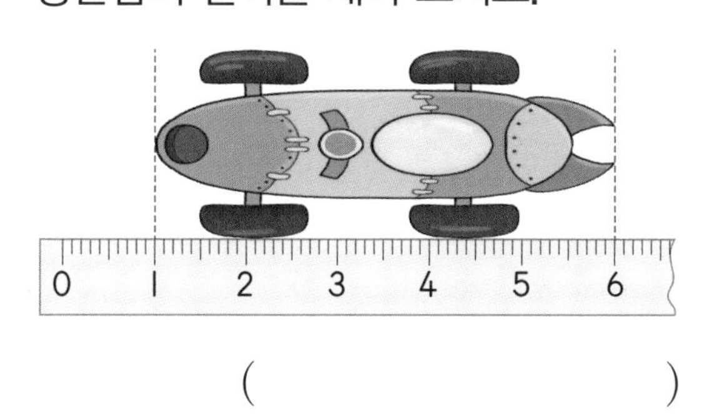

(   )

개념가이드

장난감의 긴 쪽에 ❶☐ cm가 ❷☐번 들어갑니다.

[답] ❶ 1 ❷ 5

대표 예제 16

선희와 지수가 사인펜의 길이를 다음과 같이 어림하였습니다. 사인펜의 길이를 자로 직접 재어봤더니 15cm였을 때, 더 가깝게 어림한 사람의 이름을 쓰시오.

선희	지수
약 14 cm	약 18 cm

(   )

개념가이드

❶☐가 ❷☐보다 15에 더 가깝습니다.

[답] ❶ 14 ❷ 18

2 주

2주 04일 교과서 대표 전략 ❷

1 다음 중 원이 아닌 것을 모두 골라 △표 하시오.

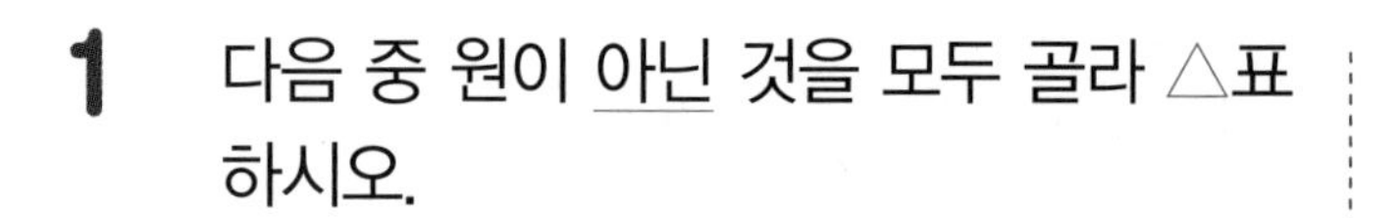

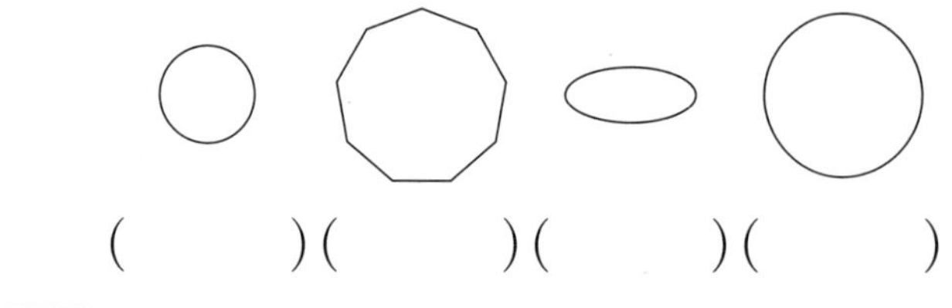

(　　　)(　　　)(　　　)(　　　)

Tip

원의 변의 수는 ❶ [　　] 개, 꼭짓점의 수도 ❷ [　　] 개입니다.

답 ❶ 0 ❷ 0

2 다음 중 옳게 설명한 사람의 이름을 쓰시오.

정우: 삼각형의 변의 수와 사각형의 변의 수를 더해 보니 8개네.
해찬: 오각형의 꼭짓점의 수는 육각형보다 많아.
태용: 원은 크기가 크든 작든 모양이 같구나.

(　　　　　　　　)

Tip

삼각형은 변이 ❶ [　　] 개이고, 사각형은 변이 ❷ [　　] 개입니다.

답 ❶ 3 ❷ 4

3 칠교판의 [　], ▲, ◣ 세 조각을 이용하여 다음 도형을 만드시오.

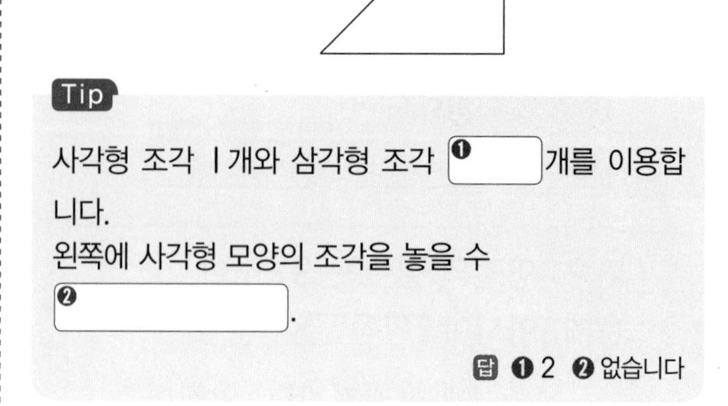

Tip

사각형 조각 1개와 삼각형 조각 ❶ [　　] 개를 이용합니다.
왼쪽에 사각형 모양의 조각을 놓을 수 ❷ [　　　　].

답 ❶ 2 ❷ 없습니다

4 왼쪽 모양과 똑같이 만들 때 옮겨야 하는 쌓기나무에 ○표 하시오.

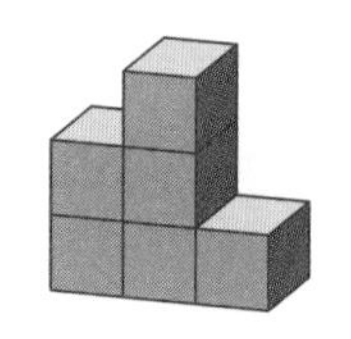

Tip

왼쪽 모양은 쌓기나무 ❶ [　　] 개로 만든 계단 모양입니다. 옮겨야 하는 쌓기나무는 ❷ [　　] 층에 있는 쌓기나무입니다.

답 ❶ 6 ❷ 3

5 다음은 현우와 기영이가 뼘으로 교실에 있는 텔레비전의 길이를 잰 것입니다. 한 뼘의 길이가 더 긴 사람은 누구인지 쓰시오.

현우	기영
뼘으로 7번	뼘으로 6번

( )

Tip

한 ❶ [ ]의 길이가 더 길수록 물건을 재는 횟수는 더 ❷ [ ].

답 ❶ 뼘 ❷ 적습니다

6 선반의 긴 쪽의 길이를 자로 재어 보시오.

( )

Tip

선반의 왼쪽 끝을 눈금 ❶ [ ]에 맞추면, 오른쪽 끝은 ❷ [ ] cm 눈금에 있습니다.

답 ❶ 0 ❷ 5

7 준수는 자로 동생의 이름표의 긴 쪽의 길이를 재었습니다. 이름표의 길이는 몇 cm입니까?

( )

Tip

이름표의 왼쪽 끝은 ❶ [ ] cm 눈금에 있습니다. 오른쪽 끝은 ❷ [ ] cm 눈금에 있습니다.

답 ❶ 2 ❷ 6

8 색 테이프의 길이를 지윤이는 약 4 cm, 민경이는 약 6 cm라고 어림하였습니다. 색 테이프의 길이를 재어 보고 더 가깝게 어림한 사람의 이름을 쓰시오.

( )

Tip

색 테이프의 왼쪽 끝을 눈금 ❶ [ ]에 맞추면, 오른쪽 끝은 ❷ [ ] cm 눈금에 가깝습니다.

답 ❶ 0 ❷ 6

누구나 만점 전략

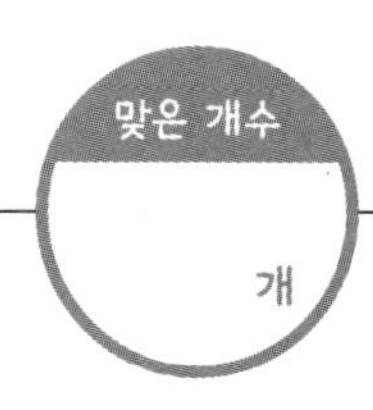

01 빈칸에 알맞은 말을 써넣으시오.

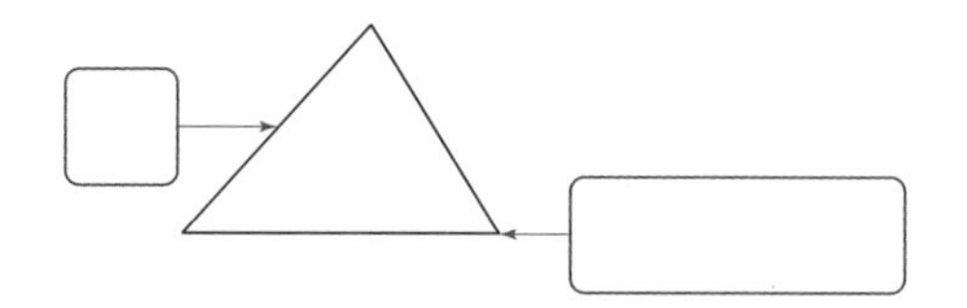

02 사각형을 찾아 사각형에 있는 수의 합을 구하시오.

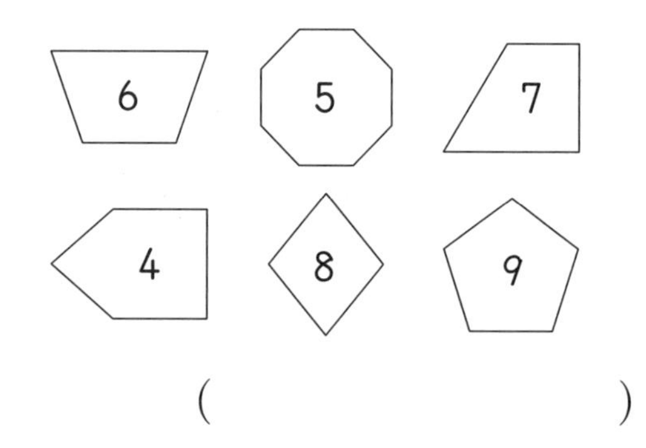

( )

03 칠교판의 □, ▲, ▲ 세 조각을 이용하여 다음 모양을 만드시오.

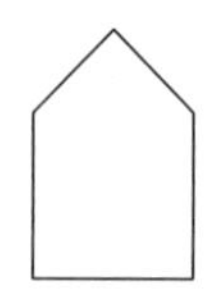

04 설명하는 쌓기나무를 찾아 ○표 하시오.

빨간색 쌓기나무의
위에 있는 쌓기나무

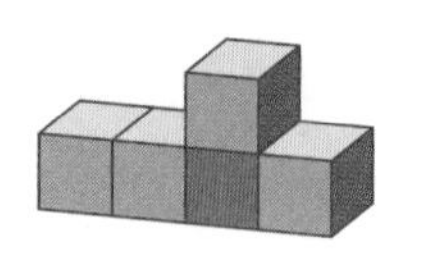

05 오른쪽 모양보다 더 많은 쌓기나무를 사용한 모양을 찾아 ○표 하시오.

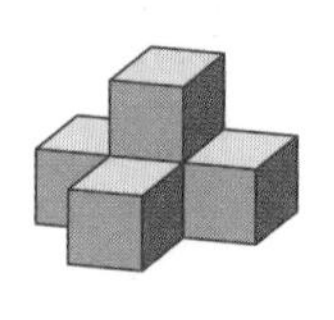

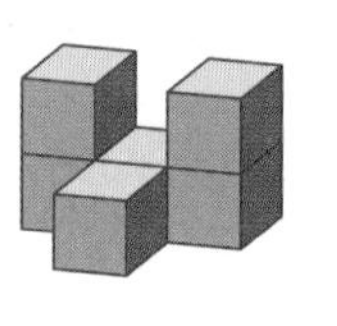

( ) ( )

▶정답 및 풀이 16쪽

06 다음은 진우의 방에 있는 달력을 뼘으로 잰 것입니다. 진우의 방에 있는 달력을 고르시오.

가로(↔)의 길이	뼘으로 2번
세로(↕)의 길이	뼘으로 3번

( ) ( )

07 다음은 칠판의 긴 쪽을 가위와 물병으로 잰 것입니다. 가위와 물병 중 길이가 더 긴 것은 무엇입니까?

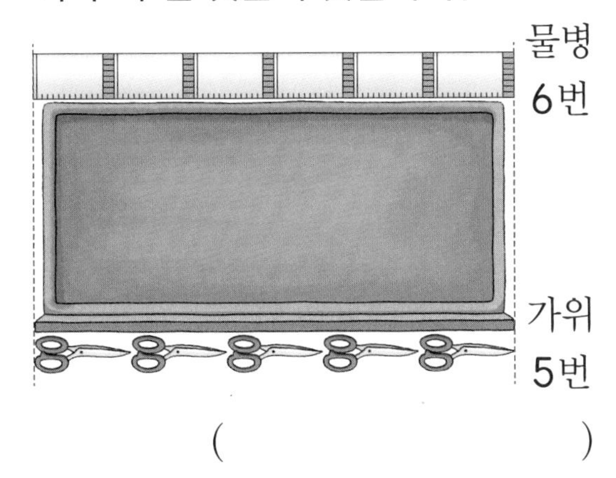

( )

08 다음은 유정이가 만든 배 모형입니다. 배 모형의 길이를 재어 보시오.

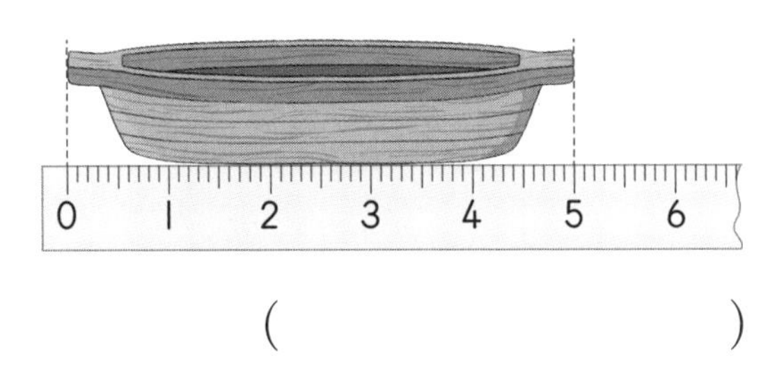

( )

09 ○ 안에 >, <를 알맞게 써넣으시오.

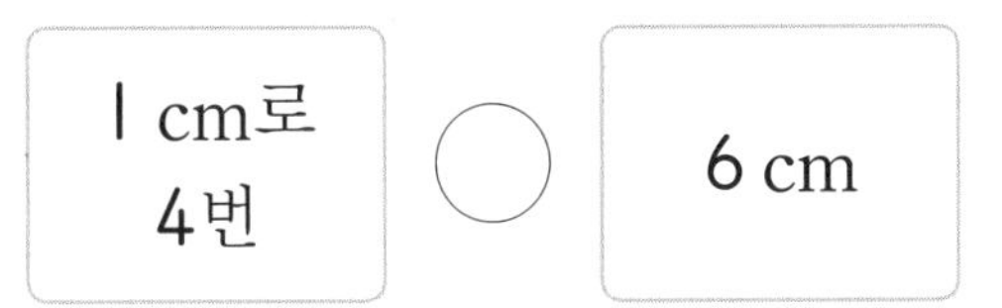

10 다음 색 테이프의 길이를 1 cm의 길이와 비교하여 어림해 보시오.

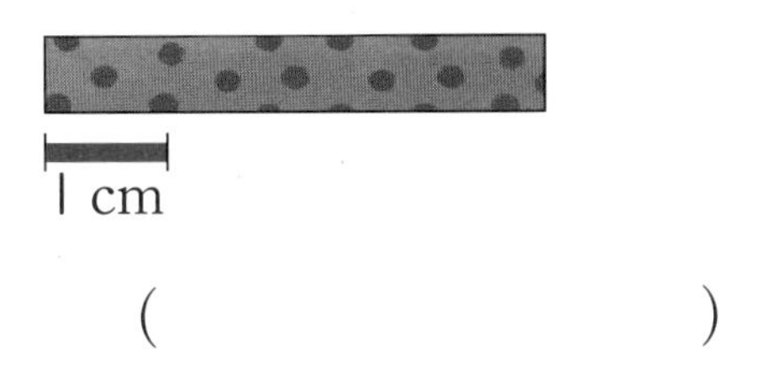

( )

2주

창의·융합·코딩 전략 ①

창의 융합

1 피자 상자를 대고 그릴 수 있는 도형은 무엇입니까?

( )

▶정답 및 풀이 17쪽

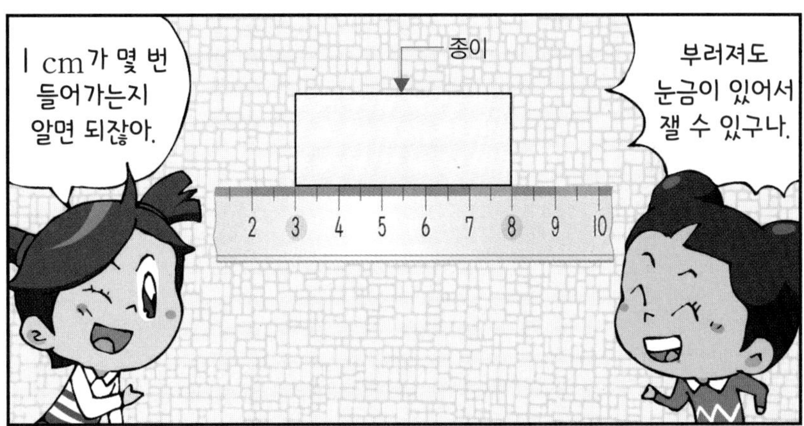

문제 해결

2 부러진 자를 이용하여 종이의 긴 쪽의 길이와 짧은 쪽의 길이의 차를 구하시오.

( )

창의·융합·코딩 전략 ❷

1 도형을 2개씩 짝 지어 늘어놓았습니다. 변의 수의 합에서 규칙을 찾아 ☐ 안에 알맞은 도형을 그려 넣으시오.

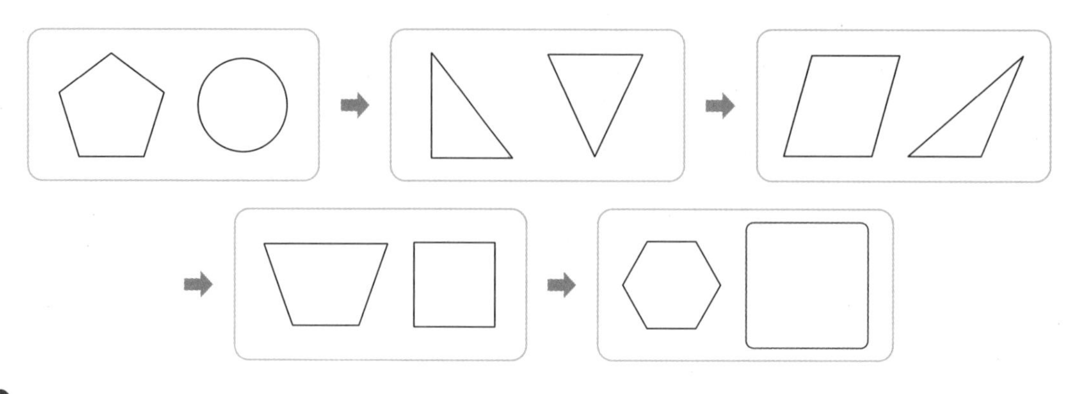

Tip

첫 번째 칸에 있는 오각형의 변의 수는 ❶☐이고, 원은 변이 없습니다.

두 도형의 변의 수의 합은 ❷☐씩 늘어나고 있습니다.

[답] ❶ 5 ❷ 1

코딩

2 다음에 맞게 쌓기나무를 색칠해 보시오.

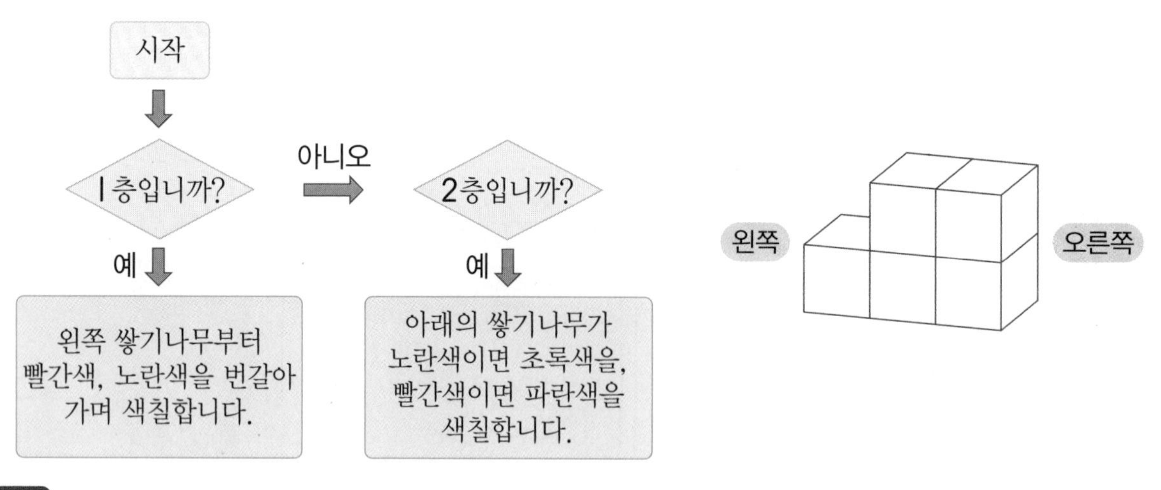

Tip

1층에 쌓기나무는 ❶☐개가 옆으로 나란히 있습니다.

가운데 쌓기나무와 오른쪽 쌓기나무 위에는 쌓기나무가 ❷☐개씩 있습니다.

[답] ❶ 3 ❷ 1

▶정답 및 풀이 17쪽

코딩

3 한 칸의 길이가 한 뼘일 때, 선 긋기 순서를 보고 알맞게 선을 그어 보시오.

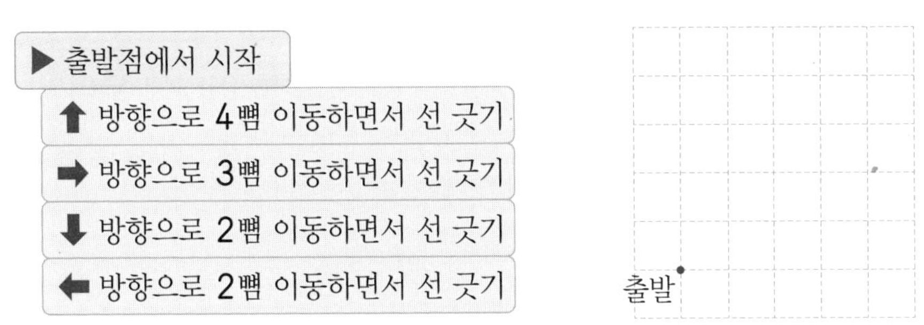

Tip

한 칸의 길이가 한 뼘이므로 2뼘은 ❶ [   ]칸을, 3뼘은 ❷ [   ]칸을 이동합니다.

[답] ❶ 2 ❷ 3

추론

4 보기 의 2 cm, 3 cm인 막대들을 사용하여 주어진 막대를 만들었을 때의 모양에 따라 색칠하고 길이를 알아보시오.

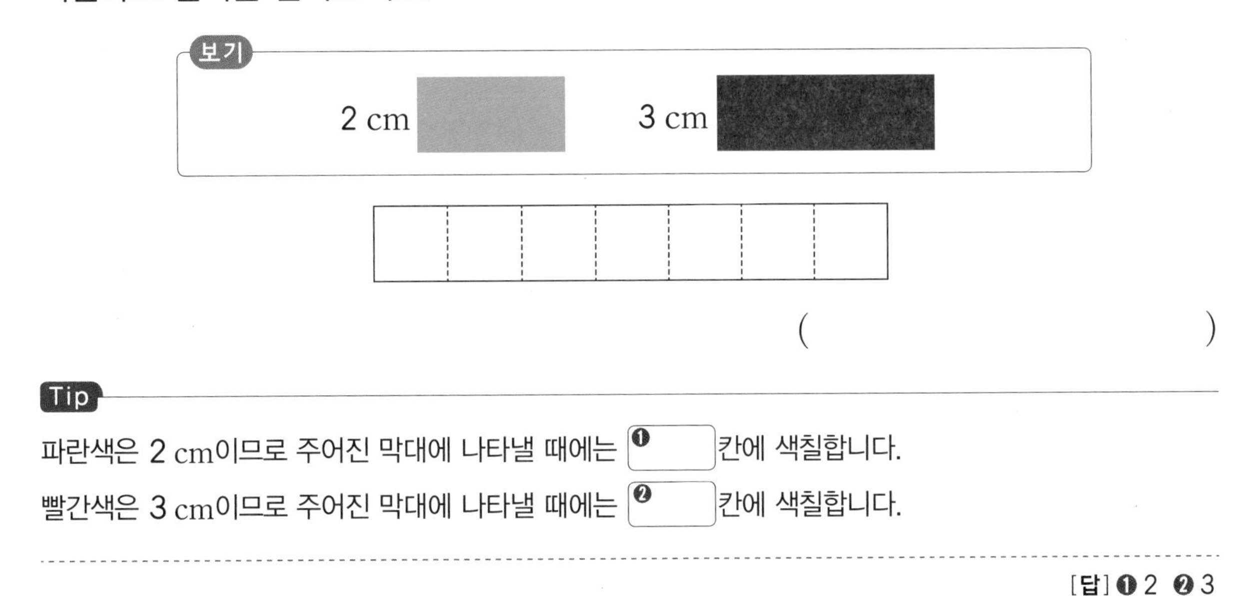

(   )

Tip

파란색은 2 cm이므로 주어진 막대에 나타낼 때에는 ❶ [   ]칸에 색칠합니다.

빨간색은 3 cm이므로 주어진 막대에 나타낼 때에는 ❷ [   ]칸에 색칠합니다.

[답] ❶ 2 ❷ 3

5 지원이네 할아버지 농장에 삼각형 모양의 감자 밭과 당근 밭, 사각형 모양의 오이 밭이 있습니다. 감자 밭, 당근 밭의 꼭짓점도 되고 오이 밭의 꼭짓점도 되는 곳을 찾아 할아버지께서 쉴 수 있는 의자를 두려고 할 때, 의자를 어디에 두어야 하는지 번호를 쓰시오.

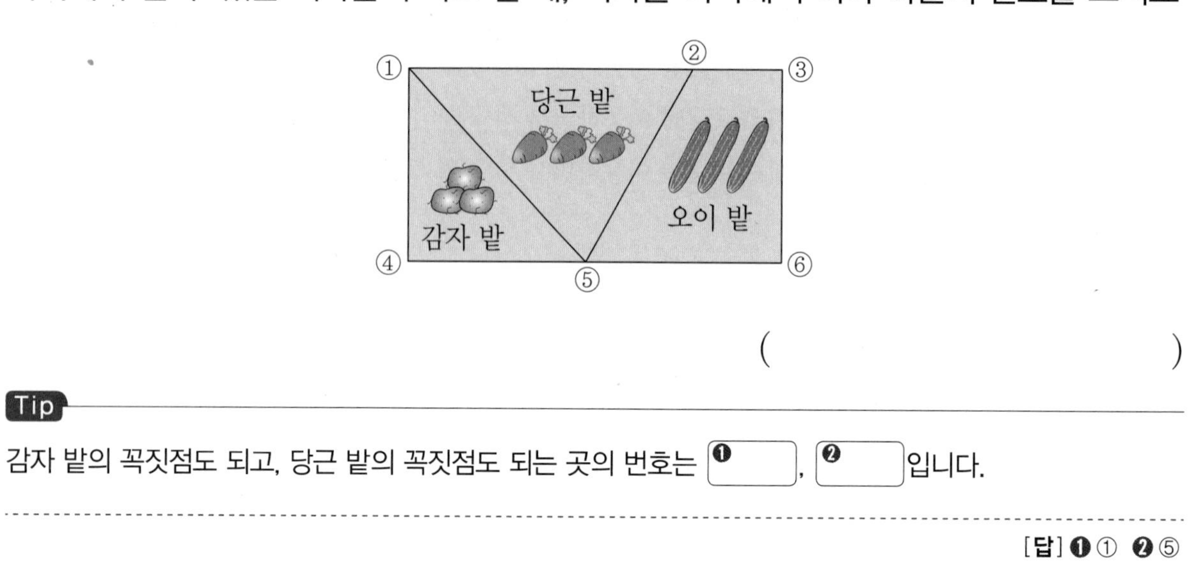

( )

Tip

감자 밭의 꼭짓점도 되고, 당근 밭의 꼭짓점도 되는 곳의 번호는 ❶ [ ], ❷ [ ]입니다.

[답] ❶ ① ❷ ⑤

추론

6 색종이를 그림과 같이 반으로 접은 다음 점선을 따라 잘랐습니다. ㉮ 부분을 펼쳤을 때 만들어지는 도형의 이름을 쓰시오.

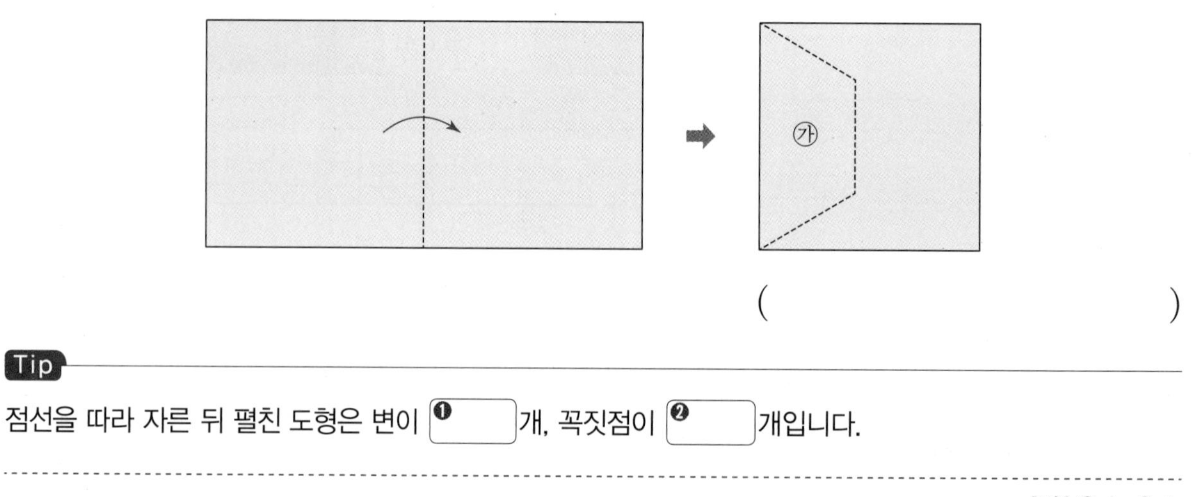

( )

Tip

점선을 따라 자른 뒤 펼친 도형은 변이 ❶ [ ]개, 꼭짓점이 ❷ [ ]개입니다.

[답] ❶ 6 ❷ 6

▶정답 및 풀이 17쪽

7 3 cm 떨어진 점을 연결하여 벌이 있는 곳에서 벌집이 있는 곳까지 선으로 이어 보시오.

Tip

한 점에서 ❶ ☐ cm만큼 떨어져 있는 점까지 ❷ ☐ 을 긋습니다.

[답] ❶ 3 ❷ 선

8 나연이의 한 뼘의 길이는 10 cm입니다. 한 뼘의 길이를 이용하여 창문의 긴 쪽과 짧은 쪽의 길이를 재었습니다. 창문의 긴 쪽의 길이는 뼘으로 4번, 창문의 짧은 쪽의 길이는 뼘으로 2번이었습니다. 창문의 긴 쪽과 짧은 쪽의 길이의 차는 몇 cm입니까?

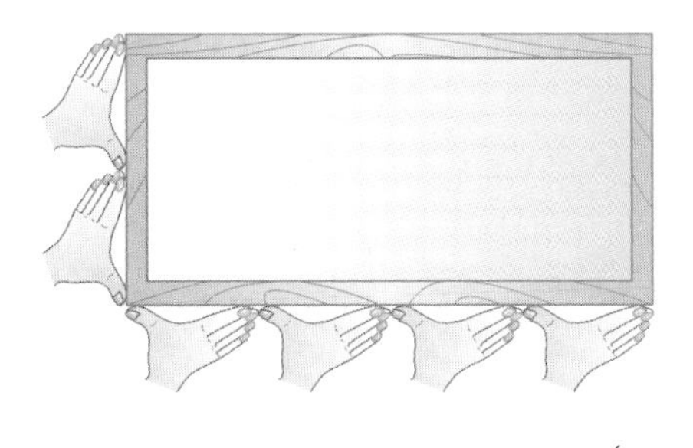

(   )

Tip

창문의 짧은 쪽의 길이는 뼘으로 ❶ ☐ 번이므로 ❷ ☐ cm입니다.

[답] ❶ 2 ❷ 20

분류하기, 곱셈

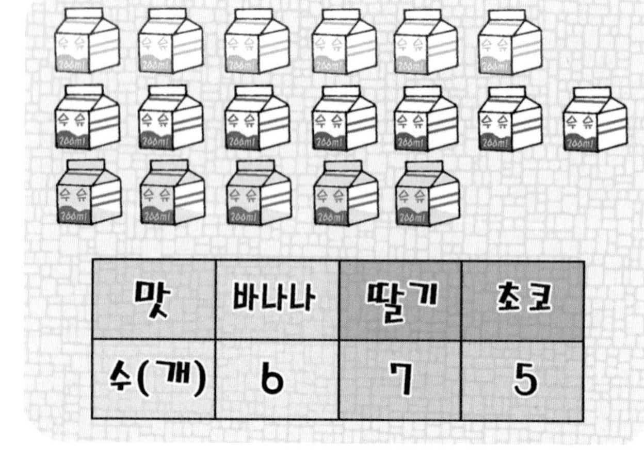

맛	바나나	딸기	초코
수(개)	6	7	5

학습할 내용

❶ 분류 기준 알아보기
❷ 정해진 기준에 따라 분류하기
❸ 분류하여 세고 결과 말하기
❹ 묶어 세기
❺ 몇의 몇 배 알아보기
❻ 곱셈식 알아보고 곱셈식으로 나타내기

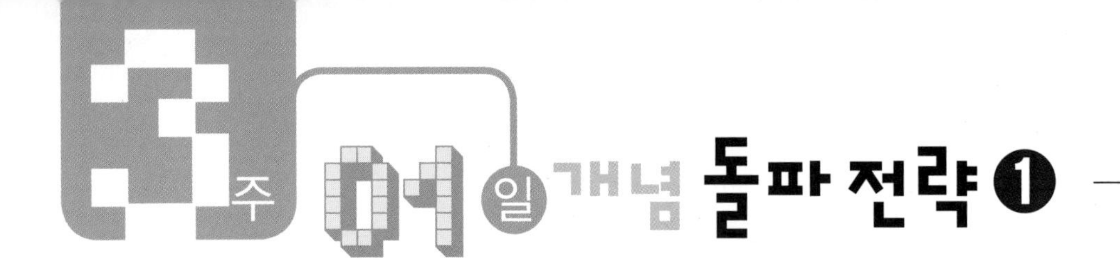

3주 04일 개념 돌파 전략 ❶

개념 1 분류 기준 알아보기

[관련 단원] 분류하기

- **분류**: 기준에 따라 나누는 것

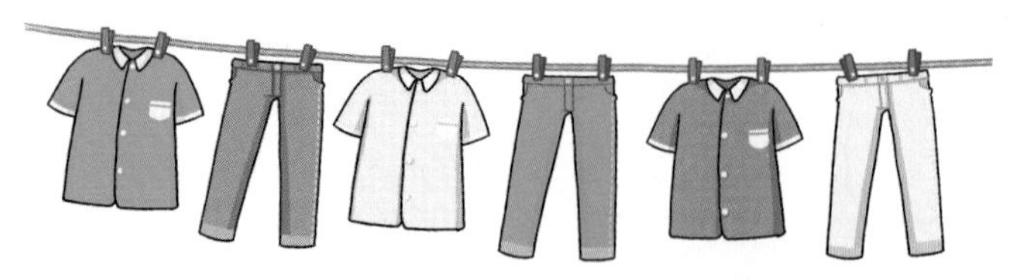

분명하지 않은 기준

멋진 옷	멋지지 않은 옷

누가 분류하느냐에 따라 멋진 옷, 멋지지 않은 옷은 다릅니다.

분명한 기준

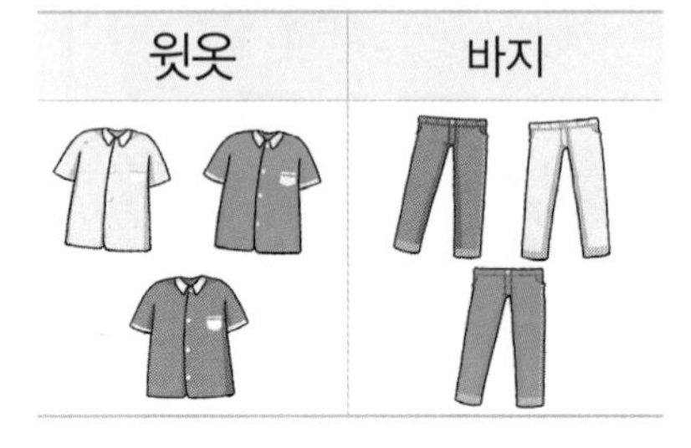

윗옷	바지

누가 분류하더라도 윗옷, 바지는 같습니다.

누가 분류를 하더라도 ❶ ☐ 결과가 나오도록 분명한 ❷ ☐ 을 정해야 합니다.

답 ❶ 같은 ❷ 기준

개념 2 분류하여 세기

[관련 단원] 분류하기

- **깃발을 색깔별로 분류하기**

분류 기준 깃발의 색깔

색깔	초록색	빨간색	노란색
세면서 표시하기	////	//	/
수	4개	2개	1개

- 색깔에 따라 분류한 결과 초록색이 4개, 빨간색이 2개, 노란색이 1개입니다.
- 초록색 깃발이 빨간색 깃발보다 많습니다.

가장 많은 깃발은 ❶ ☐ 색 깃발이고, 가장 적은 깃발은 ❷ ☐ 색 깃발입니다.

답 ❶ 초록 ❷ 노란

개념 기초 확인

▶정답 및 풀이 18쪽

1-1 아래와 같이 분류하였을 때 분류 기준으로 알맞은 것에 ○표 하시오.

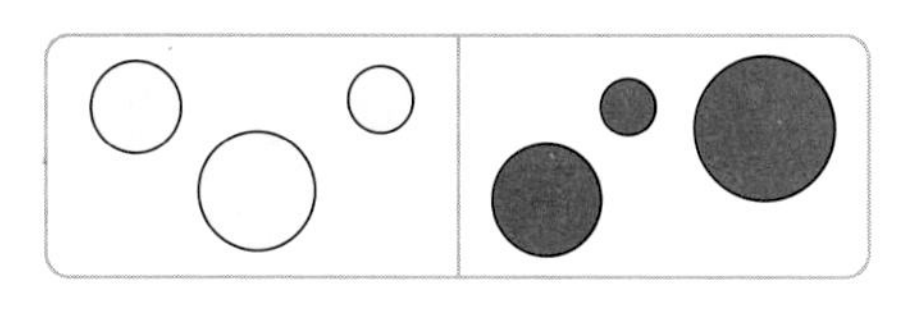

(색깔 , 크기)

• **풀이** • 왼쪽에 있는 원은 모두 노란❶ [ ]이고, 오른쪽에 있는 원은 모두 빨간❷ [ ]입니다.

답 ❶ 색 ❷ 색

1-2 아래와 같이 분류하였을 때, 분류 기준으로 알맞은 것에 ○표 하시오.

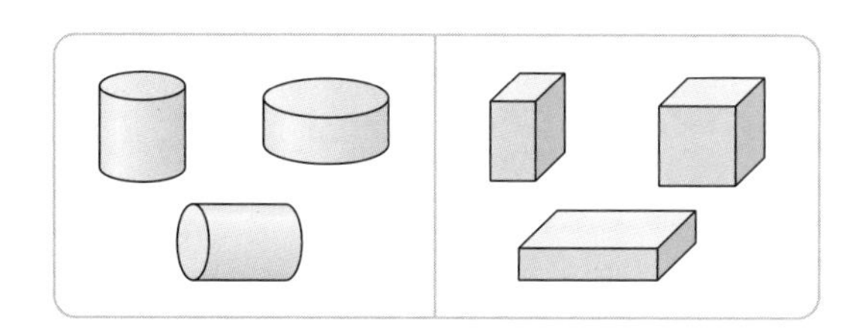

(모양 , 색깔)

2-1 다음 붙임딱지를 모양에 따라 분류하시오.

꽃 모양	별 모양

• **풀이** • 색깔에 상관없이 ❶ [ ]에 따라 붙임딱지를 ❷ [ ]합니다.

답 ❶ 모양 ❷ 분류

2-2 다음 붙임딱지를 색깔에 따라 분류하시오.

보라색	초록색

3-1 위 **2-1**의 붙임딱지를 색깔에 따라 분류하고 빈칸에 알맞은 수나 말을 써넣으시오.

색깔	초록색	
붙임딱지 수(개)	3	

• **풀이** • 붙임딱지의 ❶ [ ]은 초록색, 보라색으로 ❷ [ ]가지입니다.

답 ❶ 색깔 ❷ 2

3-2 위 **2-2**의 붙임딱지를 모양에 따라 분류하고 빈칸에 알맞은 수나 말을 써넣으시오.

모양	꽃		
붙임딱지 수(개)	1		

3 주

개념 3 묶어 세기

[관련 단원] **곱셈**

● 귤이 몇 개인지 세어 보기

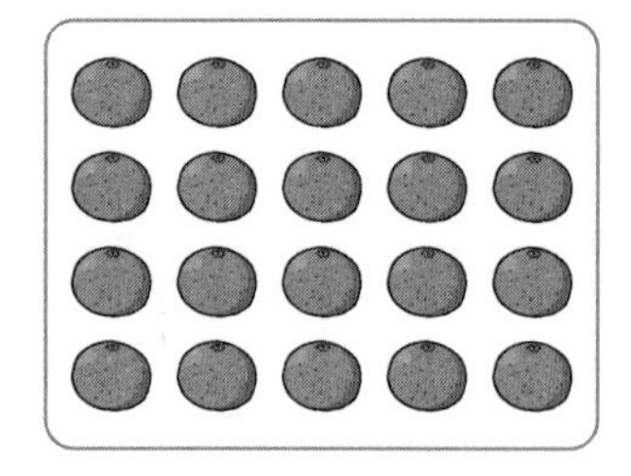

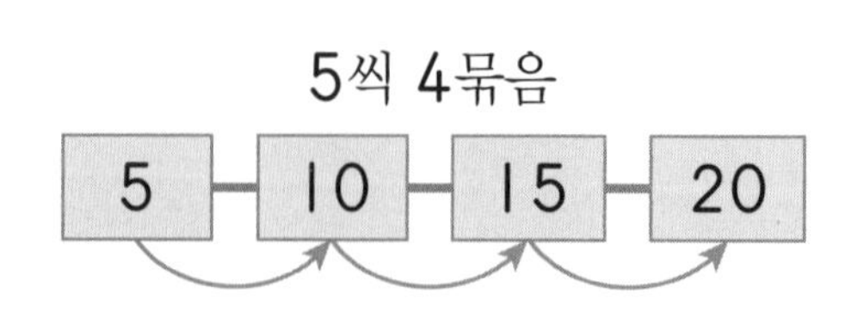

귤은 5를 4번 더한 5+5+5+5=20(개)입니다.
귤은 5씩 4묶음이므로 20개입니다.
귤은 5씩 4번 뛰어 세면 5—10—15—20으로 20개입니다.

4씩 3묶음은 4씩 ❶ [ ] 번 뛰어 센 것과 같습니다. 따라서 4−8−❷ [ ] 입니다.

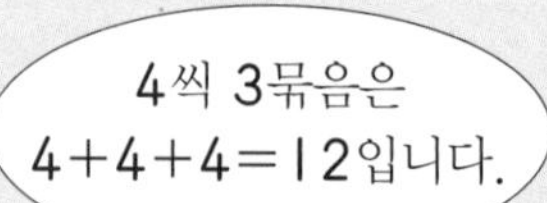

답 ❶ 3 ❷ 12

개념 4 몇의 몇 배

[관련 단원] **곱셈**

● 5의 4배

5의 4배 ➡
- 5를 4번 더한 것입니다.
- 5씩 4묶음입니다.
- 5+5+5+5=20입니다.

2의 3배는 2를 ❶ [ ] 번 더한 것입니다.
따라서 2의 3배는 2+2+2=❷ [ ] 입니다.

답 ❶ 3 ❷ 6

개념 5 곱셈식

[관련 단원] **곱셈**

● 곱셈식으로 나타내기

덧셈식 4+4+4=12를 곱셈식 4×3=12로 나타냅니다.

4×3 ➡
- 4씩 3묶음입니다.
- 4의 3배입니다.
- 4를 3번 더한 것입니다.
- 4 곱하기 3입니다.

- 6의 4배는 6×4라고 쓰고, 6 ❶ [ ] 4라고 읽습니다.
- 6×4는 6을 ❷ [ ] 번 더한 6+6+6+6=24입니다.

답 ❶ 곱하기 ❷ 4

개념 기초 확인

▶정답 및 풀이 18쪽

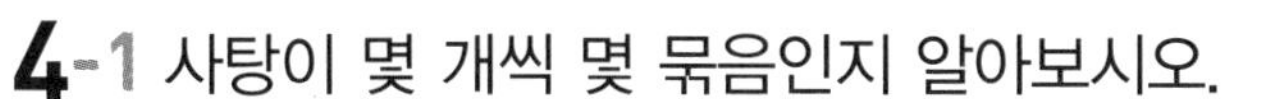

4-1 사탕이 몇 개씩 몇 묶음인지 알아보시오.

➡ 사탕은 ☐ 개씩 ☐ 묶음입니다.

• **풀이** • 사탕을 ❶☐ 개씩 묶었습니다. 묶음의 수는 ❷☐ 개입니다.

답 ❶ 2 ❷ 4

4-2 별이 몇 개씩 몇 묶음인지 알아보시오.

➡ 별은 ☐ 개씩 ☐ 묶음입니다.

5-1 사탕의 수는 4의 몇 배입니까?

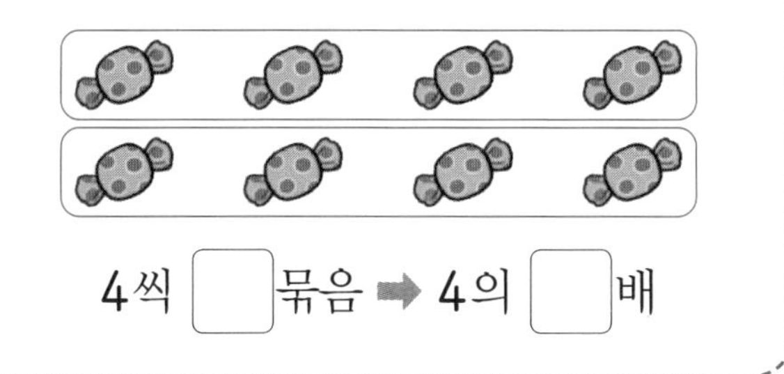

4씩 ☐ 묶음 ➡ 4의 ☐ 배

• **풀이** • 사탕은 4를 ❶☐ 번 더한 $4+4=$ ❷☐ (개)입니다.

답 ❶ 2 ❷ 8

5-2 별의 수는 6의 몇 배입니까?

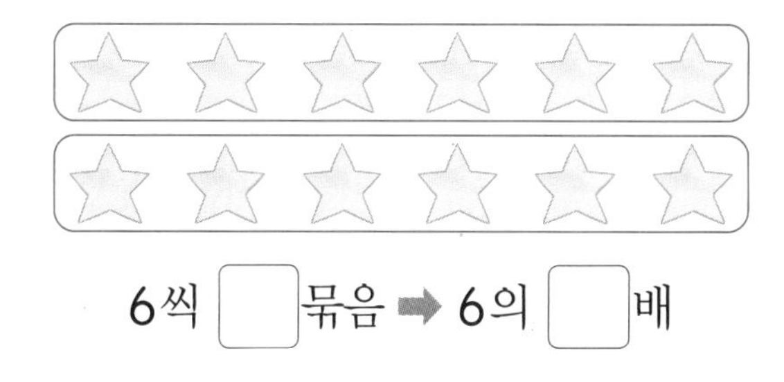

6씩 ☐ 묶음 ➡ 6의 ☐ 배

6-1 사탕의 수를 곱셈으로 나타내시오.

2의 2배 ➡ 쓰기 $2\times$ ☐

읽기 2 ☐ 2

• **풀이** • 2의 2배는 2 ❶☐ 2라고 쓰고 2 곱하기 ❷☐ 라고 읽습니다.

답 ❶ × ❷ 2

6-2 별의 수를 곱셈으로 나타내시오.

4의 3배 ➡ 쓰기 $4\times$ ☐

읽기 4 ☐ 3

3주 04일 개념 돌파 전략 ❷

예제 1 알맞은 기준 찾기

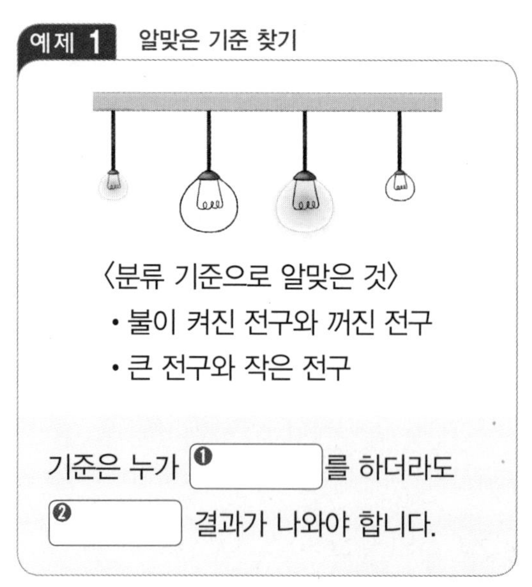

〈분류 기준으로 알맞은 것〉
- 불이 켜진 전구와 꺼진 전구
- 큰 전구와 작은 전구

기준은 누가 ❶ [ ] 를 하더라도 ❷ [ ] 결과가 나와야 합니다.

[답] ❶ 분류 ❷ 같은

예제 2 분류한 기준 쓰기

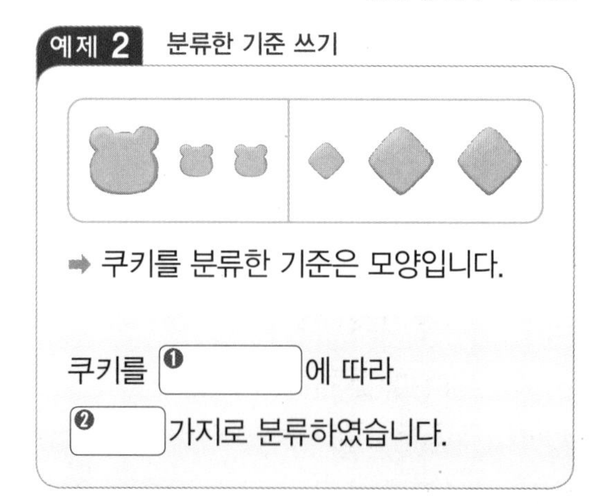

➡ 쿠키를 분류한 기준은 모양입니다.

쿠키를 ❶ [ ] 에 따라 ❷ [ ] 가지로 분류하였습니다.

[답] ❶ 모양 ❷ 2

예제 3 분류한 결과 말하기

선우네 반 친구들이 좋아하는 과일

과일	사과	포도	바나나
친구 수(명)	6	8	10

가장 많은 친구들이 좋아하는 과일은 바나나입니다.

사과를 좋아하는 친구는 ❶ [ ] 명, 바나나를 좋아하는 친구는 ❷ [ ] 명입니다.

[답] ❶ 6 ❷ 10

1 우유를 분류하려고 합니다. 분류 기준으로 알맞은 것을 찾아 기호를 쓰시오.

㉠ 맛있는 우유와 맛없는 우유
㉡ 양이 많은 우유와 적은 우유

( )

2 지원이는 붙임딱지를 다음과 같이 분류하였습니다. 지원이가 분류한 기준에 ○표 하시오.

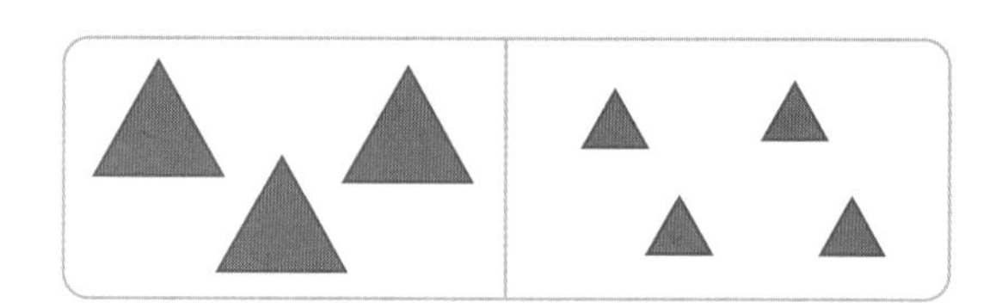

(색깔 , 크기 , 모양)

3 중기네 모둠 학생들이 좋아하는 운동을 조사하였습니다. 빈칸에 알맞은 수를 쓰고 중기네 모둠 학생들이 가장 좋아하는 운동에 ○표 하시오.

중기네 모둠 학생들이 좋아하는 운동

운동	축구	야구	배드민턴
이름	중기, 지연	수민, 정근, 미연, 지민	준성
학생 수(명)			

▶정답 및 풀이 18쪽

예제 4 뛰어서 세기

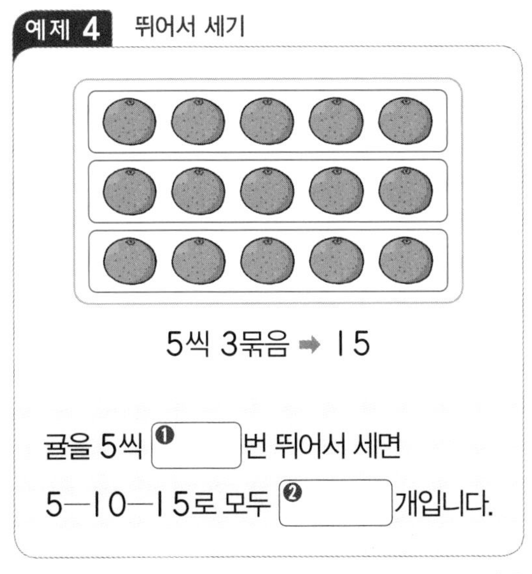

귤을 5씩 ❶ [ ] 번 뛰어서 세면
5—10—15로 모두 ❷ [ ] 개입니다.

[답] ❶ 3 ❷ 15

4 토마토가 모두 몇 개인지 알아보려고 합니다. 빈 칸에 알맞은 수를 써넣으시오.

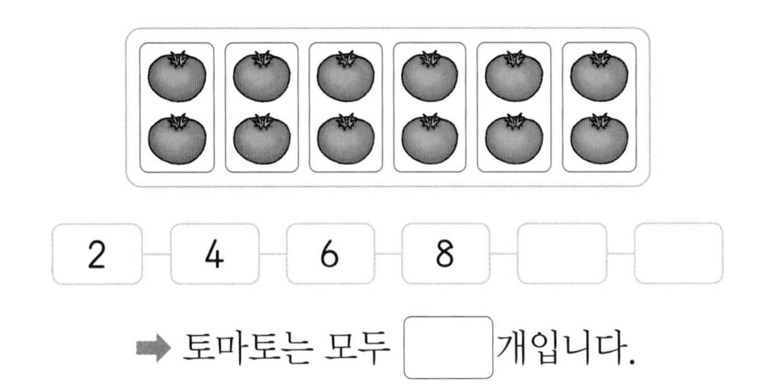

2 — 4 — 6 — 8 — [ ] — [ ]

➡ 토마토는 모두 [ ] 개입니다.

예제 5 몇의 몇 배

3개 ➡ 2배 3씩 2묶음 (1번, 2번)

오른쪽 벽돌의 수는 3씩 2묶음이고
❶ [ ] 의 ❷ [ ] 배입니다.

[답] ❶ 3 ❷ 2

5 노란색 쌓기나무의 수는 파란색 쌓기나무의 수의 몇 배인지 쓰시오.

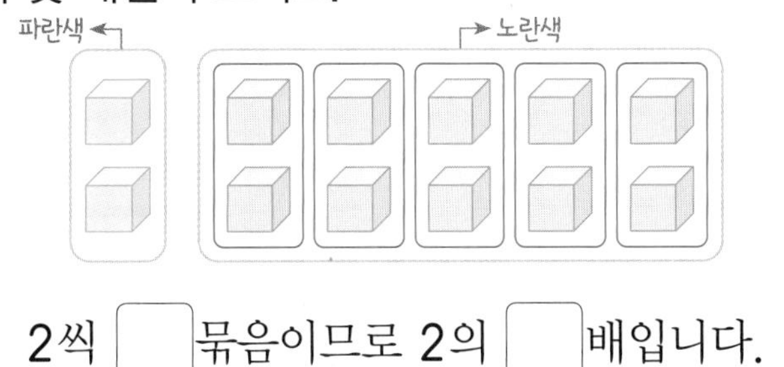

2씩 [ ] 묶음이므로 2의 [ ] 배입니다.

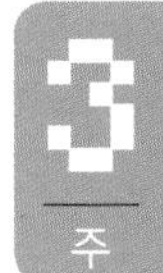

예제 6 곱셈식

3의 4배 ➡ 3×4

3의 4배는 $3 \times$ ❶ [ ] 라고 쓰고
3 ❷ [ ] 4라고 읽습니다.

[답] ❶ 4 ❷ 곱하기

6 구슬의 수를 곱셈식으로 쓰고 읽으시오.

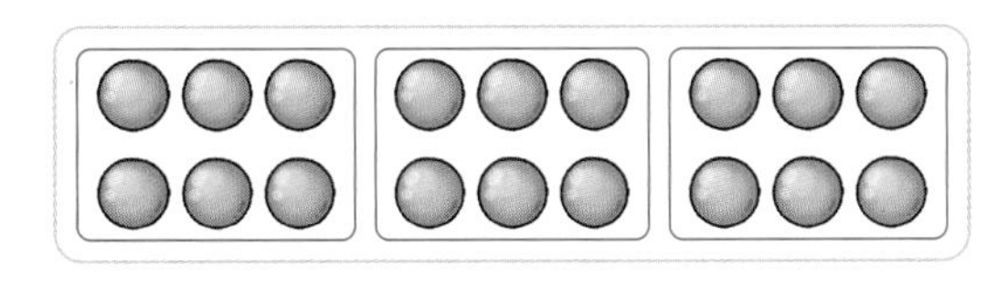

쓰기 $6 \times \square = 18$

읽기 6 [ ] 3은 18과 같습니다.

전략 1 분명한 기준과 분명하지 않은 기준

[관련 단원] 분류하기

예 분류 기준으로 알맞은 것 찾기

⬠ ○ □ △ ▱ ⬡ ○

기준

변이 있는 것과 ❶ [ ] 것

➡ 위의 기준에 따라 분류하면 분류한 결과는 항상 ❷ [ ].

답 ❶ 없는 ❷ 같습니다

필수 예제 01

다음 만화 영화들을 분류하는 기준으로 알맞은 것에 ○표 하시오.

빨간 돼지	야광 나무	딸꾹질 캥거루	내일은 축구
개구리 공주	다섯 완두콩	당나귀 공주	달려라 씽

제목에 동물 이름이 들어가는 것과 들어가지 않는 것 (   )

재미있는 것과 재미없는 것 (   )

풀이 | 재미있는 것과 재미없는 것은 사람에 따라 다를 수 있으므로 분류 기준이 분명하지 않습니다.

확인 1-1

다음을 분류하는 기준으로 알맞은 것을 찾아 ○표 하시오.

• 음식과 음식이 아닌 것 (   )

• 비싼 것과 싼 것 (   )

확인 1-2

다음 물건들을 분류하는 기준으로 알맞은 것을 찾아 ○표 하시오.

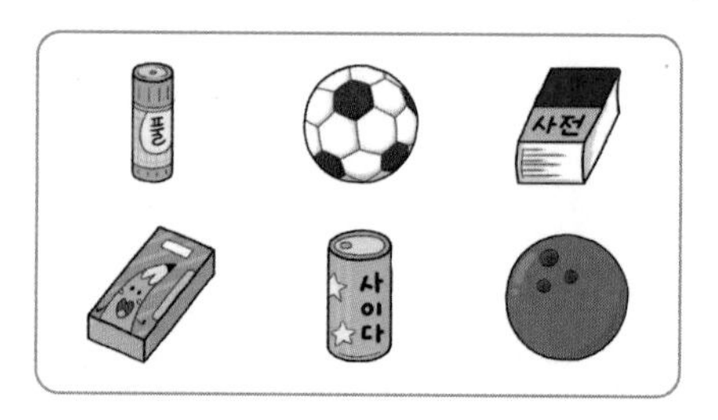

• 무거운 것과 무겁지 않은 것 (   )

• 쌓을 수 있는 것과 없는 것 (   )

▶정답 및 풀이 19쪽

전략 2 주어진 물건을 정해진 기준에 따라 분류하기

[관련 단원] 분류하기

예 가방을 색깔에 따라 분류하기

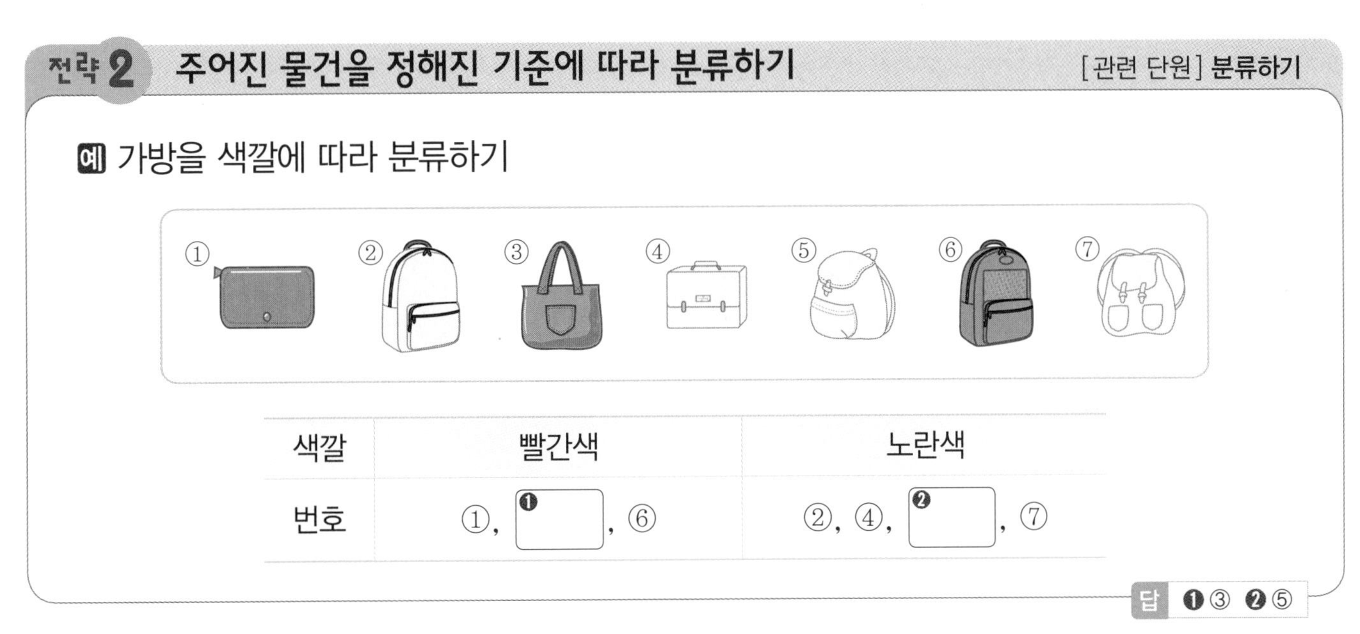

색깔	빨간색	노란색
번호	①, ❶ [ ], ⑥	②, ④, ❷ [ ], ⑦

답 ❶③ ❷⑤

필수 예제 02

다음 도형을 모양에 따라 분류하시오.

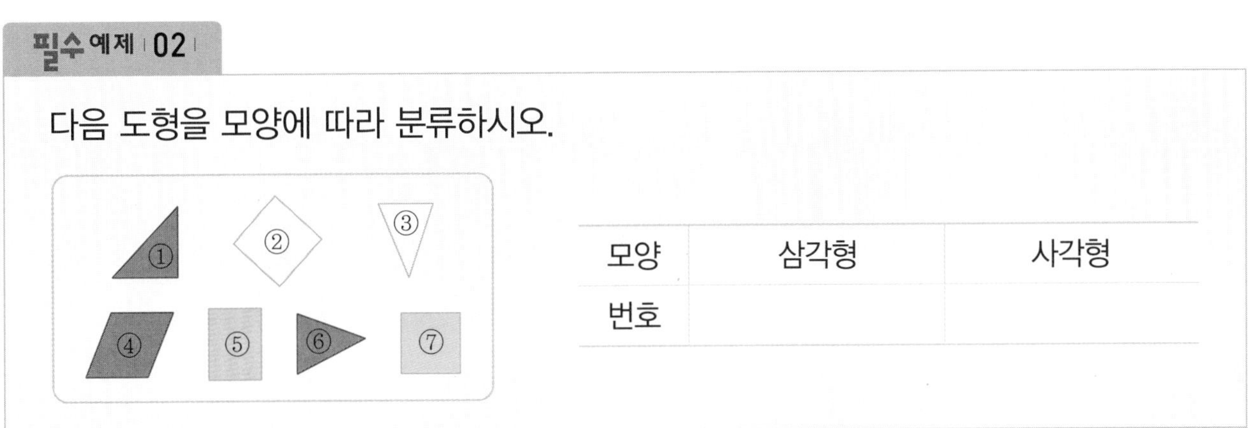

모양	삼각형	사각형
번호		

풀이 | 삼각형은 변과 꼭짓점이 3개인 ①, ③, ⑥입니다. 사각형은 변과 꼭짓점이 4개인 ②, ④, ⑤, ⑦입니다.

확인 2-1

열쇠를 손잡이 부분의 모양에 따라 분류하시오.

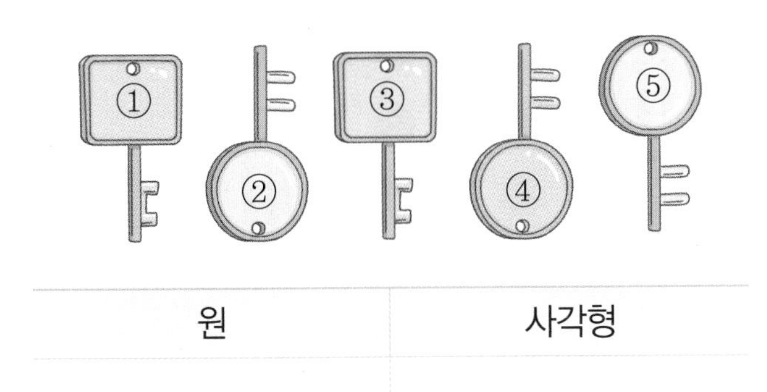

원	사각형

확인 2-2

다음은 동물을 다리 수에 따라 분류한 것입니다. 잘못 분류한 것을 찾아 ○표 하시오.

다리 수	4개	2개
동물	고양이 코끼리 호랑이	말 참새 비둘기

전략 3 묶어 세기

[관련 단원] 곱셈

예 꽃을 2송이씩 묶어 세기

(1) 꽃을 2송이씩 묶기 ➡ 2씩 ❶ ☐ 묶음

(2) 2씩 6번 뛰어 세기 ➡ 2 – 4 – 6 – 8 – 10 – ❷ ☐

답 ❶ 6 ❷ 12

필수 예제 03

밤을 6개씩 묶어 세려고 합니다. 빈칸에 알맞은 수를 써넣으시오.

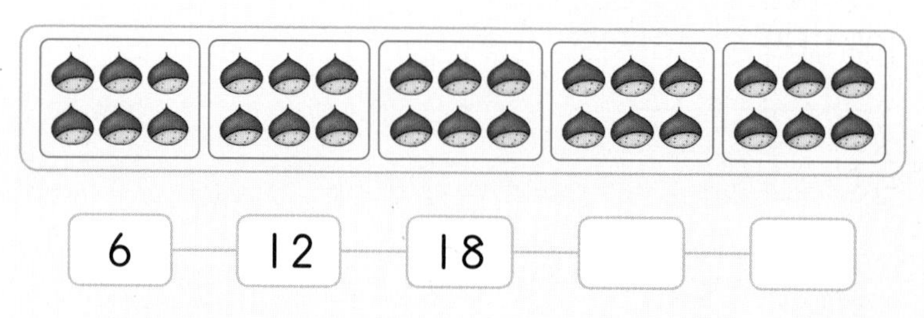

6 – 12 – 18 – ☐ – ☐

6씩 ☐ 묶음이므로 $6+6+6+6+6=$ ☐ (개)입니다.

풀이 | 밤은 6개씩 5묶음입니다. 따라서 6씩 5번 뛰어서 세면 밤은 30개입니다.

확인 3-1

사과를 3개씩 묶어 세어 보시오.

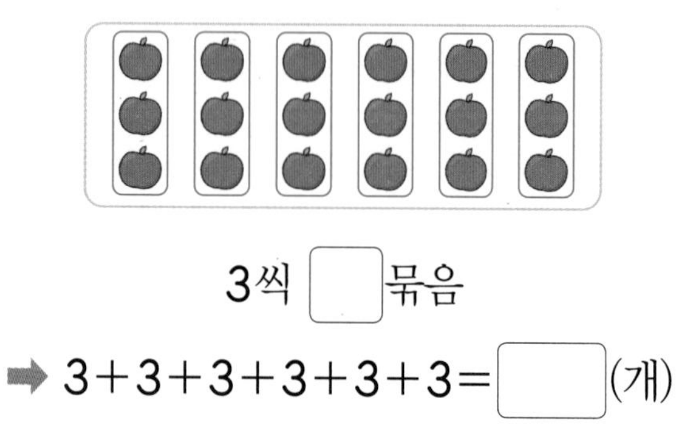

3씩 ☐ 묶음

➡ $3+3+3+3+3+3=$ ☐ (개)

확인 3-2

감을 5개씩 묶고 빈칸에 알맞은 수를 쓰시오.

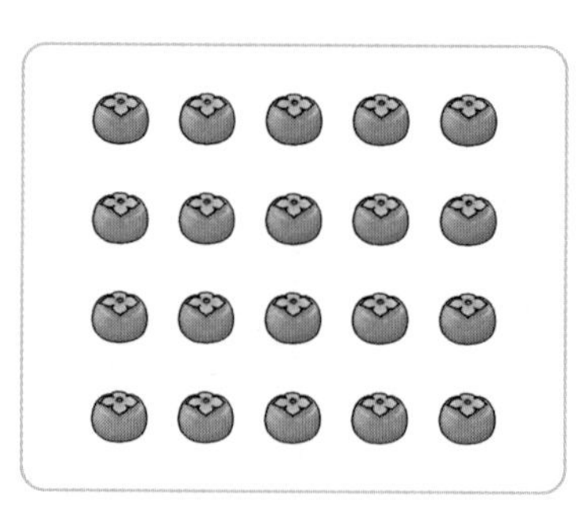

5씩 ☐ 묶음이므로 ☐ 개입니다.

▶정답 및 풀이 19쪽

전략 4 몇의 몇 배인지 구하기

[관련 단원] 곱셈

예 쌓기나무의 수는 2의 몇 배인지 쓰기

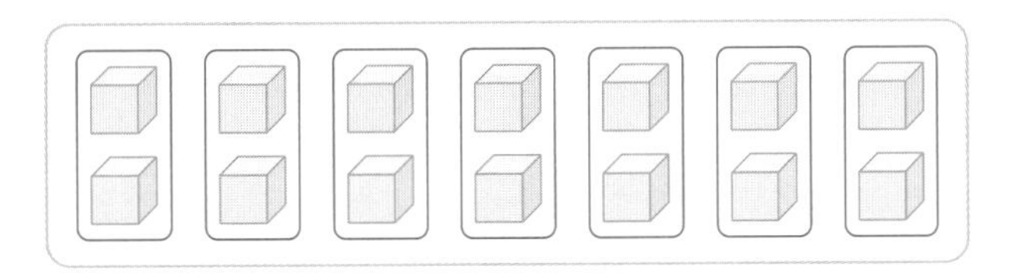

(1) 쌓기나무를 2개씩 묶기 ➡ ❶ ☐ 씩 7묶음

(2) 쌓기나무의 수는 2를 7번 더한 수이고, 2의 ❷ ☐ 배입니다.

답 ❶ 2 ❷ 7

필수 예제 04

연필의 수는 3의 몇 배인지 알아보시오.

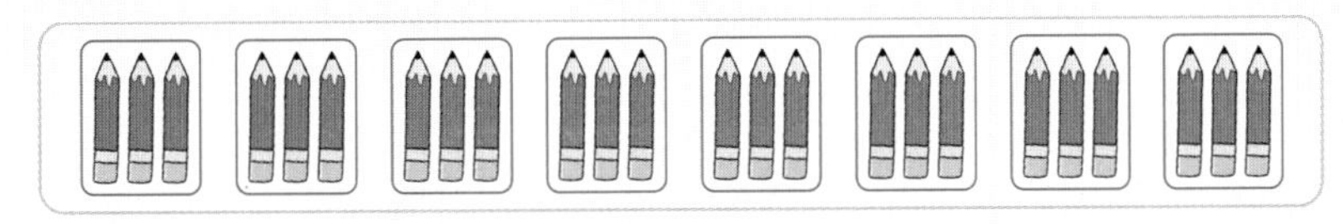

3씩 ☐ 묶음 ➡ 연필의 수는 3의 ☐ 배입니다.

풀이 | 연필은 3자루씩 8묶음입니다.
따라서 3씩 8묶음이므로 3의 8배입니다.

확인 4-1

야구공의 수는 5의 몇 배인지 알아보시오.

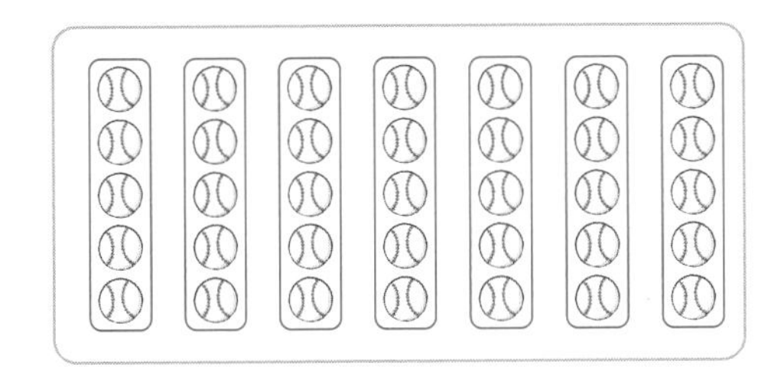

5씩 7묶음

➡ 야구공의 수는 5의 ☐ 배입니다.

확인 4-2

구슬의 수를 알아보려고 합니다. 빈칸에 알맞은 수를 써넣으시오.

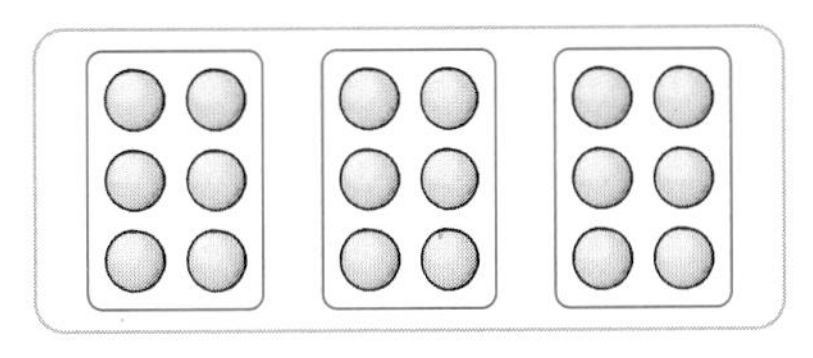

6의 ☐ 배

$6+6+6=$ ☐

3 주

[관련 단원] **분류하기**

1 다음은 정민이가 모아둔 나뭇잎입니다. 분류 기준으로 알맞은 것을 모두 찾아 ○표 하시오.

㉠ 색깔이 예쁜 것과 예쁘지 않은 것 ( )

㉡ 나뭇잎의 모양 ( )

㉢ 색깔이 노란색인 것과 아닌 것 ( )

Tip

• 나뭇잎의 색깔은 ❶ [ ] 가지입니다.

• 나뭇잎의 모양은 ❷ [ ] 가지입니다.

답 ❶ 3 ❷ 3

[관련 단원] **분류하기**

2 다음은 붙임딱지를 모양에 따라 분류한 것입니다. 잘못 분류한 것을 찾아 ○표 하시오.

하트 모양	별 모양

Tip

• 분류 기준은 ❶ [ ] 이므로 같은 ❷ [ ] 끼리 모아야 합니다.

답 ❶ 모양 ❷ 모양

[관련 단원] **분류하기**

3 승윤이는 집에 있는 선물 상자를 다음과 같이 분류하였습니다. 알맞은 분류 기준에 ○표 하시오.

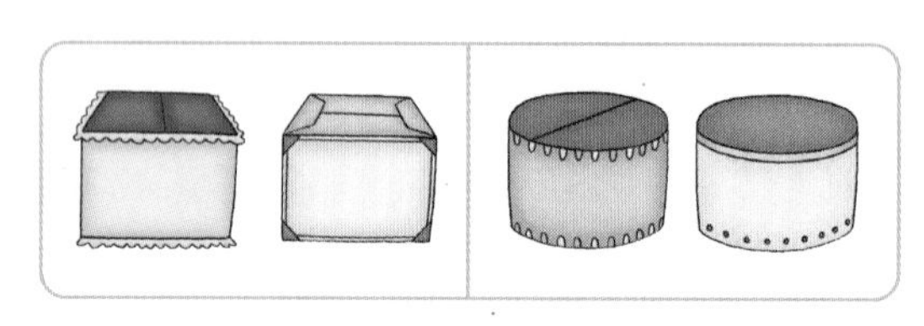

(색깔 , 크기 , 모양)

Tip

• 오른쪽에 분류한 ❶ [ ] 들은 둥근 부분이 ❷ [ ] 습니다.

답 ❶ 상자 ❷ 있

▶정답 및 풀이 20쪽

[관련 단원] **곱셈**

4 구슬을 ❶8개씩 묶어 세어 보시오.

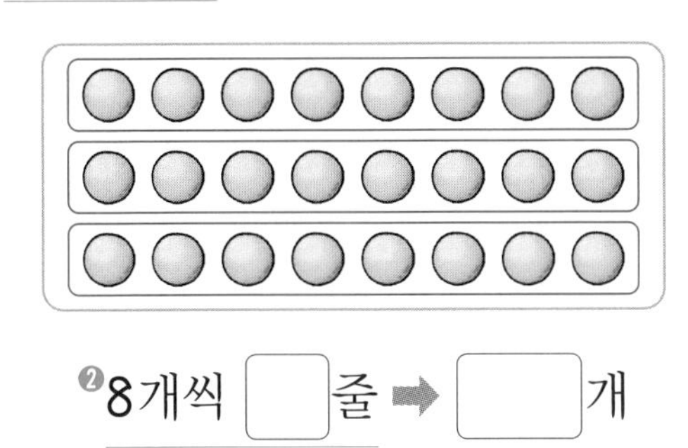

❷8개씩 [ ] 줄 ➡ [ ] 개

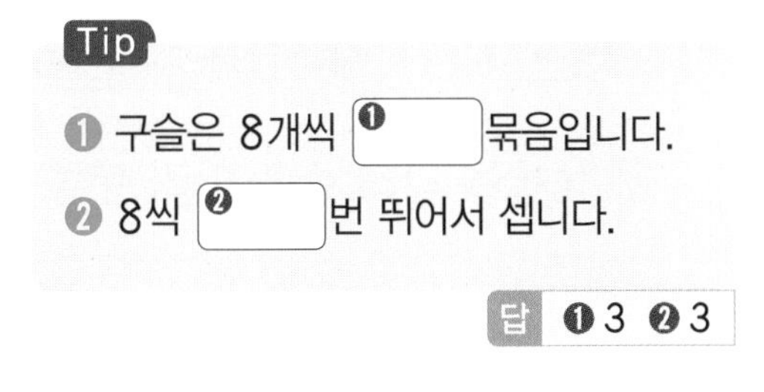

Tip

❶ 구슬은 8개씩 ❶[ ] 묶음입니다.

❷ 8씩 ❷[ ] 번 뛰어서 셉니다.

답 ❶3 ❷3

[관련 단원] **곱셈**

5 꽃을 보고 빈칸에 알맞은 수를 써넣으시오.

꽃은 7송이씩 [ ] 묶음입니다.

꽃은 4송이씩 [ ] 묶음입니다.

Tip

• 꽃을 7송이씩 묶으면 ❶[ ] 묶음이고, 4송이씩 묶으면 ❷[ ] 묶음입니다.

답 ❶4 ❷7

[관련 단원] **곱셈**

6 아래의 우유는 18개입니다. 그림을 보고 18은 3의 몇 배인지 쓰시오.

( )

Tip

• 우유를 ❶[ ] 개씩 묶습니다.

• 우유는 3개씩 ❷[ ] 묶음입니다.

답 ❶3 ❷6

3주

전략 1 몇 가지로 분류할 수 있는지 알아보기

[관련 단원] 분류하기

예 동물을 다리 수에 따라 분류하기

다리가 4개인 동물, ❶ ☐개인 동물이 있습니다.

➡ ❷ ☐가지로 분류할 수 있습니다.

답 ❶2 ❷2

필수 예제 | 01 |

슈퍼에서 하루 동안 팔린 우유를 조사하였습니다. 빈칸에 알맞은 수를 써넣으시오.

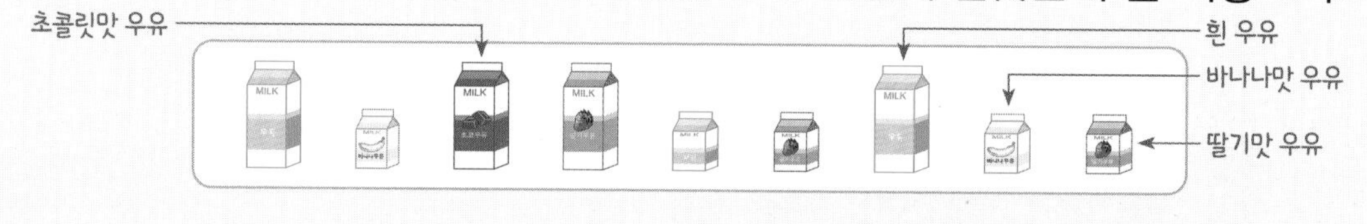

(1) 같은 맛끼리 분류하면 ☐가지로 분류할 수 있습니다.

(2) 같은 양끼리 분류하면 ☐가지로 분류할 수 있습니다.

풀이 | (1) 같은 맛끼리 분류하면 흰 우유, 바나나맛 우유, 초콜릿맛 우유, 딸기맛 우유입니다.
(2) 같은 양끼리 분류하면 양이 많은 것과 양이 적은 것으로 두 가지입니다.

확인 1-1

탈것을 바퀴 수에 따라 분류하면 몇 가지로 분류할 수 있는지 쓰시오.

( )

확인 1-2

문규네 반 학생들이 소풍 가고 싶은 장소를 조사하였습니다. 몇 가지로 분류할 수 있는지 쓰시오.

수영장	박물관	식물원	유원지
유원지	수영장	유원지	유원지
박물관	식물원	수영장	수영장

( )

▶정답 및 풀이 20쪽

전략 2 분류한 결과 세어 보기

[관련 단원] **분류하기**

예 가장 많은 학생들이 좋아하는 과일 찾기

〈학생들이 좋아하는 과일〉

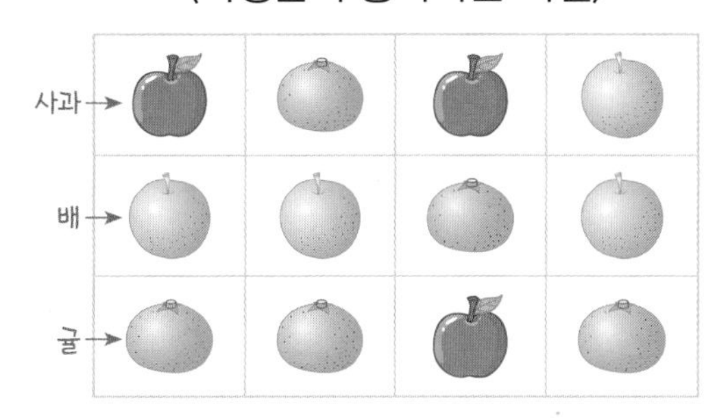

과일	사과	귤	배
학생 수(명)	3	5	❶

가장 많은 학생들이 좋아하는 과일 ➡ ❷

답 ❶ 4 ❷ 귤

필수 예제 02

진영이네 모둠 학생들이 좋아하는 간식을 조사하였습니다. 빈칸에 알맞은 수를 써넣고, 가장 적은 학생들이 좋아하는 간식에 ○표 하시오.

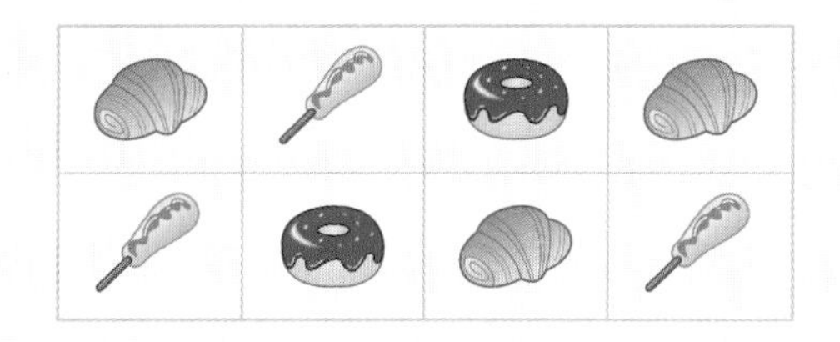

간식			
학생 수(명)			

풀이 | 은 3명, 는 3명, 은 2명이 선택했습니다. 가장 적은 학생들이 좋아하는 간식은 입니다.

확인 2-1

윤영이네 반 학생들이 여름 방학에 가고 싶은 곳을 조사하였습니다. 가장 많은 학생들이 가고 싶은 곳을 쓰시오.

장소	산	바다	강
학생 수(명)	7	10	5

(　　　　　　)

확인 2-2

방송국에서 어린이들이 가장 받고 싶은 선물을 조사하였습니다. 가장 많은 어린이들이 받고 싶어하는 선물을 쓰시오.

선물	장난감	휴대 전화	킥보드
수(명)	15	27	8

(　　　　　　)

전략 3 몇의 몇 배 구하기

[관련 단원] 곱셈

예 4의 6배가 얼마인지 구하기

4의 6배는 4씩 ❶□묶음입니다.

4씩 6묶음은 4+4+4+4+4+4=24입니다.

따라서 4의 6배는 4를 6번 더한 결과인 ❷□입니다.

답 ❶6 ❷24

필수 예제 | 03 |

달팽이의 수의 7배를 구하시오.

3의 7배는 3씩 □묶음입니다.

3씩 7묶음은 3+3+3+3+3+3+3=□

입니다. 따라서 3의 7배는 □입니다.

풀이 | 달팽이는 3마리입니다. 따라서 달팽이의 수의 7배는 3의 7배입니다.
3의 7배는 3을 7번 더한 21입니다.

확인 3-1

인형을 5개씩 묶고 인형의 수를 구하시오.

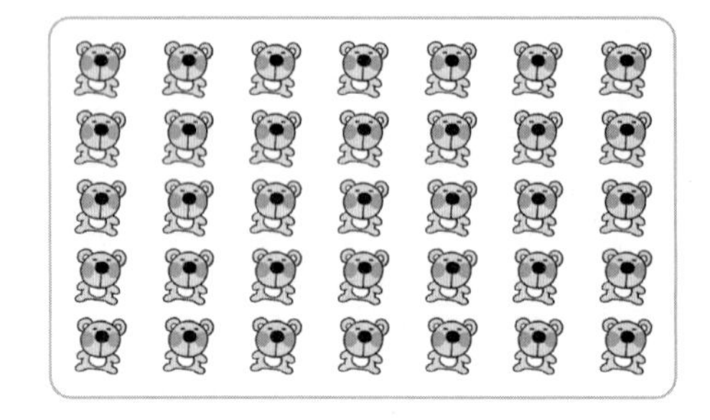

인형은 5개씩 □묶음입니다.

인형의 수는 5의 □배인 □개입니다.

확인 3-2

달걀의 수를 구하시오.

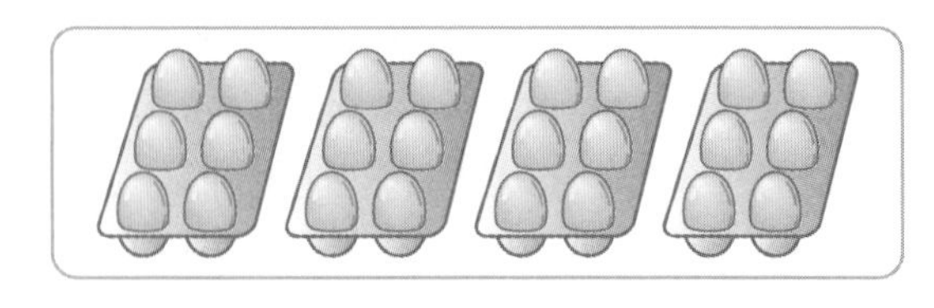

달걀은 6개씩 □묶음입니다.

달걀은 6의 4배인 □개입니다.

전략 4 물건의 수를 곱셈식으로 나타내기

[관련 단원] 곱셈

예 복숭아의 수를 곱셈식으로 나타내기

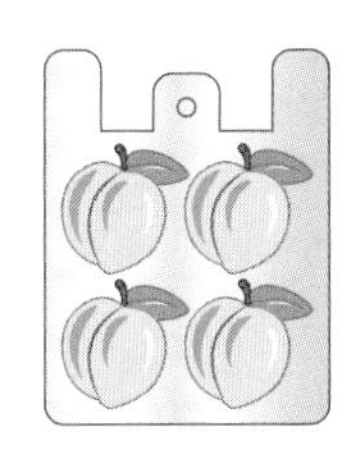
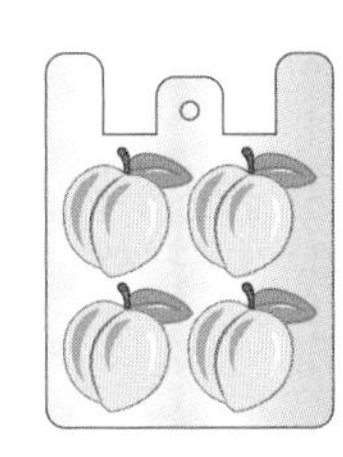

복숭아의 수는 4의 ❶☐배입니다.

복숭아의 수는 ┌ 4+4+4=12(개)입니다.
└ 4×❷☐=12(개)입니다.

답 ❶3 ❷3

필수 예제 04

요구르트의 수를 구하시오.

요구르트의 수는 5의 ☐배입니다.

요구르트의 수는

┌ 5+5+5+5+5+5=☐(개)입니다.
└ 5×☐=☐(개)

풀이 | 요구르트는 5개씩 6묶음이므로 요구르트의 수는 5의 6배입니다.
덧셈식으로 쓰면 5+5+5+5+5+5=30이고, 곱셈식으로 쓰면 5×6=30입니다.

확인 4-1

세발자전거가 5대 있을 때, 바퀴의 수는 모두 몇 개입니까?

바퀴의 수는
3의 ☐배입니다.

3×☐=☐(개)입니다.

확인 4-2

배를 8개씩 상자에 담았습니다. 6상자에 들어 있는 배는 모두 몇 개인지 쓰시오.

곱셈식 ____________

답 ____________

[관련 단원] **분류하기**

1 다음 붙임딱지를 모양에 따라 2가지로 분류하려고 합니다. 표를 완성하시오.

모양	☐	☐
번호		

Tip

• 붙임딱지는 모양이 원 또는 ❶ ☐ 으로 ❷ ☐ 가지입니다.

답 ❶ 사각형 ❷ 2

[관련 단원] **분류하기**

2 연준이가 가지고 있는 장난감 20개를 색깔별로 분류하였습니다. 노란색 장난감은 몇 개입니까?

색깔	빨강	노랑	초록	파랑	검정
수(개)	7		5	3	2

(　　　　　　)

Tip

• 색깔이 빨강, 초록, 파랑, 검정인 장난감 수를 더하면 ❶ ☐ 개입니다.

• 장난감 수를 모두 더하면 ❷ ☐ 개입니다.

답 ❶ 17 ❷ 20

[관련 단원] **분류하기**

3 다음은 놀이공원 이용객들이 기념품으로 받은 풍선입니다. ❶색깔에 따라 분류하여 ❷세어 보고 어느 색깔의 풍선이 더 많은지 ○표 하시오.

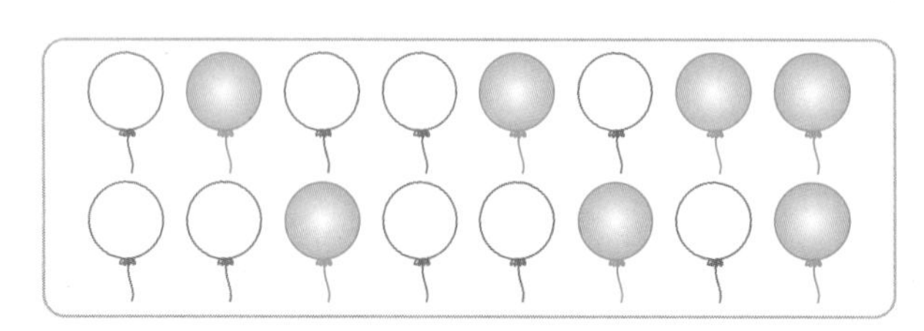

(흰색 , 파란색)

Tip

❶ 풍선을 색깔에 따라 분류하면 ❶ ☐ 가지로 분류됩니다.

❷ 흰색 풍선은 9개이고, 파란색 풍선은 ❷ ☐ 개입니다.

답 ❶ 2 ❷ 7

[관련 단원] **곱셈**

4 포도의 수를 곱셈식으로 나타내시오.

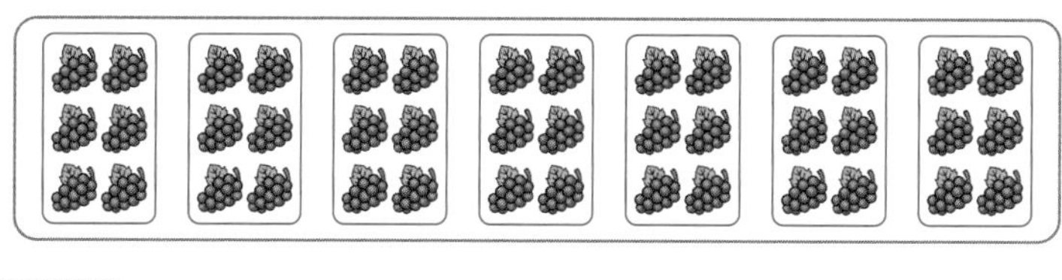

곱셈식

답

Tip

• 포도는 6송이씩 ❶ ☐ 묶음이므로 포도의 수는 6의 ❷ ☐ 배입니다.

답 ❶ 7 ❷ 7

[관련 단원] **곱셈**

5 사과나무 4그루에 사과가 3개씩 열렸습니다. 4그루에 열린 사과는 모두 몇 개인지 곱셈식으로 나타내시오.

식

답

Tip

• 사과의 수는 ❶ ☐ 씩 4묶음이므로 3의 ❷ ☐ 배입니다.

답 ❶ 3 ❷ 4

3주

[관련 단원] **곱셈**

6 오른쪽은 도균이가 쌓은 모양입니다. 친구들이 쌓은 모형의 수는 다음과 같을 때, 빈칸에 알맞은 수를 써넣으시오.

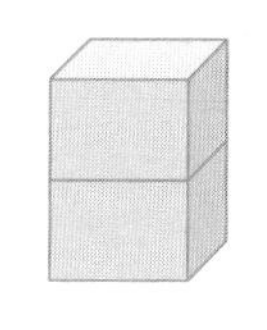

❶

서현	도균이의 4배
성우	도균이의 6배

❷ 성우가 서현이보다 ☐ 개 더 많이 쌓았습니다.

Tip

❶ 2의 4배는 $2\times4=$ ❶ ☐ 입니다.
2의 6배는 $2\times6=$ ❷ ☐ 입니다.

❷ 위 ❶에서 구한 두 수의 차를 구합니다.

답 ❶ 8 ❷ 12

교과서 대표 전략 ❶

대표 예제 01

학교 앞 분식집을 분류하려고 합니다. 분류 기준으로 알맞은 것에 ○표 하시오.

㉠ 학교에서 가까운 곳과 먼 곳 (　　　)

㉡ 김밥을 파는 곳과 팔지 않는 곳 (　　　)

㉢ 가격이 비싼 곳과 싼 곳 (　　　)

개념가이드

누가 ❶ [　　　] 하더라도 ❷ [　　　] 결과가 나와야 합니다.

[답] ❶ 분류 ❷ 같은

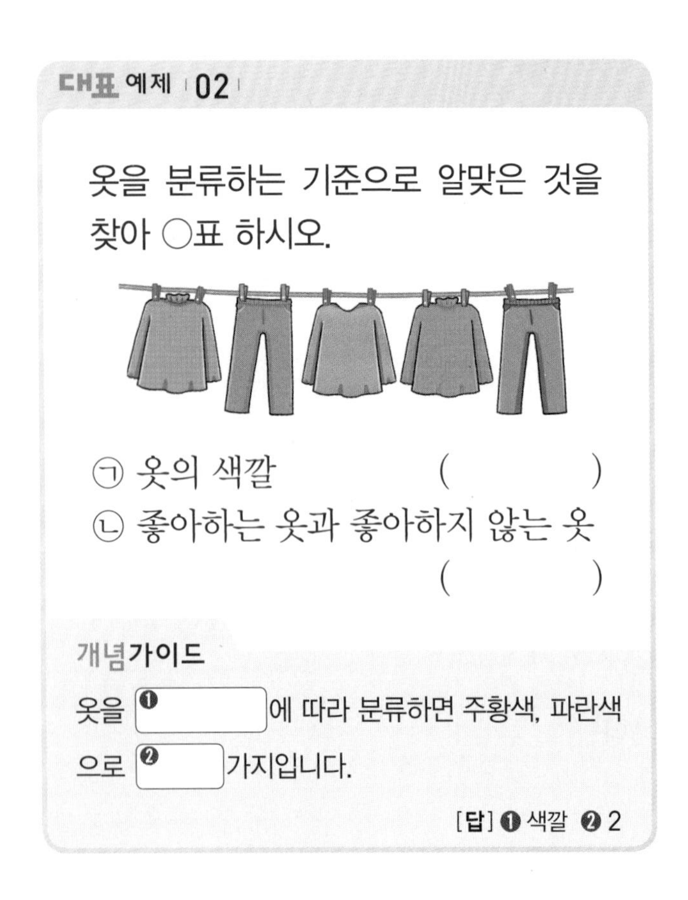

대표 예제 02

옷을 분류하는 기준으로 알맞은 것을 찾아 ○표 하시오.

㉠ 옷의 색깔 (　　　)

㉡ 좋아하는 옷과 좋아하지 않는 옷 (　　　)

개념가이드

옷을 ❶ [　　　]에 따라 분류하면 주황색, 파란색으로 ❷ [　　　] 가지입니다.

[답] ❶ 색깔 ❷ 2

대표 예제 03

크기에 따라 3가지로 분류할 수 있는 것에 ○표 하시오.

(　　　)　(　　　)

개념가이드

오른쪽은 크기에 따라 분류하면 ❶ [　　　] 가지로 ❷ [　　　] 할 수 있습니다.

[답] ❶ 2 ❷ 분류

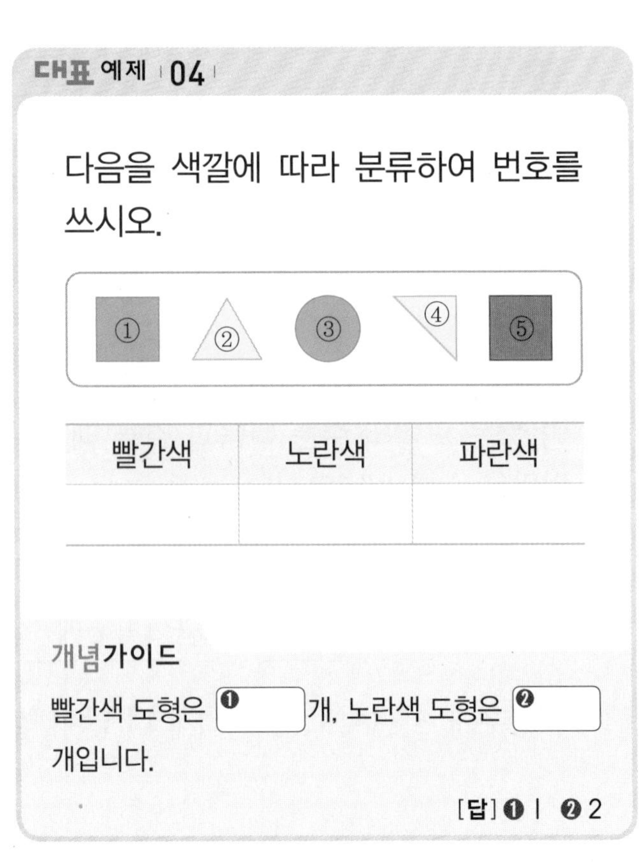

대표 예제 04

다음을 색깔에 따라 분류하여 번호를 쓰시오.

빨간색	노란색	파란색

개념가이드

빨간색 도형은 ❶ [　　　] 개, 노란색 도형은 ❷ [　　　] 개입니다.

[답] ❶ 1 ❷ 2

▶정답 및 풀이 22쪽

대표 예제 05

동전에 쓰여 있는 숫자에 따라 동전을 분류하고 세면서 표시하시오.

숫자	500	100	50
세면서 표시하기			

개념가이드

동전에 쓰여 있는 숫자에 따라 500, ❶ ☐, ❷ ☐으로 분류합니다.

[답] ❶ 100 ❷ 50

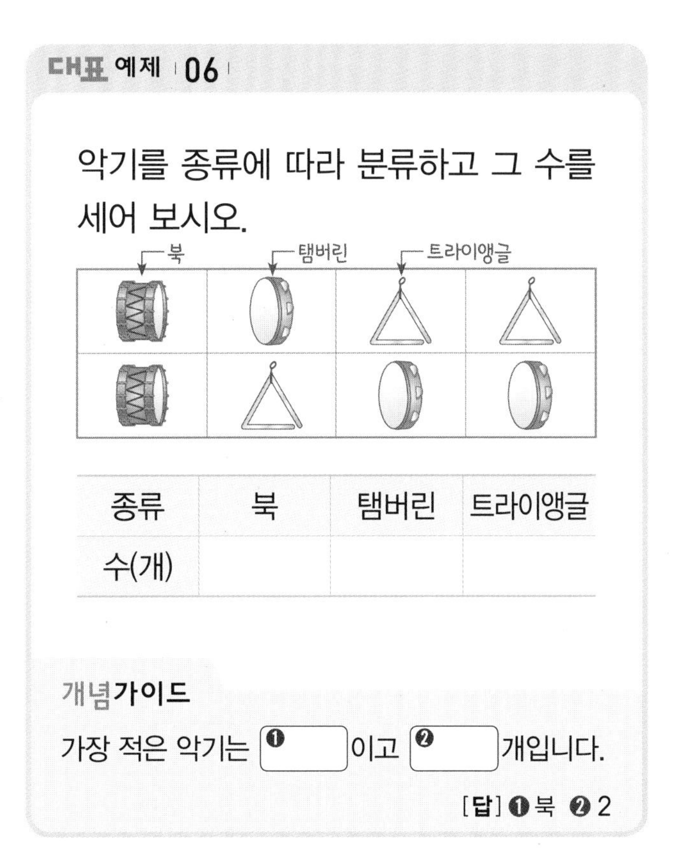

대표 예제 06

악기를 종류에 따라 분류하고 그 수를 세어 보시오.

종류	북	탬버린	트라이앵글
수(개)			

개념가이드

가장 적은 악기는 ❶ ☐이고 ❷ ☐개입니다.

[답] ❶ 북 ❷ 2

대표 예제 07

다음을 모양에 따라 분류하고 가장 많은 모양에 ○표 하시오.

모양	원	사각형	삼각형
수(개)			

개념가이드

단추는 모두 4+2+❶ ☐=❷ ☐(개)입니다.

[답] ❶ 2 ❷ 8

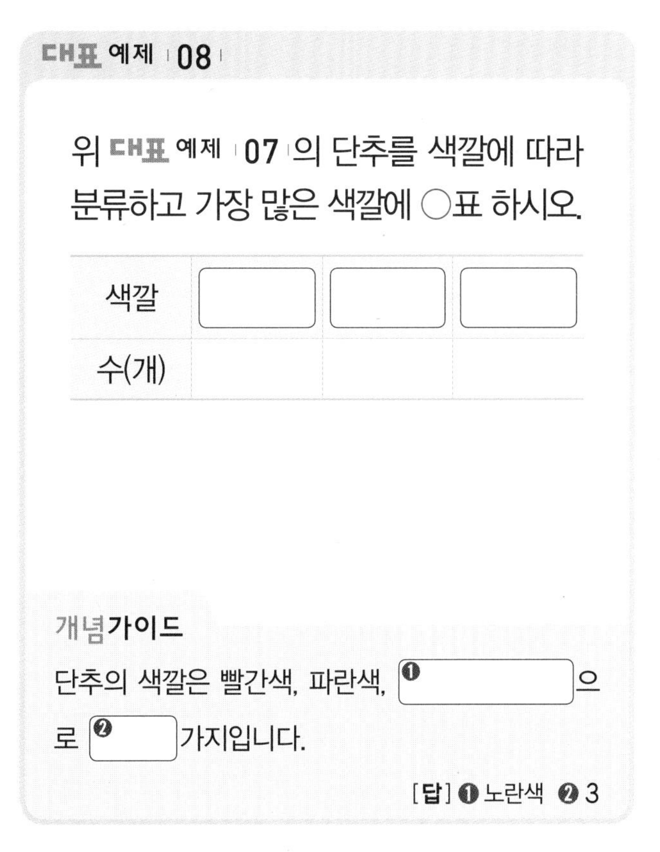

대표 예제 08

위 대표 예제 07 의 단추를 색깔에 따라 분류하고 가장 많은 색깔에 ○표 하시오.

색깔	☐	☐	☐
수(개)			

개념가이드

단추의 색깔은 빨간색, 파란색, ❶ ☐으로 ❷ ☐가지입니다.

[답] ❶ 노란색 ❷ 3

3 주

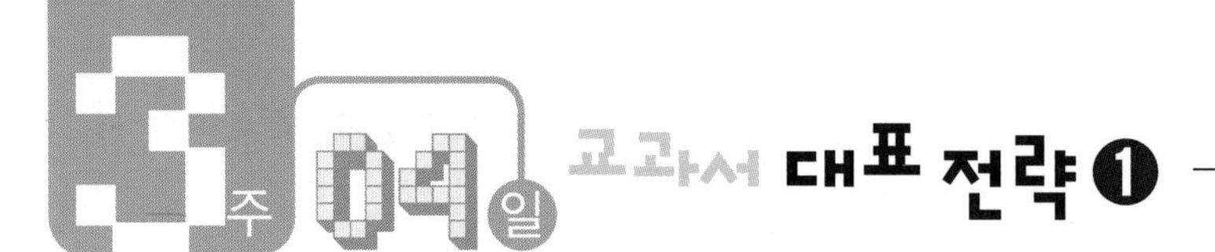

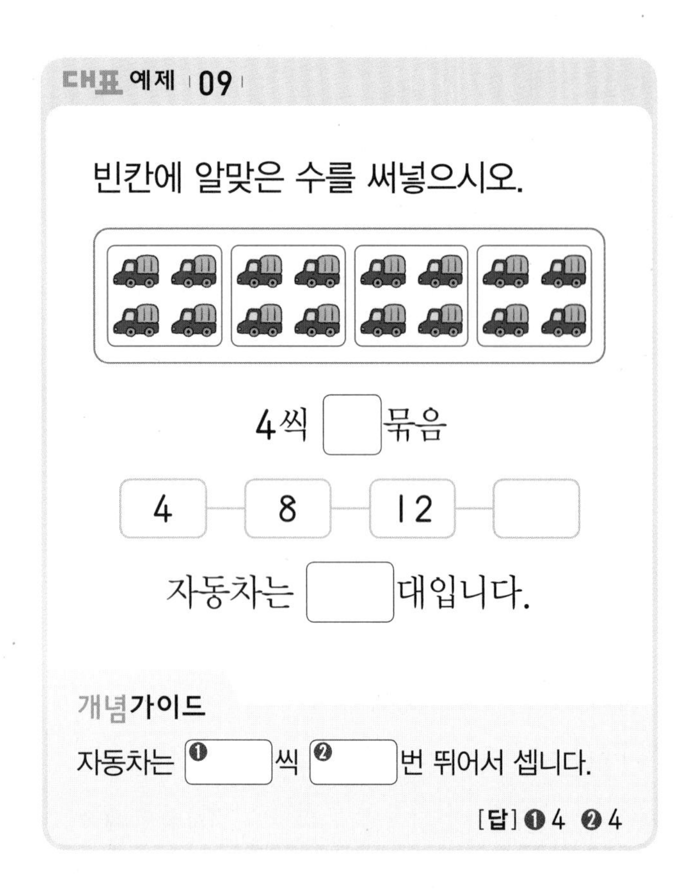

대표 예제 09

빈칸에 알맞은 수를 써넣으시오.

4씩 [ ] 묶음

4 — 8 — 12 — [ ]

자동차는 [ ]대입니다.

개념가이드

자동차는 ❶[ ]씩 ❷[ ]번 뛰어서 셉니다.

[답] ❶ 4 ❷ 4

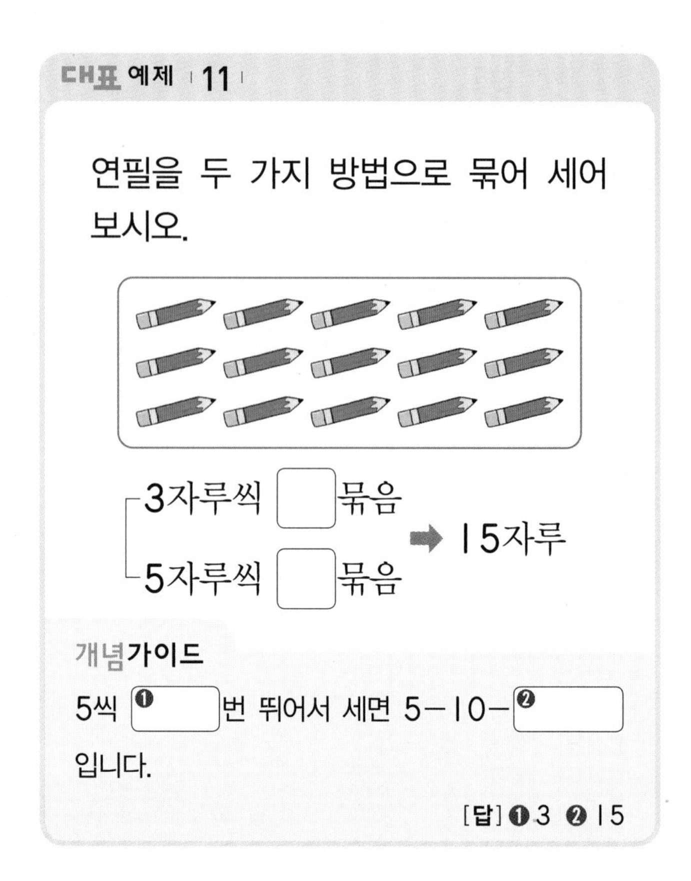

대표 예제 11

연필을 두 가지 방법으로 묶어 세어 보시오.

3자루씩 [ ]묶음
5자루씩 [ ]묶음 ➡ 15자루

개념가이드

5씩 ❶[ ]번 뛰어서 세면 5-10-❷[ ]입니다.

[답] ❶ 3 ❷ 15

대표 예제 10

오이는 모두 몇 개입니까?

( )

개념가이드

오이는 2개씩 ❶[ ]묶음입니다. 오이의 수는 2씩 ❷[ ]번 뛰어서 센 수입니다.

[답] ❶ 7 ❷ 7

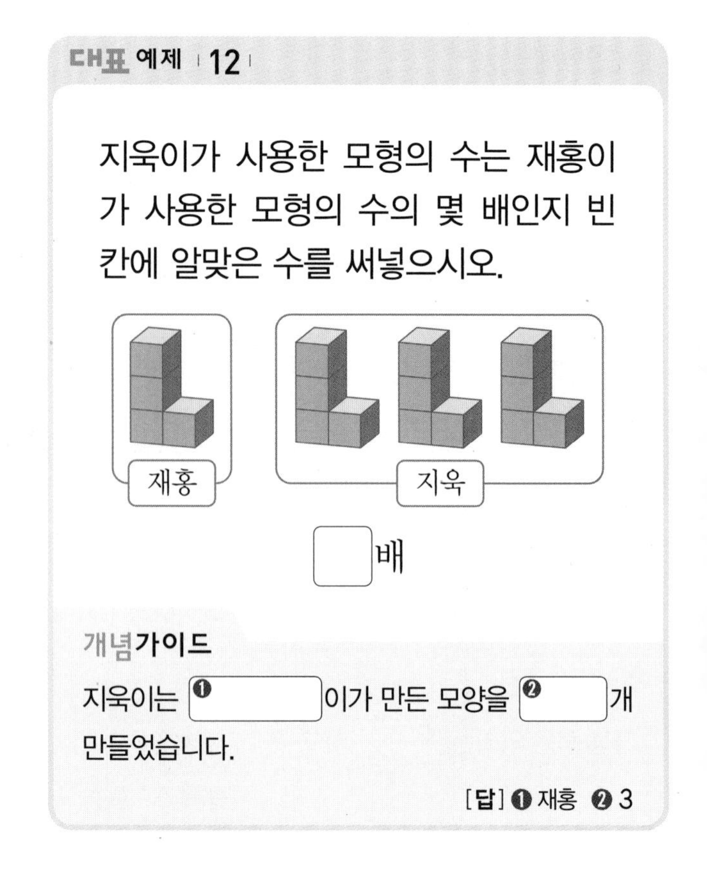

대표 예제 12

지욱이가 사용한 모형의 수는 재홍이가 사용한 모형의 수의 몇 배인지 빈칸에 알맞은 수를 써넣으시오.

[ ]배

개념가이드

지욱이는 ❶[ ]이가 만든 모양을 ❷[ ]개 만들었습니다.

[답] ❶ 재홍 ❷ 3

▶정답 및 풀이 22쪽

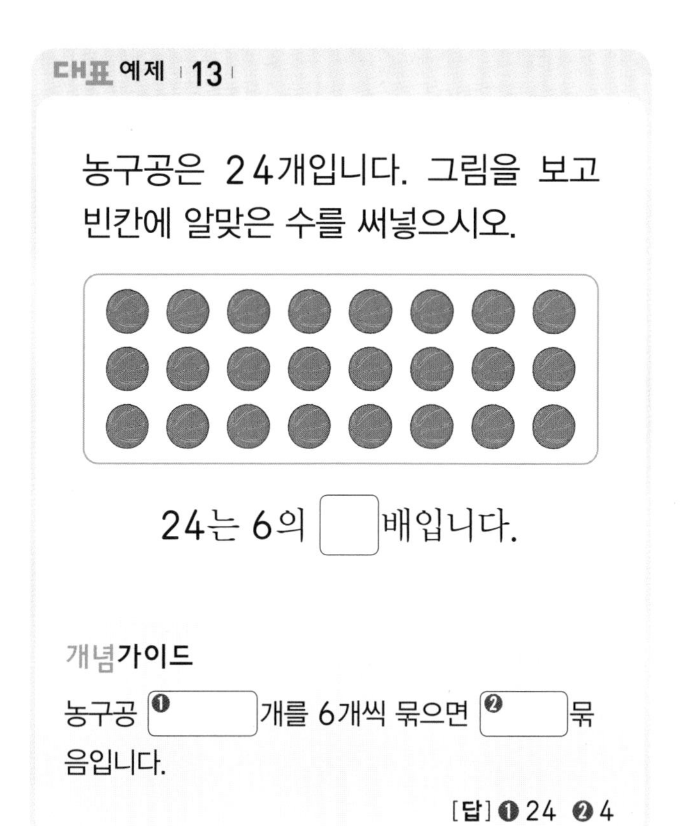

대표 예제 | 13 |

농구공은 24개입니다. 그림을 보고 빈칸에 알맞은 수를 써넣으시오.

24는 6의 □배입니다.

개념가이드

농구공 ❶□개를 6개씩 묶으면 ❷□묶음입니다.

[답] ❶ 24 ❷ 4

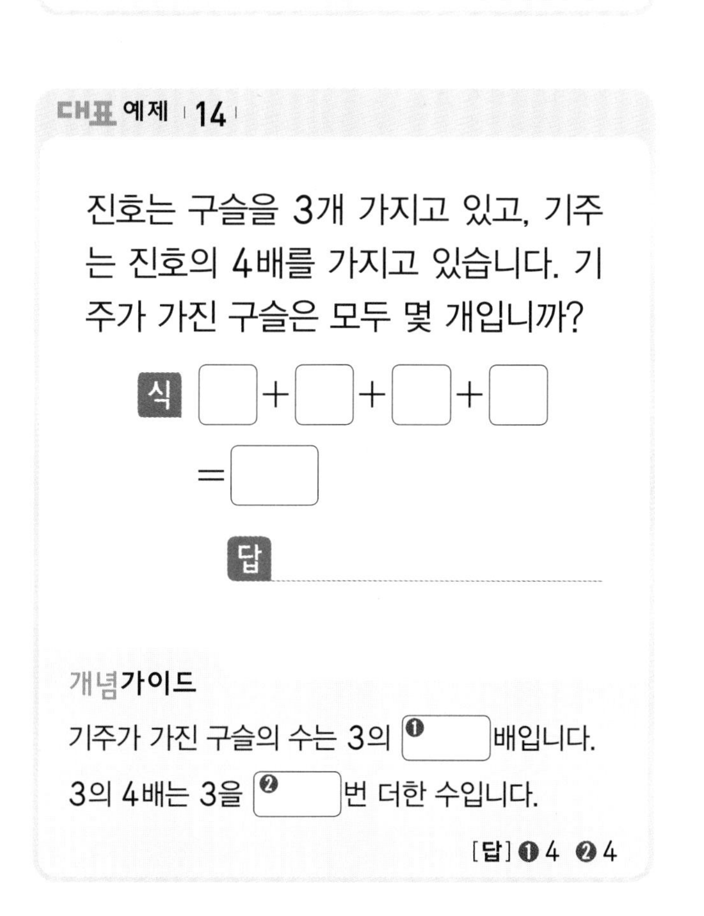

대표 예제 | 14 |

진호는 구슬을 3개 가지고 있고, 기주는 진호의 4배를 가지고 있습니다. 기주가 가진 구슬은 모두 몇 개입니까?

식 □+□+□+□ =□

답 ______

개념가이드

기주가 가진 구슬의 수는 3의 ❶□배입니다.

3의 4배는 3을 ❷□번 더한 수입니다.

[답] ❶ 4 ❷ 4

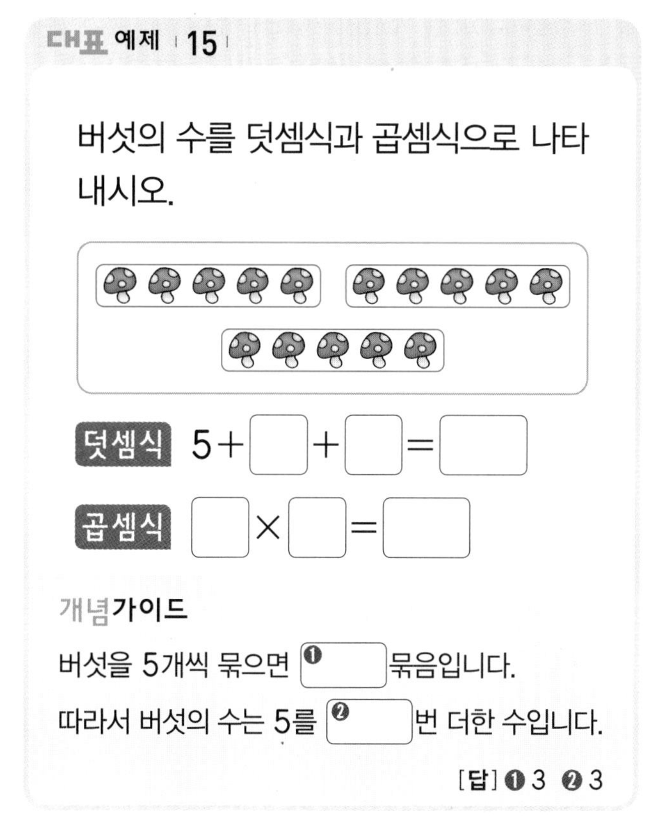

대표 예제 | 15 |

버섯의 수를 덧셈식과 곱셈식으로 나타내시오.

덧셈식 5+□+□=□

곱셈식 □×□=□

개념가이드

버섯을 5개씩 묶으면 ❶□묶음입니다.

따라서 버섯의 수는 5를 ❷□번 더한 수입니다.

[답] ❶ 3 ❷ 3

대표 예제 | 16 |

케이크는 모두 몇 조각인지 덧셈식과 곱셈식으로 나타내시오.

덧셈식 ______

곱셈식 ______

개념가이드

케이크 조각의 수는 6의 ❶□배입니다.

6의 4배는 6❷□4라고 씁니다.

[답] ❶ 4 ❷ ×

3 주

교과서 대표 전략 ❷

1 집에 있는 신발을 분류하려고 합니다. 분류 기준으로 알맞은 것을 고르시오.

> ㉠ 큰 신발과 작은 신발
> ㉡ 편한 신발과 불편한 신발
> ㉢ 운동화와 운동화가 아닌 신발

( )

Tip

누가 ❶ [ ] 하더라도 ❷ [ ] 결과가 나와야 합니다.

답 ❶ 분류 ❷ 같은

2 주연이가 공에 쓰인 수를 분류한 것입니다. 분류 기준을 쓰시오.

9, 1, 7, 3	2, 6, 10, 4

( )

Tip

둘씩 ❶ [ ] 을 지을 수 있는 수를 ❷ [ ] 라고 합니다.

답 ❶ 짝 ❷ 짝수

3 다음은 여러 가지 물건을 모양에 따라 분류한 것입니다. 잘못 분류한 것에 ○표 하시오.

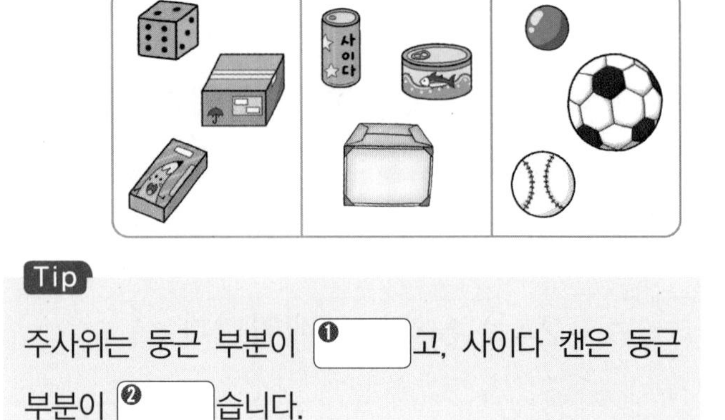

Tip

주사위는 둥근 부분이 ❶ [ ] 고, 사이다 캔은 둥근 부분이 ❷ [ ] 습니다.

답 ❶ 없 ❷ 있

4 단추를 기준에 따라 분류하여 그 수를 세어 보시오.

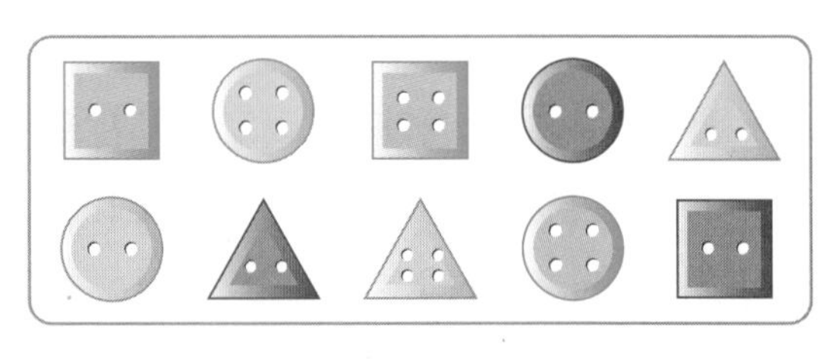

기준	수(개)
원 모양인 단추	
원 모양이 아닌 단추	

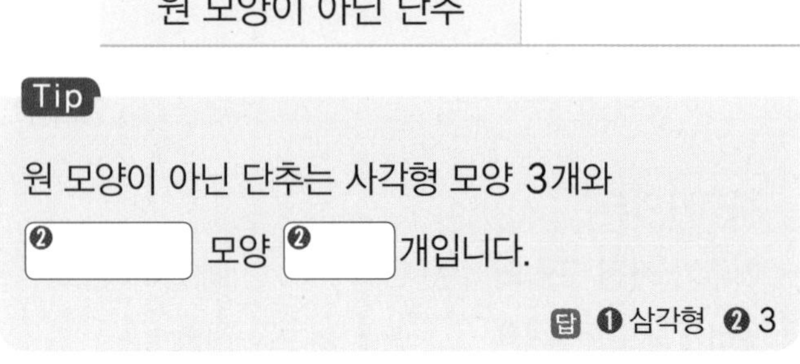

Tip

원 모양이 아닌 단추는 사각형 모양 3개와 ❷ [ ] 모양 ❷ [ ] 개입니다.

답 ❶ 삼각형 ❷ 3

▶정답 및 풀이 23쪽

5 컵은 모두 몇 개인지 4개씩 묶어 세어 보시오.

□개

Tip

컵은 4개씩 ❶□묶음이므로 컵의 수는 4를 ❷□번 더한 수입니다.

답 ❶3 ❷3

6 초승달 모양 붙임딱지는 15개입니다. 15는 3의 몇 배인지 알아보시오.

15는 3의 □배입니다.

Tip

붙임딱지를 ❶□개씩 묶으면 ❷□묶음입니다.

답 ❶3 ❷5

7 방울토마토는 모두 몇 개인지 알아보려고 합니다. 빈칸에 알맞은 수를 써넣으시오.

방울토마토의 수는

6의 □배이고, □개입니다.

Tip

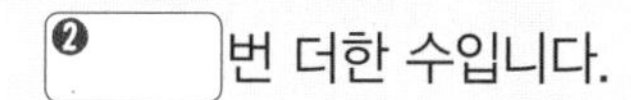

방울토마토의 수는 6씩 ❶□묶음이므로 6을 ❷□번 더한 수입니다.

답 ❶4 ❷4

8 다음은 어제 지은이가 먹은 쿠키입니다. 오늘은 어제의 3배만큼 먹었을 때, 오늘 먹은 쿠키의 개수를 구하시오.

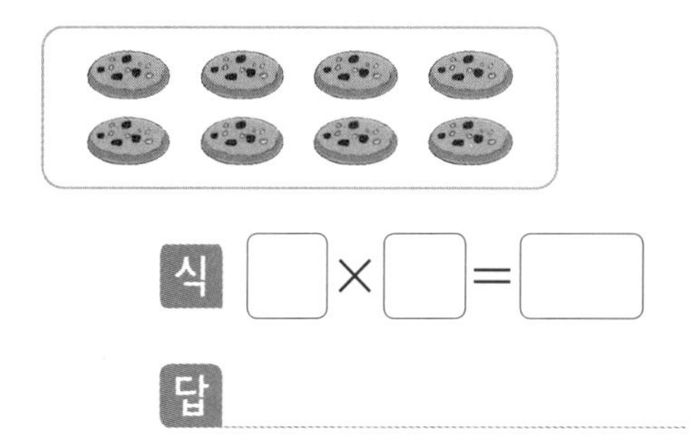

식 □ × □ = □

답

Tip

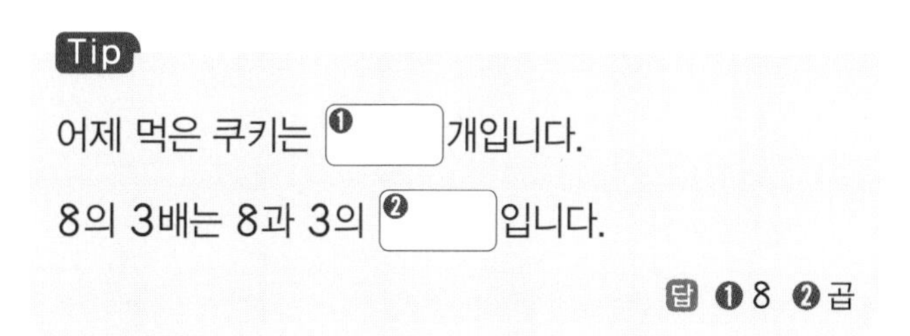

어제 먹은 쿠키는 ❶□개입니다.

8의 3배는 8과 3의 ❷□입니다.

답 ❶8 ❷곱

3 주

누구나 만점 전략

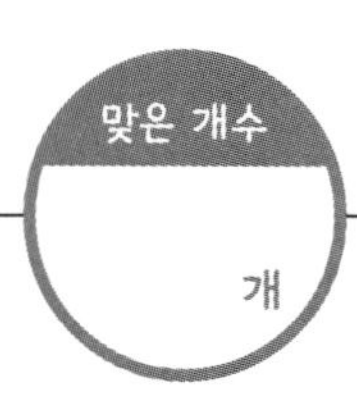

01 영준이네 학교 연극반 친구들입니다. 친구들을 연극 복장으로 분류할 때, 기준으로 적당한 것을 2가지 고르시오.

㉠ 모자의 모양
㉡ 옷에 쓰인 수가 큰 수와 작은 수
㉢ 모자의 색깔

( )

02 다음 칠교판 조각을 색깔에 따라 분류하려고 합니다. 표에 알맞은 번호를 쓰시오.

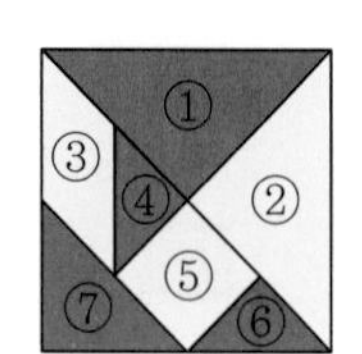

빨간색	노란색

03 현경이가 주머니를 다음과 같이 분류하였습니다. 분류 기준을 쓰시오.

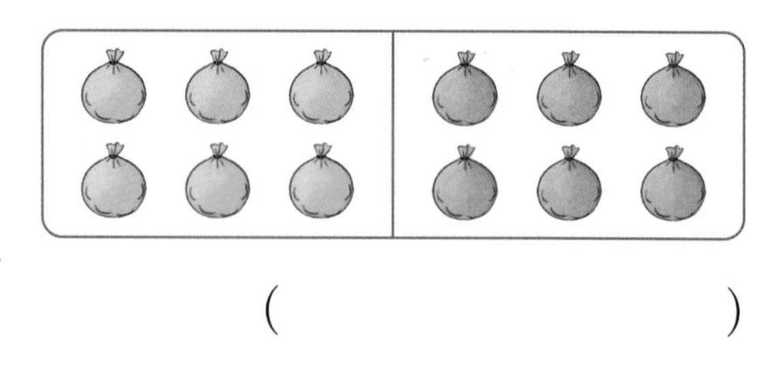

( )

[04~05] 진슬이네 반 학생들이 좋아하는 색깔을 조사한 것입니다. 물음에 답하시오.

빨강	노랑	파랑	빨강	노랑	파랑
파랑	빨강	빨강	노랑	파랑	빨강
파랑	노랑	빨강	파랑	빨강	파랑
빨강	초록	파랑	노랑	파랑	초록

04 색깔에 따라 분류하고 그 수를 세어 보시오.

색깔	빨강	노랑	파랑	초록
수(개)				

05 가장 많은 학생들이 좋아하는 색깔은 무엇입니까?

( )

06 곰 인형을 3개씩 묶어서 세었습니다. 빈칸에 알맞은 수를 써넣으시오.

3 - 6 - 9 - ☐ - ☐

곰 인형은 ☐개입니다.

07 밤은 4개씩 몇 묶음이고, 모두 몇 개인지 쓰시오.

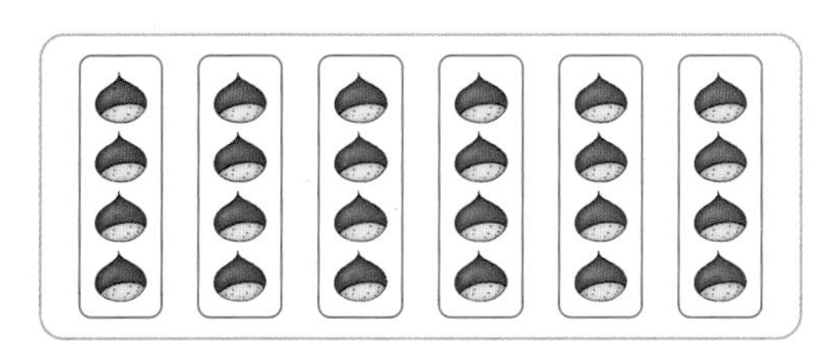

4개씩 ☐묶음, ☐개

08 빵의 수는 그릇의 수의 몇 배입니까?

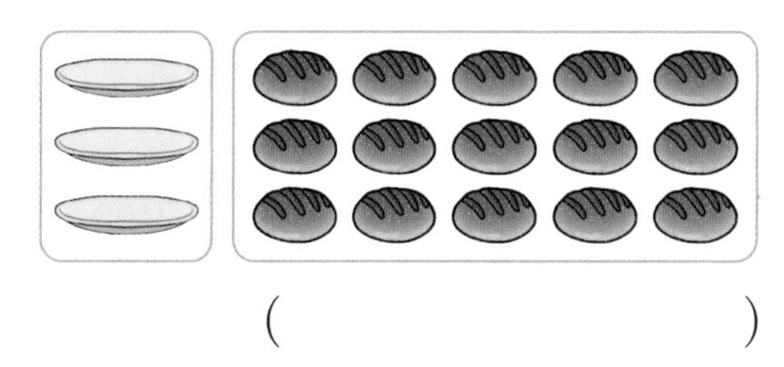

(   )

09 빈칸에 알맞은 수를 써넣으시오.

$6+6+6+6+6+6+6=$ ☐

$6\times$ ☐ $=$ ☐

10 접시에 사탕이 5개씩 놓여 있습니다. 사탕이 모두 몇 개인지 곱셈식을 쓰고 답을 구하시오.

식 ______________

답 ______________

창의·융합·코딩 전략 ❶

창의 융합

1 위의 동물 참새, 코끼리, 비둘기, 말, 고래, 독수리를 분류하여 이름을 쓰시오.

날 수 있는 동물	날 수 없는 동물

▶정답 및 풀이 24쪽

문제 해결

2 주호는 2씩 8번, 지우는 4씩 5번 뛰었습니다. □ 안에 알맞은 이름을 써넣으시오.

□가 □보다 더 멀리 갔습니다.

3주 창의·융합·코딩 전략 ❷

1 칠판에 쓴 것을 보고 공통점이 없는 것 하나를 찾아 ×표 하시오.

귤	사과	포도	물개	배

Tip

공통점이 있는 ❶ [ ] 개의 단어는 ❷ [ ] 의 이름입니다.

[답] ❶ 4 ❷ 과일

창의 융합

2 어느 달의 날씨를 조사하였습니다. 날씨에 따라 분류하여 수를 세고 빈칸에 알맞은 말이나 수를 써넣으시오.

(흐린 날, 맑은 날, 비 온 날)

일	월	화	수	목	금	토
	1	2	3	4	5	6
7	8	9	10	11	12	13
14	15	16	17	18	19	20
21	22	23	24	25	26	27
28	29	30				

맑은 날이 [ ] 일로 가장 [ ] 습니다.

비 온 날이 [ ] 일로 가장 [ ] 습니다.

Tip

분류하여 수를 세면 맑은 날은 ❶ [ ] 일이고 흐린 날은 ❷ [ ] 일입니다.

[답] ❶ 14 ❷ 9

▶정답 및 풀이 25쪽

코딩

3 화살표 방향으로 계산하여 빈 곳에 알맞은 수를 써넣으시오.

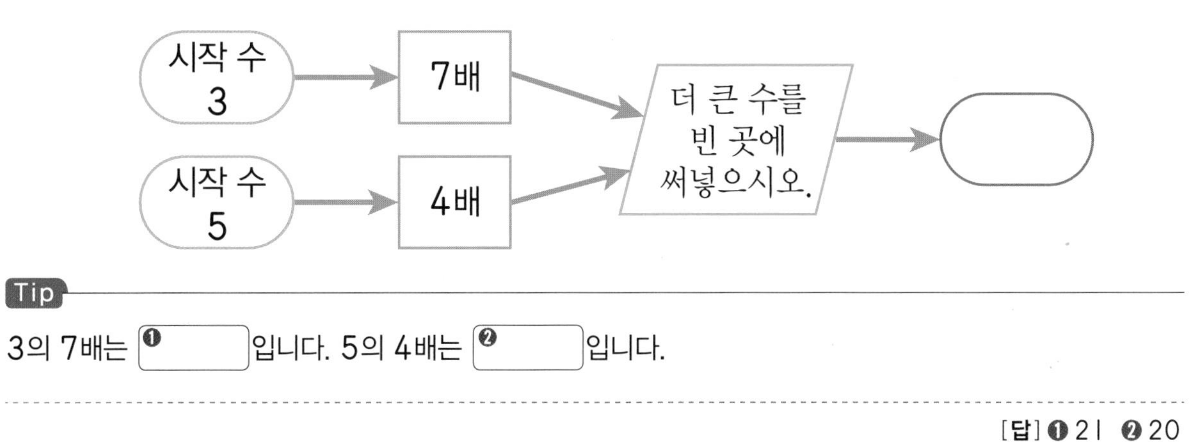

Tip

3의 7배는 ❶ 입니다. 5의 4배는 ❷ 입니다.

[답] ❶ 21 ❷ 20

추론

4 곱셈의 결과가 써 있는 칸을 모두 색칠했을 때 생기는 글자를 빈칸에 써넣어 수수께끼를 풀어 보시오.

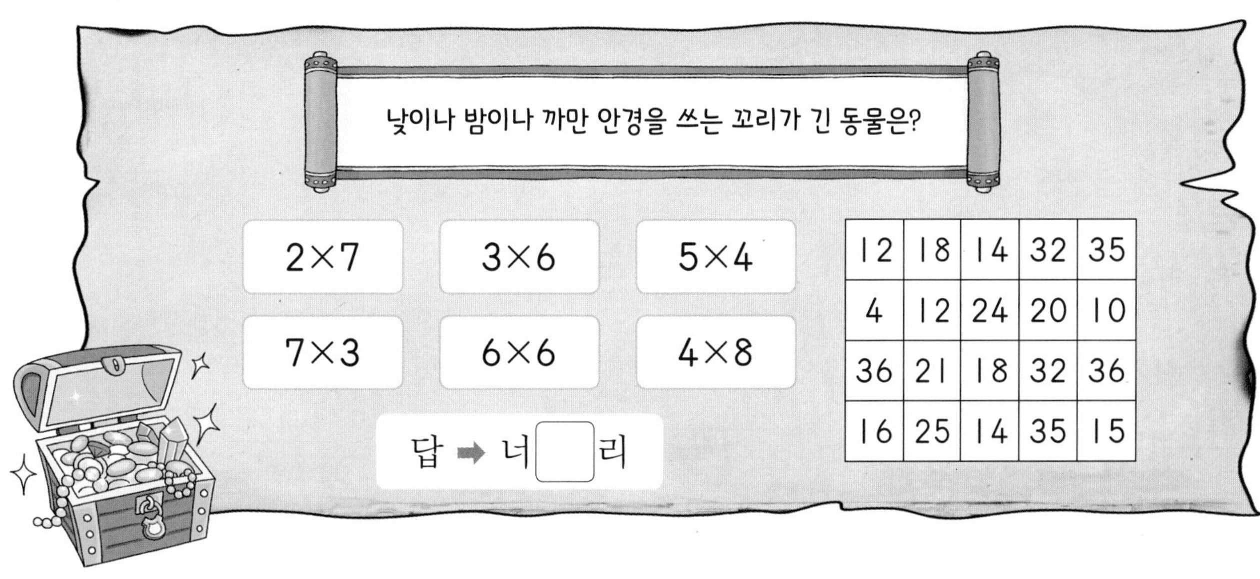

12	18	14	32	35
4	12	24	20	10
36	21	18	32	36
16	25	14	35	15

Tip

2×7은 ❶ 이므로 ❷ 가 써 있는 칸을 모두 색칠합니다.

[답] ❶ 14 ❷ 14

3 주

추론

5 수아가 동동이라고 부르기로 정한 도형과 아닌 도형을 나누었습니다. 주어진 도형이 동동인지 아닌지 분류하여 기호를 써 보시오.

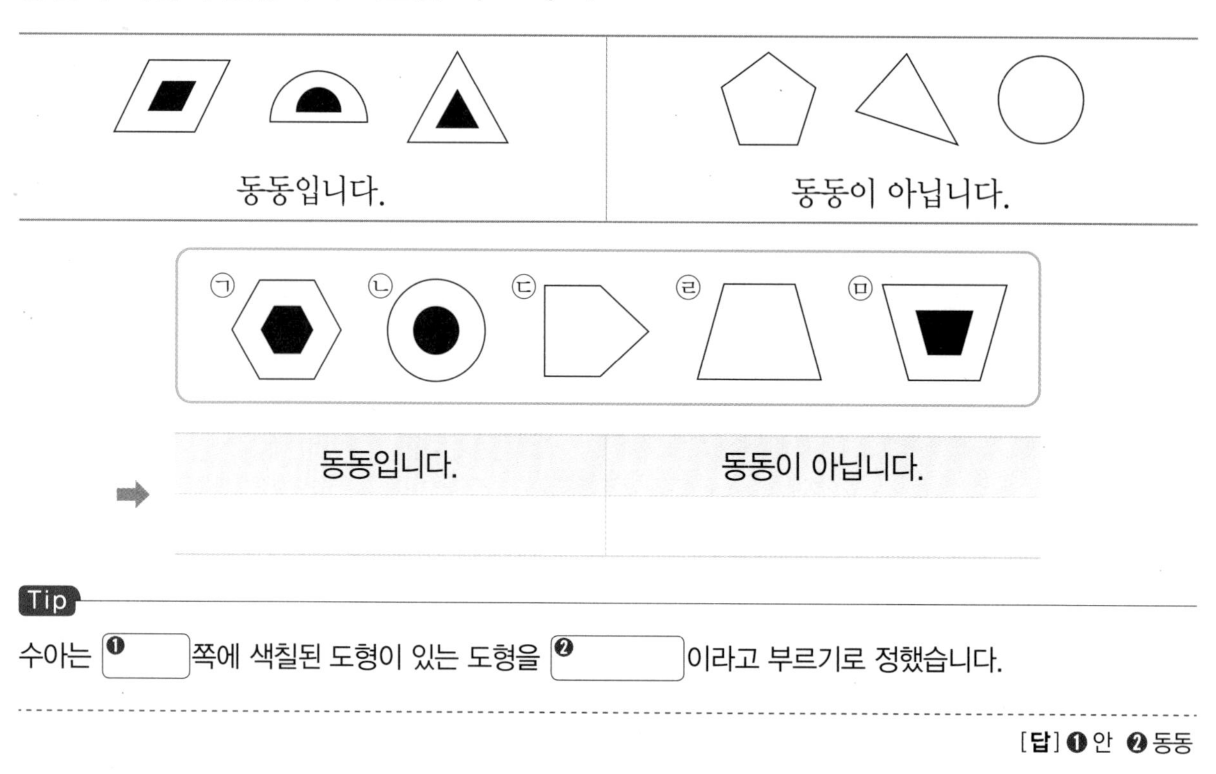

동동입니다.	동동이 아닙니다.

Tip

수아는 ❶ [　　] 쪽에 색칠된 도형이 있는 도형을 ❷ [　　] 이라고 부르기로 정했습니다.

[답] ❶ 안 ❷ 동동

코딩

6 동물을 분류하여 ㉮, ㉯, ㉰로 나타내었습니다. 빈칸에 알맞은 번호를 써넣으시오.

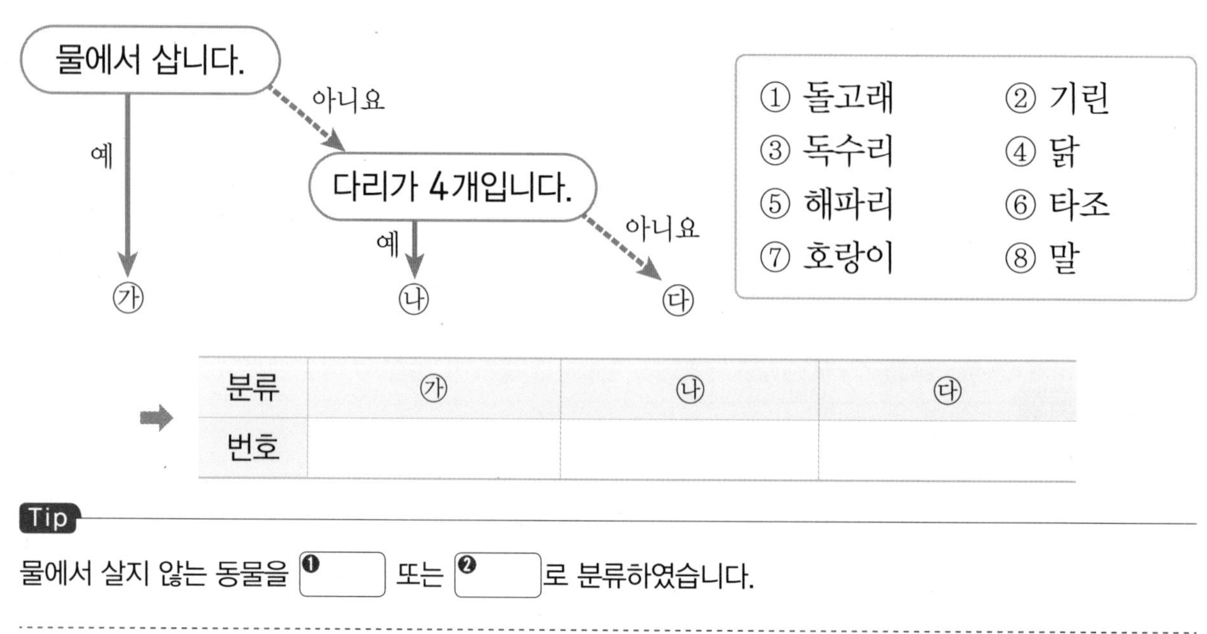

분류	㉮	㉯	㉰
번호			

Tip

물에서 살지 않는 동물을 ❶ [　　] 또는 ❷ [　　] 로 분류하였습니다.

[답] ❶ ㉯ ❷ ㉰

▶정답 및 풀이 25쪽

7 소들에게 번호표를 달았습니다. 번호의 곱이 12인 소 두 마리가 같은 울타리 안에 있도록 울타리를 그려 보시오.

Tip

2×❶☐=12, 3×❷☐=12

[답] ❶ 6 ❷ 4

8 다음을 읽고 비밀번호 2개는 무엇인지 작은 수부터 차례로 쓰시오.

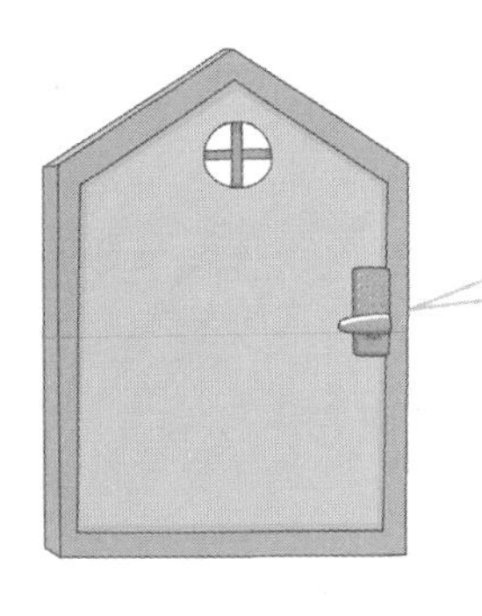

- 비밀번호는 1부터 9까지의 수 중에서 서로 다른 두 수입니다.
- 비밀번호인 두 수의 곱은 16입니다.

비밀번호 ➡ ☐, ☐

Tip

곱이 16인 두 수를 찾습니다. 2×❶☐=16, 4×❷☐=16

[답] ❶ 8 ❷ 4

3 주

안녕~

이게 뭐야?
어제 거북이 알을 낳았어.

와~ 신기해! 몇 개나 낳은거야?

어젯밤에 15개를 낳았고,

새벽에 6개를 더 낳았어.
그럼 모두 몇 개를 낳은 거야?

1
1 5
+ 6
1
1
1 5
+ 6
2 1
일의 자리 수끼리의 합 5+6=11에서 10은 받아올림해서 십의 자리 수 위에 작게 쓰고, 남은 1은 일의 자리에 써.
받아올림한 1과 십의 자리 수 1을 합하여 십의 자리에 2를 쓰면 돼.

모두 21개를 낳은 거네.
수고했어. 거북아~

거북 알의 크기가 얼마나 될까?
자로 재어 보니 2 cm 정도야.
내 알 내 놔!

1 cm가 2번 있는 길이네.
맞아.

거북을 위해 맛있는 파리를 잡아서 줘야 겠어.
신난다.

파리야 제발 잡혀라.
윙
윙

앗~ 이것 좀 봐?
왜 그래?

거북이 약 6 cm인 알을 더 낳았어.
정말 이네.

그런데 거북이 왜 화를 낼까?

사실 냉장고에서 달걀을 가져다 놓은 거거든.
장난꾸러기!

신유형·신경향·서술형 전략

[관련 단원] 길이 재기

1 다음은 자동차 게임에 있는 그림 지도입니다. 자동차는 집에서 출발합니다. 물음에 답하시오.

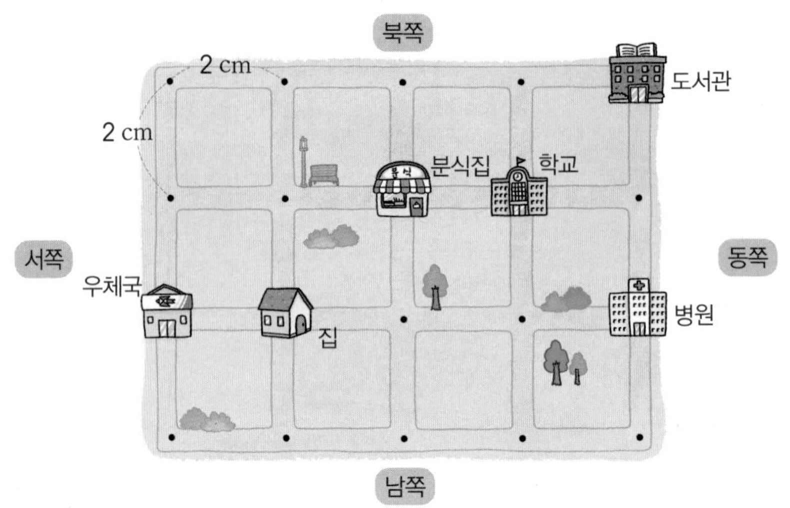

❶ 집에서 우체국으로 가려면 자동차를 어떻게 이동시켜야 합니까?

➡ 서쪽으로 ☐ cm 이동합니다.

❷ 집에서 병원으로 가려면 자동차를 어떻게 이동시켜야 합니까?

➡ 동쪽으로 ☐ cm 이동합니다.

❸ 다음과 같이 이동하였습니다. ☐ 안에 알맞은 장소를 써넣으시오.

남쪽으로 2 cm ▷ 동쪽으로 2 cm ▷ 북쪽으로 6 cm ▷ 동쪽으로 4 cm

자동차는 집에서 출발해서 ☐을 거쳐 ☐에 도착했습니다.

Tip

한 칸 이동하면 ❶ ☐ cm 이동한 것이고, 두 칸 이동하면 ❷ ☐ cm 이동한 것입니다.

[답] ❶ 2 ❷ 4

▶정답 및 풀이 25쪽

[관련 단원] **분류하기**

2 기준에 따라 분류했을 때의 결과를 알아보시오.

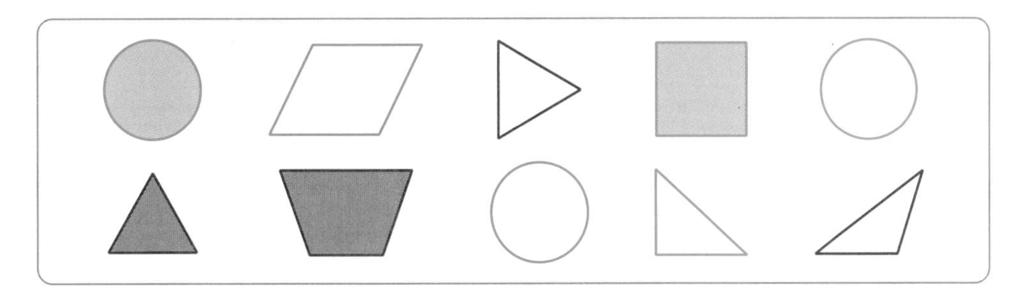

❶ 기준: 색 채우기에 따라 분류하기

➡ 색 채우기에 따라 분류하면 채워진 것이 [ ]개로 채워지지 않은 것보다 더 (많습니다 , 적습니다).

❷ 기준: 테두리 색에 따라 분류하기

➡ 테두리 색에 따라 분류하면 파란색이 [ ]개로 빨간색보다 더 (많습니다 , 적습니다).

❸ 기준: 모양에 따라 분류하기

➡ 모양에 따라 분류하면 ____________________

Tip

위에 주어진 도형들을 [❶]에 따라 분류하면 [❷], 삼각형, 사각형으로 분류할 수 있습니다.

[답] ❶ 모양 ❷ 원

[관련 단원] **세 자리 수**

3

진영이가 집으로 친구들을 초대했습니다. 초대장에 다음과 같이 적혀 있을 때 탈 수 있는 버스 번호를 모두 쓰시오.

> **초대장**
>
> 우리 집에 올 수 있는 버스 번호는
> 300보다 작은 수이고 200보다 큰 수야.
> 그리고 십의 자리 숫자와 일의 자리 숫자의 합이 3이야.

❶ 버스 번호의 백의 자리 숫자가 될 수 있는 수를 찾아 ○표 하시오.

(1 , 2 , 3 , 4 , 5)

❷ 합이 3이 되도록 빈칸에 수를 써넣으시오.

0+☐ 1+☐ 2+☐ 3+☐

❸ 조건을 만족하는 수를 버스에 쓰시오.

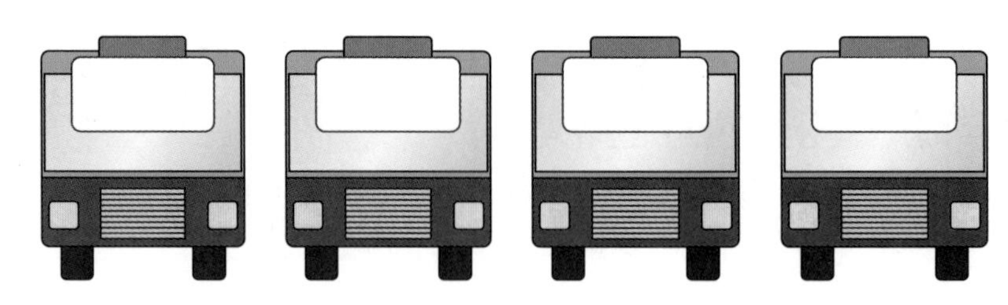

Tip

200보다 큰 수이면 백의 자리 숫자는 2이거나 ❶☐보다 큽니다.
300보다 작은 수이면 백의 자리 숫자는 ❷☐보다 작습니다.

[답] ❶ 2 ❷ 3

▶정답 및 풀이 25쪽

[관련 단원] **여러 가지 도형**

4 가로(↔) 또는 세로(↕)로 있는 세 도형의 변의 수의 합은 모두 같습니다. 빈칸에 알맞은 도형을 그려 넣으시오.

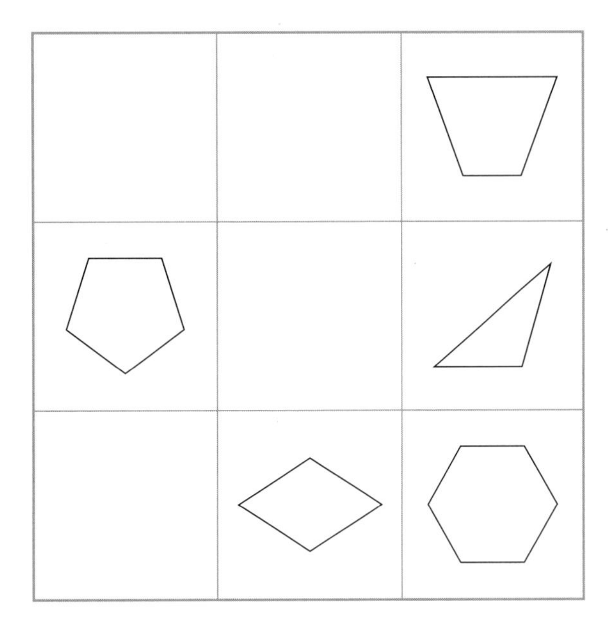

❶ 가장 오른쪽 세로줄에 있는 세 도형의 변의 수의 합은 얼마입니까?

(   )

❷ 둘째 줄의 빈칸에 들어갈 도형을 그리시오.

❸ 가장 아랫줄의 빈칸에 들어갈 도형을 그리시오.

❹ 가장 윗줄의 빈칸에 들어갈 도형을 그리시오.

Tip

가로 또는 세로로 있는 세 도형의 ❶ [ ] 의 수를 더하면 ❷ [ ] 입니다.

[답] ❶ 변 ❷ 13

[관련 단원] **곱셈**

5

곱셈 빙고 게임을 하고 있습니다. 빈칸에 알맞은 수를 쓰고 빙고가 몇 줄 완성되는지 쓰시오.

게임 방법

① ☐ 와 결과가 같은 것을 표에서 찾아 ○표 합니다.

② 가로(↔) 또는 세로(↕)로 한 줄의 수에 모두 ○표 하면 빙고입니다.

3×5	24	18	35	9×8	7×4	2×5

❶

15	6×3	28
19	30	56
4×5	12	5×9

➡ ☐줄

❷

5×7	36	28
10	25	15
8×3	17	72

➡ ☐줄

Tip

$3\times5=$ ❶ ☐ 이므로 ❷ ☐ 가 쓰인 칸에 모두 ○표 합니다.

[답] ❶ 15 ❷ 15

▶정답 및 풀이 25쪽

[관련 단원] **덧셈과 뺄셈**

6 다음 조건을 보고 각 모양이 나타내는 숫자를 구해 보시오.

조건
- 각 모양은 1부터 9까지의 수입니다.
- 같은 모양은 같은 수를 나타냅니다.
- 모양이 다르면 나타내는 수도 다릅니다.

	●	3
+	●	5
1	4	▲

	♥	2
−	1	6
	■	♥

❶ ▲는 얼마입니까?

( )

❷ ●는 얼마인지 알아보시오.

십의 자리 수끼리 계산하면 ●+●=14입니다.

따라서 ●는 □입니다.

❸ ♥는 얼마인지 알아보시오.

일의 자리의 계산 ➡ 2에서 6을 뺄 수 없으므로 십의 자리에서 받아내림합니다.

따라서 ♥는 12− 6=□입니다.

❹ ■는 얼마인지 알아보시오.

십의 자리 수의 계산 ➡ 일의 자리로 받아내림하였으므로

■는 ♥−1−1=□입니다.

Tip

십의 자리 수는 ❶□의 자리 수끼리, 일의 자리 수는 ❷□의 자리 수끼리 계산합니다.

[답] ❶ 십 ❷ 일

01 빈칸에 알맞은 수를 써넣으시오.

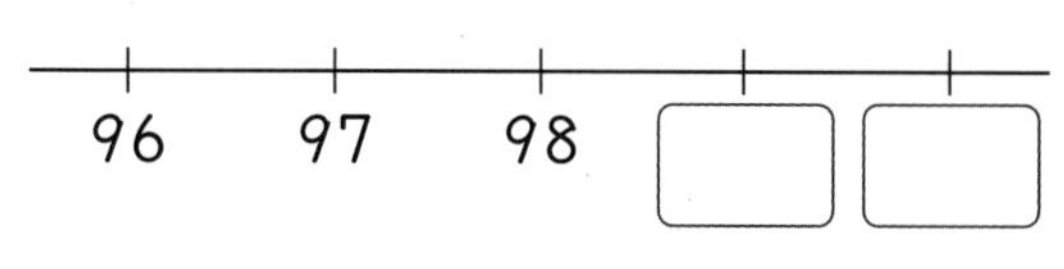

99보다 1만큼 더 큰 수는 [ ]입니다.

02 수 모형이 나타내는 수를 쓰고 읽어 보시오.

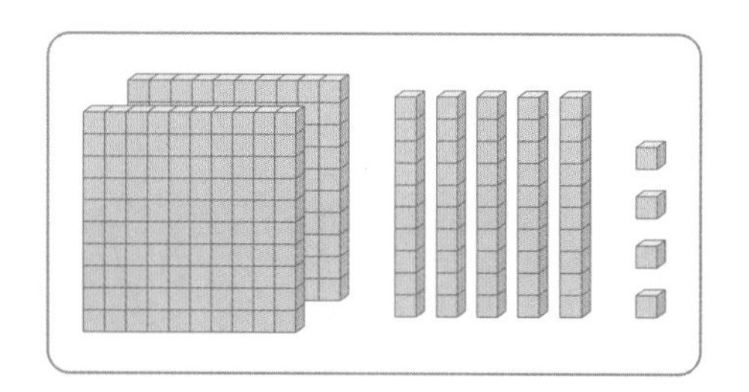

쓰기 ______________

읽기 ______________

03 그림을 보고 계산을 하시오.

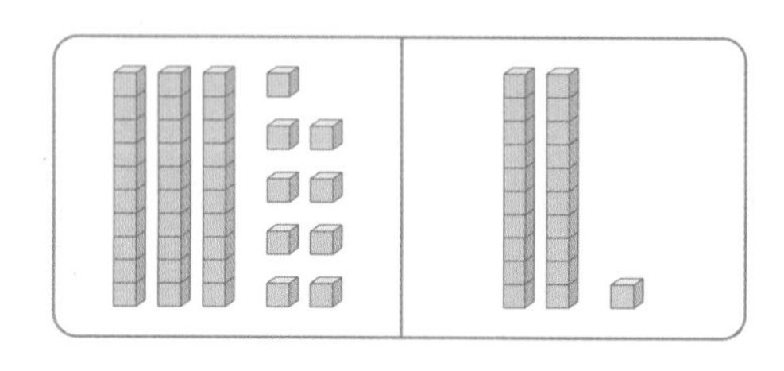

$39+21=$ [ ]

04 빈칸에 알맞은 수를 써넣으시오.

(1)

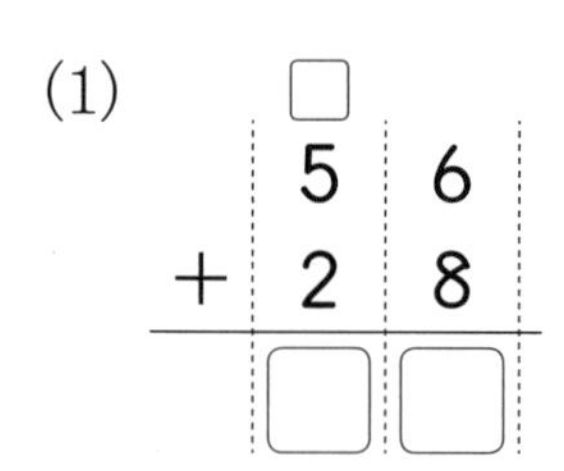

(2)

	[ ]	[ ]
	7	2
−	3	4
	[ ]	[ ]

05 주호가 말하는 세 자리 수를 쓰시오.

100이 5개, 10이 2개, 1이 3개인 수

( )

▶정답 및 풀이 27쪽

06 수를 보고 빈칸에 알맞은 수를 써넣으시오.

392

3은 [ ]을 나타냅니다.
9는 [ ]을 나타냅니다.
2는 [ ]를 나타냅니다.

07 10씩 뛰어서 세어 보시오.

315 — 325 — [ ] — [ ] — [ ]

08 ○ 안에 > 또는 <를 알맞게 써넣으시오.

(1) 124 ○ 215

(2) 사백구십 ○ 사백십구

09 다음 중 계산을 잘못한 것을 찾아 × 표 하시오.

$40-22=18$ (　　　)

$39+17=46$ (　　　)

10 아래의 덧셈식을 뺄셈식으로 나타내려고 합니다. 빈칸에 알맞은 수를 써넣으시오.

$35+47=82$	
➡	$82-$[ ]$=$[ ]
	$82-$[ ]$=$[ ]

11 해님팀과 달님팀이 농구 경기를 했습니다. 점수가 높은 팀이 이길 때 어느 팀이 이겼습니까?

해님팀	달님팀
126점	107점

(　　　　　　　　)

12 ○ 안에 $>$ 또는 $<$를 알맞게 써넣으시오.

$92-49$ ○ $27+18$

13 밑줄 친 숫자가 나타내는 값을 쓰시오.

(1) <u>3</u>82 ➡ □

(2) 6<u>2</u>3 ➡ □

14 빈칸에 알맞은 수를 써넣으시오.

(1) $47+15=62$

➡ $62-\square=47$

(2) $92-43=49$

➡ $49+\square=92$

15 빈칸에 알맞은 수를 써넣으시오.

(+ →, − ↓)

63	52	
46	28	

▶정답 및 풀이 27쪽

16 백의 자리 숫자가 8인 수 중에서 숫자 3이 30을 나타내는 수를 찾아 쓰시오.

783 839 813 382

(　　　　　　　　)

17 1부터 6까지의 수 중 빈칸에 들어갈 수 있는 수를 모두 찾아 ○표 하시오.

$346 > 3\square6$

(1 , 2 , 3 , 4 , 5 , 6)

18 형태는 장난감 13개 중에 동생에게 몇 개를 주었더니 장난감이 9개 남았습니다. 형태가 동생에게 준 장난감은 몇 개인지 쓰시오.

(　　　　　　　　)

19 꽃집에 백합 87송이가 있었는데 그 중에 69송이가 팔렸습니다. 남은 백합은 몇 송이인지 식을 쓰고 답을 구하시오.

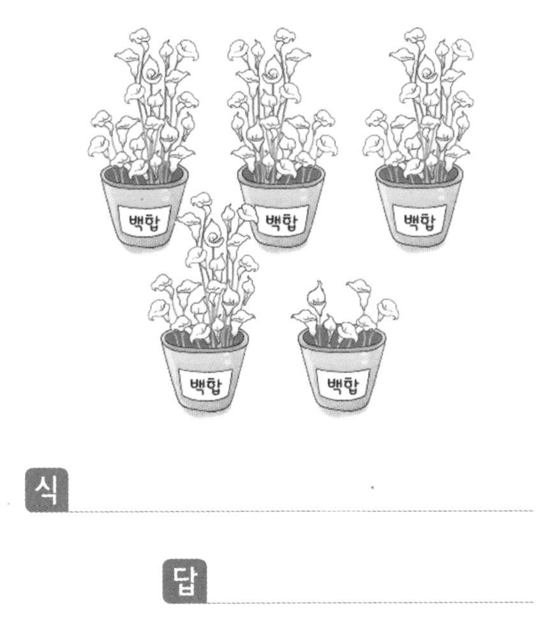

식 ________________

답 ________________

20 버스에 23명이 타고 있습니다. 이번 정류장에서 4명이 내리고 9명이 탔다면 버스에 타고 있는 사람은 몇 명인지 식을 쓰고 답을 구하시오.

식 ________________

답 ________________

학력진단 전략 2회

01 눈금 한 칸이 1 cm일 때, 4 cm만큼 선을 그으시오.

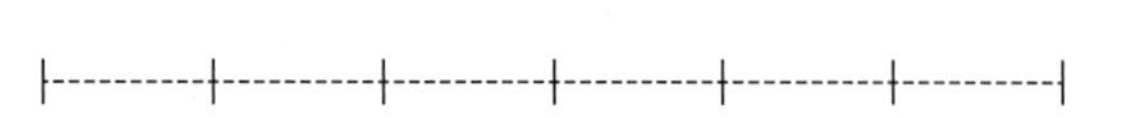

02 빨간색 쌓기나무 위에 있는 쌓기나무를 찾아 ○표 하시오.

03 꼭짓점이 4개인 도형이 아닌 것을 모두 찾아 기호를 쓰시오.

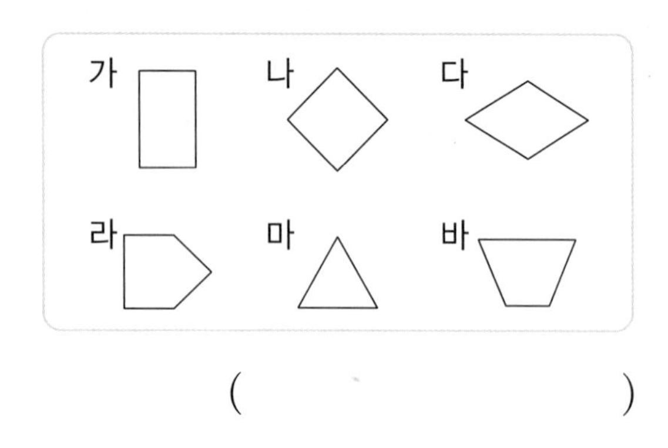

(　　　　　　　　　　)

04 지우개의 긴 쪽의 길이를 자로 재어 보시오.

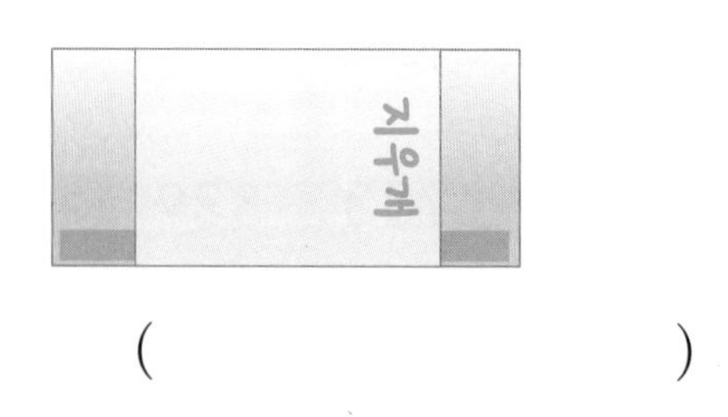

(　　　　　　　　　　)

05 1 cm의 길이와 비교하여 막대의 길이를 어림하시오.

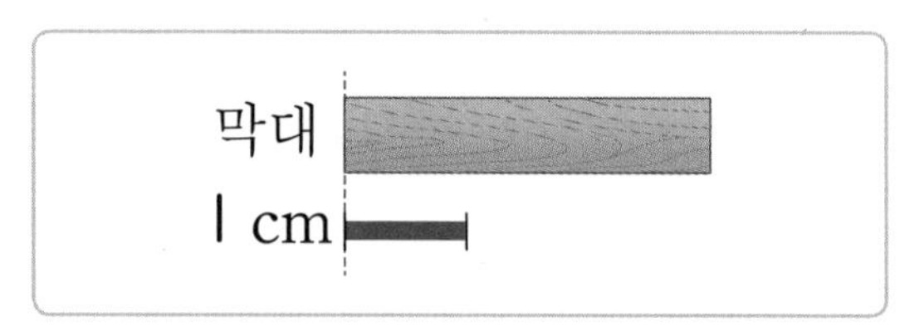

막대의 길이는

1 cm가 ☐번 정도됩니다.

길이는 약 ☐ cm입니다.

06 칠교판을 이용하여 다음 모양을 만들었습니다. 빈칸에 알맞은 수나 말을 써넣으시오.

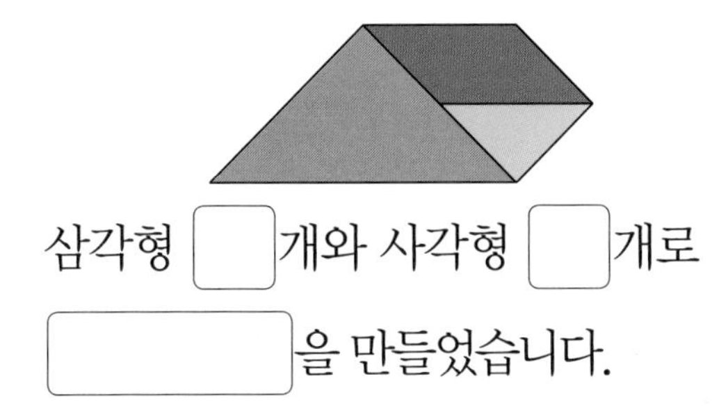

삼각형 ☐개와 사각형 ☐개로 ☐을 만들었습니다.

07 자를 이용하여 막대의 길이를 재어 보시오.

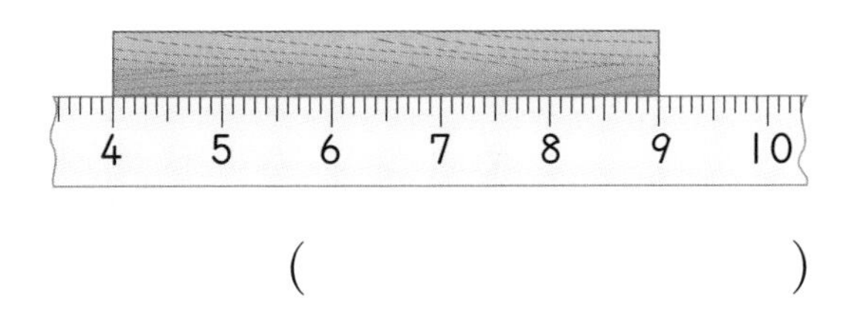

(   )

08 다음과 똑같은 모양으로 쌓으려면 쌓기나무 몇 개가 필요한지 쓰시오.

(   )

09 현아가 뼘으로 교실에 있는 물건의 길이를 재었습니다. 긴 쪽의 길이가 가장 긴 물건을 쓰시오.

사물함의 긴 쪽	신발장의 긴 쪽	책꽂이의 긴 쪽
10뼘	12뼘	5뼘

(   )

10 크레파스의 길이는 약 몇 cm입니까?

(   )

11 쌓기나무 6개로 쌓은 모양을 찾아 ○표 하시오.

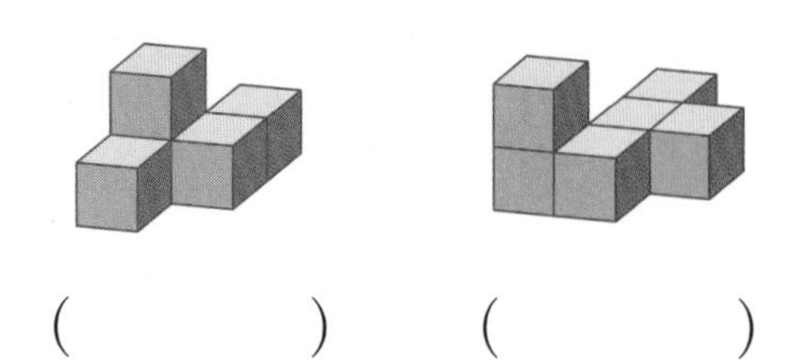

(　　　) (　　　)

12 보기에서 가장 알맞은 길이를 골라 문장을 완성하시오.

보기

2 cm　15 cm　90 cm

(1) 책상의 긴 쪽의 길이는 [　　] 입니다.

(2) 알약의 길이는 [　　] 입니다.

13 다음은 칠판을 뼘으로 잰 횟수입니다. 한 뼘의 길이가 더 긴 사람을 쓰시오.

종현	지은
10뼘	12뼘

(　　　　　)

14 삼각형에 있는 수를 모두 더한 결과를 구하시오.

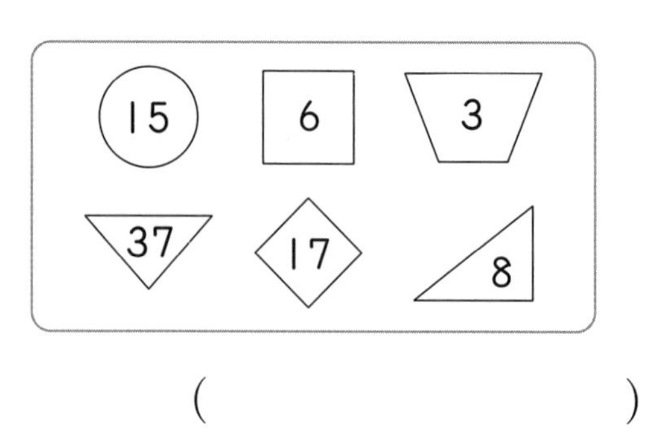

(　　　　　)

15 두 개의 색 테이프를 이용해 책상의 길이를 잰 횟수입니다. 더 긴 테이프의 색깔을 쓰시오.

빨간색 테이프	파란색 테이프
6번	12번

(　　　　　)

16 다음에서 설명하는 도형의 이름을 쓰시오.

- 6개의 곧은 선으로 둘러싸여 있습니다.
- 변과 꼭짓점의 개수는 같습니다.

(　　　　　)

17 연필의 길이를 용재는 약 6 cm, 민수는 약 7 cm로 어림하였습니다. 실제 길이에 더 가깝게 어림한 사람은 누구인지 쓰시오.

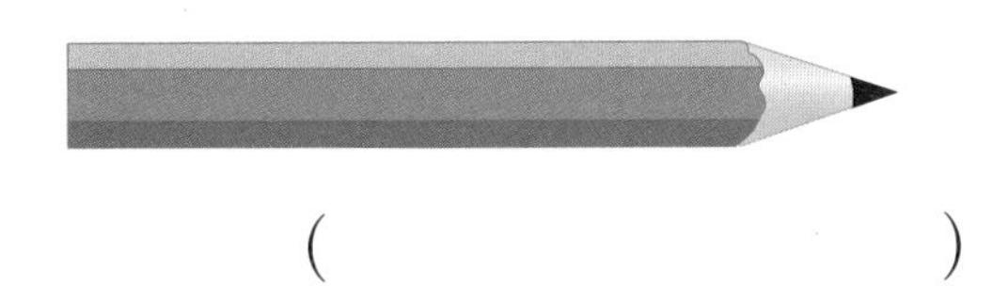

(　　　　　　　　)

18 쌓기나무로 쌓은 모양에 대한 설명으로 틀린 부분을 모두 찾아 밑줄을 긋고 바르게 고치시오.

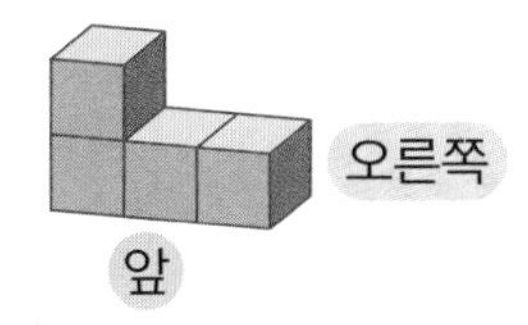

1층에 쌓기나무 3개를 옆으로 나란히 놓고, 오른쪽 쌓기나무 위에 쌓기나무 2개를 쌓았습니다.

19 주어진 칠교판의 조각을 모두 이용하여 오각형을 만드시오.

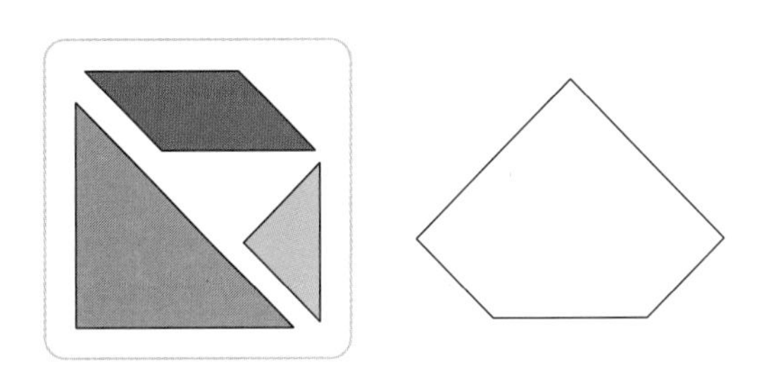

20 지우가 아래의 색종이를 잘라 생일파티 초대장을 만들었습니다. 다음 중 지우가 만든 초대장이 있을 때, 어느 것인지 ○표 하시오.

모두 곧은 선으로 자를래.
변의 개수는 이 색종이보다 2개 더 많게 만들어야지.

(　　　) (　　　) (　　　)

학력진단 전략 3회

01 혜진이가 붙임딱지를 분류한 것입니다. 분류 기준에 ○표 하시오.

큰 것과 작은 것 (　　　)

붙임딱지의 모양 (　　　)

붙임딱지의 색깔 (　　　)

02 그림을 보고 빈칸에 알맞은 수를 써넣으시오.

□씩 □묶음

3 - 6 - □ - □ - □

사탕은 모두 □개입니다.

03 감은 모두 몇 개인지 알아보시오.

감의 수는 6의 □배입니다.

감의 수를 덧셈식으로 나타내면

□+□+□=□입니다.

04 쿠키를 5씩 묶어 세어 보시오.

5 - 10 - □ - □ - □

➡ 쿠키는 모두 □개입니다.

05 꼭짓점이 있는 것과 없는 것으로 분류했을 때 잘못 분류한 것을 찾아 ○표 하시오.

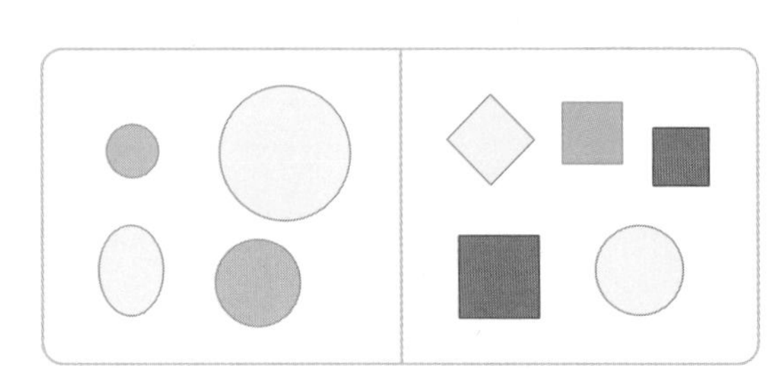

06 학급문고에 있는 책을 분류하려고 합니다. 분류 기준으로 알맞은 것에 ○표 하시오.

㉠ 재미있는 책과 재미있지 않은 책 (　　)

㉡ 깨끗한 책과 깨끗하지 않은 책 (　　)

㉢ 그림이 있는 책과 그림이 없는 책 (　　)

07 진구네 반 학생들이 좋아하는 동물을 조사하였습니다. 가장 많은 학생들이 좋아하는 동물은 무엇인지 쓰시오.

곰	돌고래	곰	돌고래
돌고래	원숭이	토끼	돌고래
원숭이	곰	돌고래	곰

(　　　　　　　　)

08 단추를 모양에 따라 분류하고 그 수를 세어 보시오.

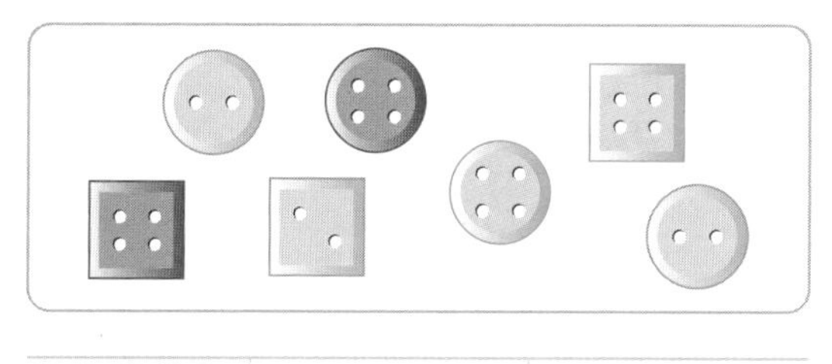

모양	원	사각형
수(개)		

09 도화지에 여러 가지 모양의 색종이를 붙여 다음을 만들었습니다. 색종이를 모양에 따라 분류하고 그 수를 세시오.

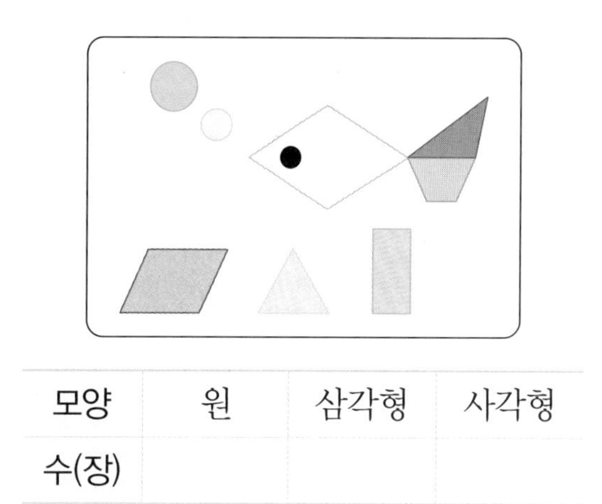

모양	원	삼각형	사각형
수(장)			

10 다음은 만두 3개와 만두 18개입니다. 18은 3의 몇 배인지 쓰시오.

(　　　　　　　　)

11 야구공의 수는 축구공의 수의 몇 배입니까?

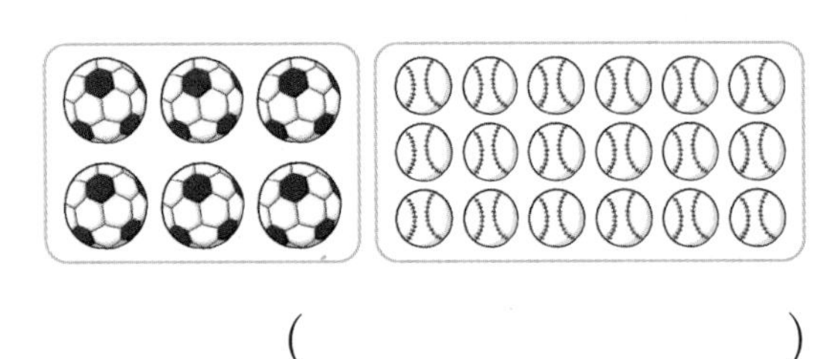

( )

12 그림을 보고 빈칸에 알맞은 수를 써넣으시오.

(1) 구슬이 5개씩 ☐줄

➡ 5×☐=☐(개)

(2) 구슬이 4개씩 ☐줄

➡ 4×☐=☐(개)

13 지은이네 반 학생들이 좋아하는 색깔을 조사하였습니다. 가장 많은 학생들이 좋아하는 색깔은 무엇입니까?

색깔	빨강	노랑	파랑
학생 수(명)	11	5	9

( )

14 한 묶음에 9자루인 사인펜이 4묶음 있습니다. 사인펜은 모두 몇 자루인지 곱셈식으로 나타내고 답을 구하시오.

식

답

15 다음 붙임딱지를 모양에 따라 분류하려고 합니다. 몇 가지로 분류할 수 있습니까?

( )

16 배추는 모두 몇 포기인지 곱셈식으로 나타내고 답을 구하시오.

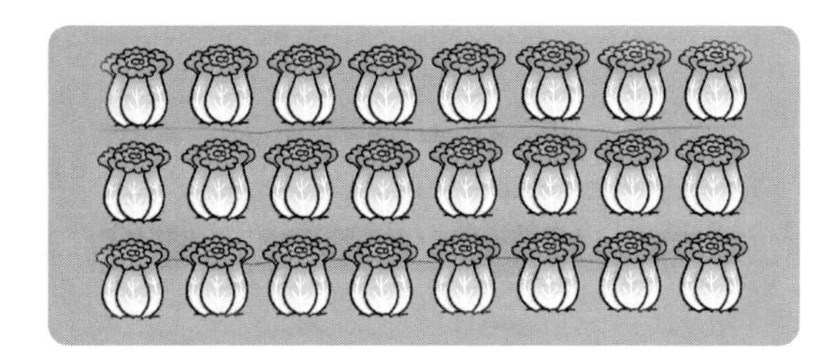

식

답

17 태우네 반 학생들이 좋아하는 과일을 조사하였습니다. 빈칸에 알맞은 수나 말을 써넣으시오.

과일	귤	사과	포도
수(명)	8	5	16

가장 많은 학생들이
좋아하는 과일은 ☐이고,
귤보다 ☐명 더 많습니다.

18 농장에 있는 동물들을 빠짐없이 분류하였습니다. 농장에 있는 동물은 모두 몇 마리입니까?

동물	젖소	닭	오리
수(마리)	8	13	5

( )

19 다음은 한 칸에 2명씩 앉을 수 있는 관광 열차입니다. 열차에 몇 명까지 탈 수 있는지 곱셈식을 쓰고 답을 구하시오.

식

답

20 유정이는 아래와 같은 케이크에 과일을 놓아 장식하려고 합니다. 케이크 한 조각에 체리를 3개씩 놓으려고 할 때, 체리는 몇 개 필요합니까?

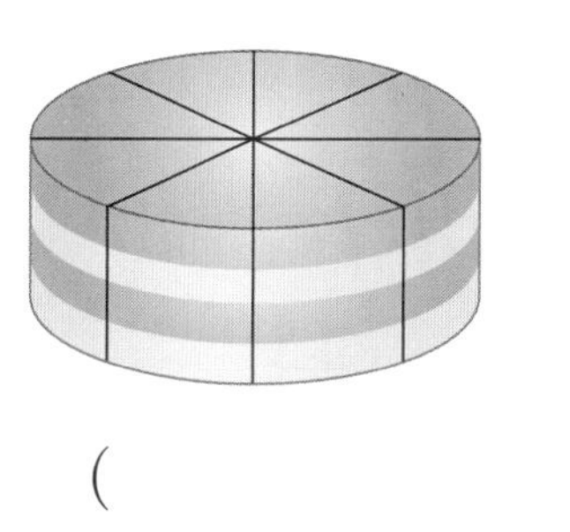

( )

메모

초등생의 필수 학습!
탄탄하게 다져두자!

초등 **수학**

천재교육

초등생의 필수 학습!
탄탄하게 다져두자!

초등 **수학**

핵심개념 & 연산 집중연습

2·1

천재교육

목차

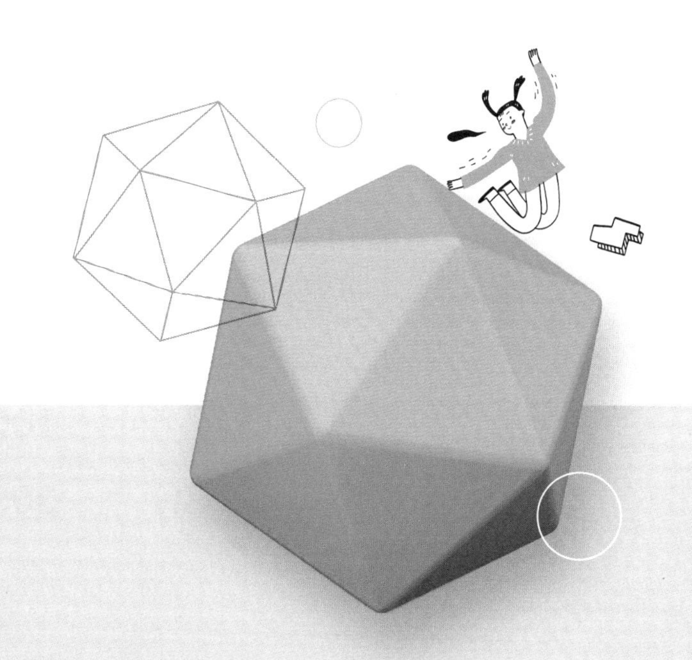

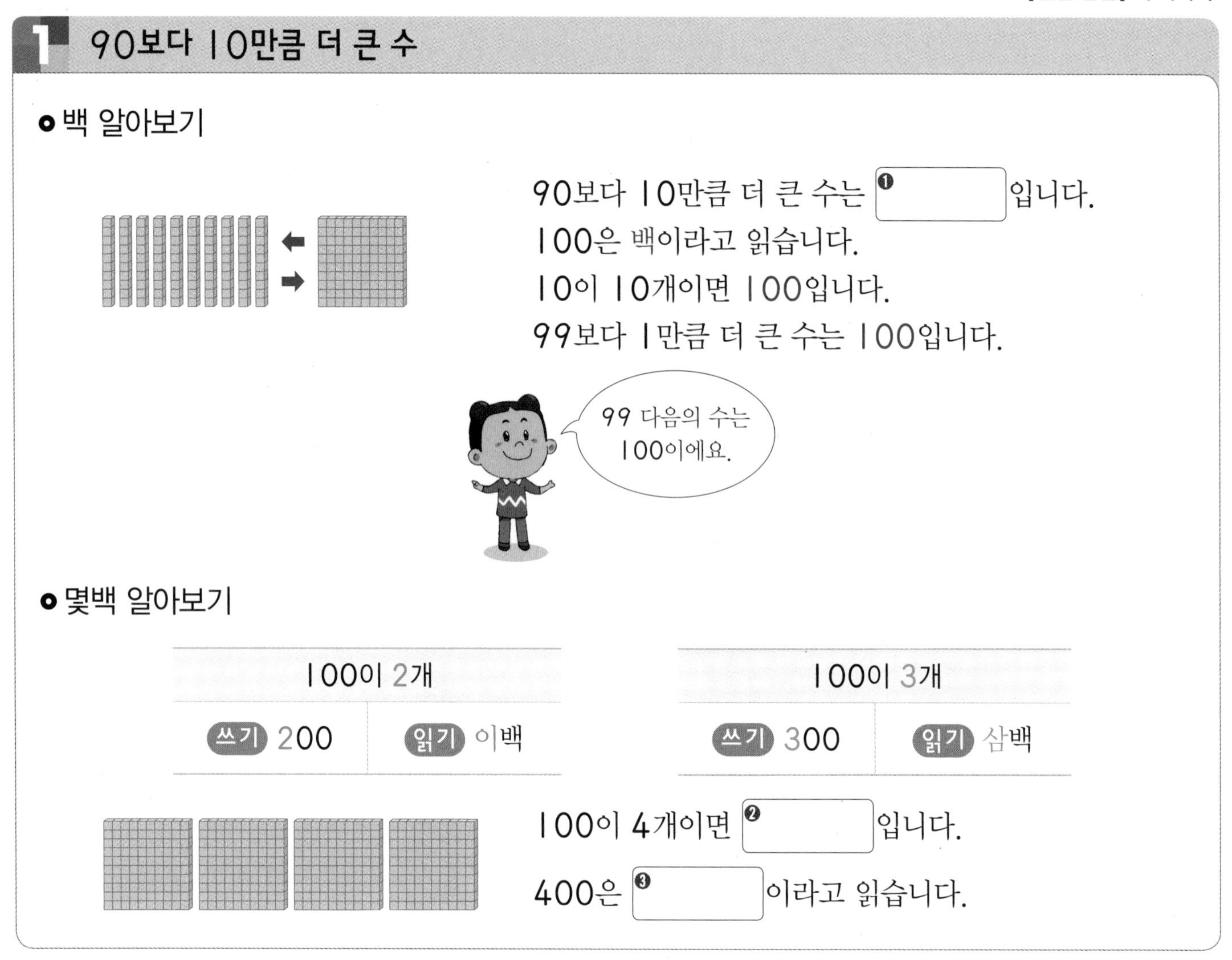

1 90보다 10만큼 더 큰 수

백 알아보기

90보다 10만큼 더 큰 수는 ❶ [ ] 입니다.
100은 백이라고 읽습니다.
10이 10개이면 100입니다.
99보다 1만큼 더 큰 수는 100입니다.

몇백 알아보기

100이 2개	
쓰기 200	읽기 이백

100이 3개	
쓰기 300	읽기 삼백

100이 4개이면 ❷ [ ] 입니다.
400은 ❸ [ ] 이라고 읽습니다.

[답] ❶ 100 ❷ 400 ❸ 사백

핵심 체크

1 90보다 (10 , 1)만큼 더 큰 수는 100이라고 쓰고 (십 , 백)이라고 읽습니다.

2

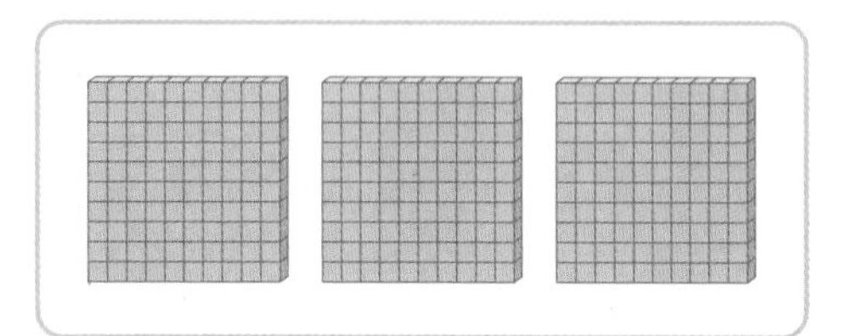

100이 (2 , 3)개이면 300입니다.
300은 (이백 , 삼백)이라고 읽습니다.

2 세 자리 수 알아보기

• 253 알아보기

백 모형	십 모형	일 모형

100이 2개, 10이 5개, 1이 3개이면 ❶ ( ) 입니다.
253은 이백오십삼이라고 읽습니다.

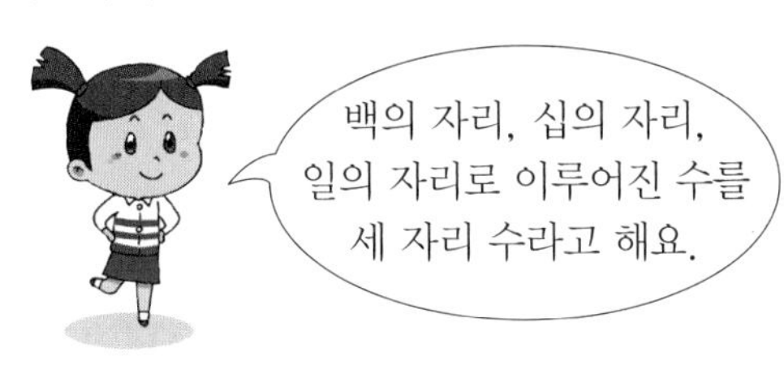

• 그림이 나타내는 수 쓰고 읽기

100이 3개, 10이 1개, 1이 ❷ ( ) 개
➡ 쓰기 316
읽기 ❸ ( )

[답] ❶ 253 ❷ 6 ❸ 삼백십육

핵심 체크

1 415는 100이 4개, 10이 (1 , 2)개, 1이 (5 , 6)개입니다.

2 100이 2개, 10이 9개, 1이 3개이면 293이고, (구백이십삼 , 이백구십삼)이라고 읽습니다.

3 각 자리의 숫자가 나타내는 값 알아보기

624 알아보기

백의 자리	십의 자리	일의 자리
6	2	4
6	0	0
	2	0
		4

624는 100이 ❶ ☐개, 10이 2개, 1이 4개입니다.
6은 백의 자리 숫자이고, 600을 나타냅니다.
❷ ☐는 십의 자리 숫자이고, 20을 나타냅니다.
4는 일의 자리 숫자이고, ❸ ☐를 나타냅니다.

624=600+20+4

참고 같은 숫자라도 자리에 따라 나타내는 값이 다릅니다.

555 ➡

100이 5개	10이 5개	1이 5개
500	50	5

백의 자리 숫자 5는 ❹ ☐을 나타냅니다.
십의 자리 숫자 5는 50을 나타냅니다.
일의 자리 숫자 5는 5를 나타냅니다.

555=500+50+5

[답] ❶ 6 ❷ 2 ❸ 4 ❹ 500

핵심 체크

1 743에서 4는 십의 자리 숫자이고, (400 , 40)을 나타냅니다.

2 918에서 9는 (백 , 십 , 일)의 자리 숫자이고, 900을 나타냅니다.

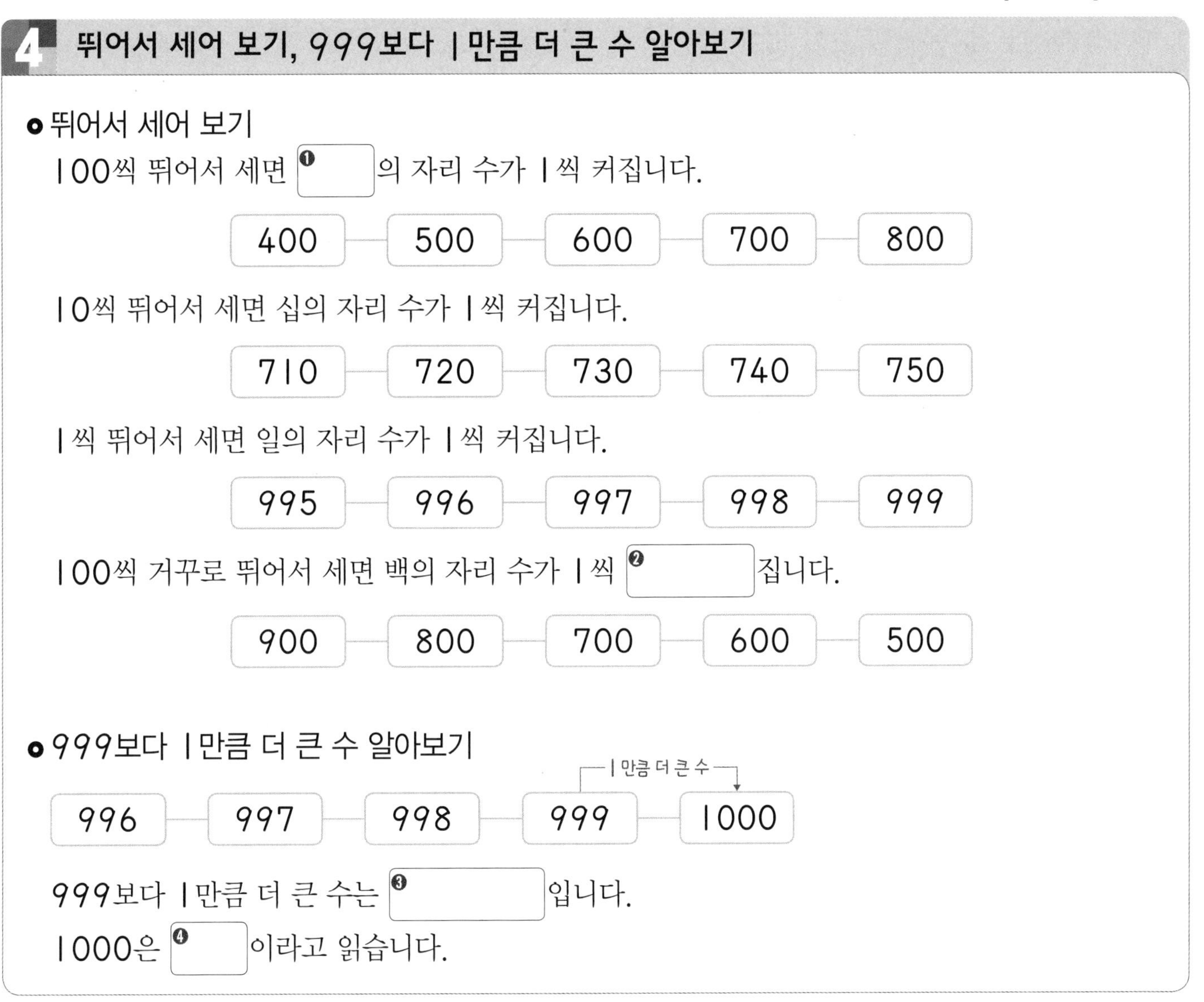

4 뛰어서 세어 보기, 999보다 1만큼 더 큰 수 알아보기

- 뛰어서 세어 보기

100씩 뛰어서 세면 ❶ ☐ 의 자리 수가 1씩 커집니다.

400 — 500 — 600 — 700 — 800

10씩 뛰어서 세면 십의 자리 수가 1씩 커집니다.

710 — 720 — 730 — 740 — 750

1씩 뛰어서 세면 일의 자리 수가 1씩 커집니다.

995 — 996 — 997 — 998 — 999

100씩 거꾸로 뛰어서 세면 백의 자리 수가 1씩 ❷ ☐ 집니다.

900 — 800 — 700 — 600 — 500

- 999보다 1만큼 더 큰 수 알아보기

996 — 997 — 998 — 999 — 1000

999보다 1만큼 더 큰 수는 ❸ ☐ 입니다.

1000은 ❹ ☐ 이라고 읽습니다.

[답] ❶ 백 ❷ 작아 ❸ 1000 ❹ 천

핵심 체크

1 100씩 뛰어서 세면 (백 , 십)의 자리 수가 1씩 커집니다.

2

996 — 997 — 998 — 999 — (100 , 1000)

5 수 모형으로 두 수의 크기 비교하기

- 246과 312의 크기 비교

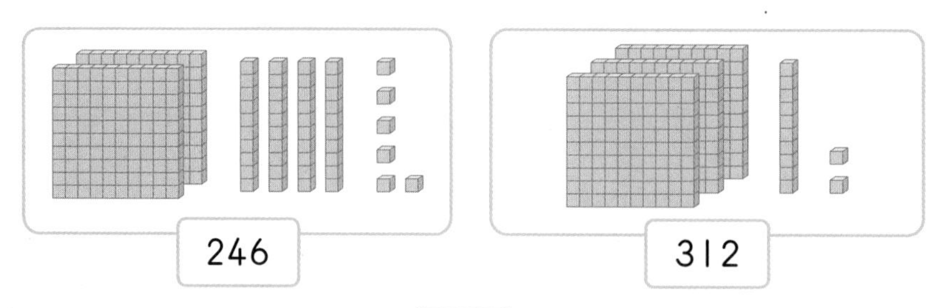

246은 백 모형이 2개, 312는 백 모형이 ❶ ☐ 개입니다. ➡ 246<312

- 410과 430의 크기 비교

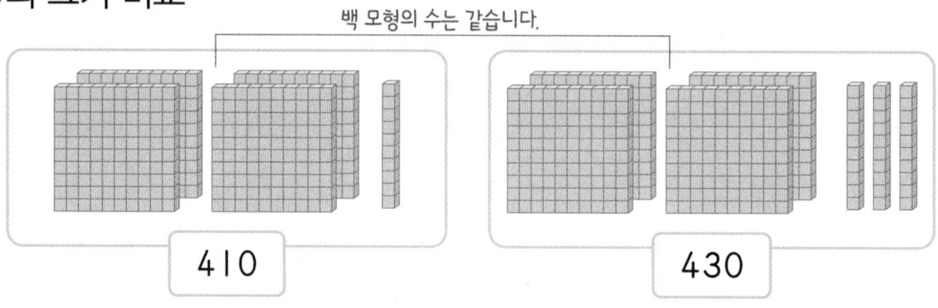

410은 십 모형이 1개, 430은 십 모형이 3개입니다. ➡ 410 ❷ ◯ 430

[답] ❶ 3 ❷ <

핵심 체크

1

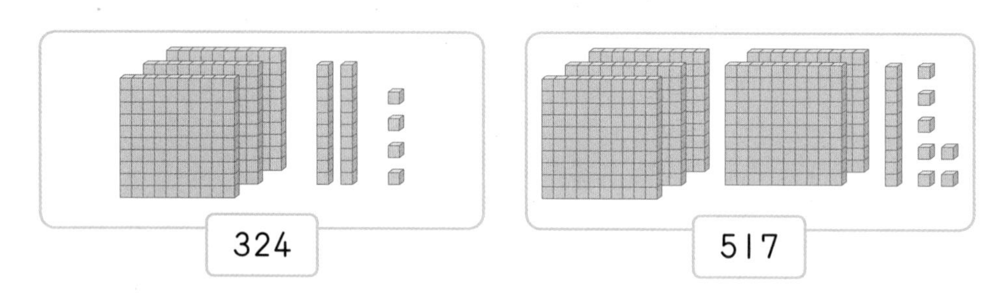

324는 백 모형이 3개, 517은 백 모형이 5개입니다.

324는 517보다 더 (큽니다 , 작습니다).

6 두 수의 크기 비교하는 방법

비교하는 방법

① 백의 자리 수가 클수록 큰 수입니다.
② 백의 자리 수가 같으면 십의 자리 수가 클수록 큰 수입니다.
③ 백의 자리 수, 십의 자리 수가 각각 같으면 일의 자리 수가 클수록 큰 수입니다.

812와 894의 크기 비교
812와 894는 백의 자리 수가 같으므로 ❶ ☐ 의 자리 수끼리 비교합니다.
➡ 812 ❷ ◯ 894
1 < 9

537과 536의 크기 비교
537과 536은 백의 자리 수, 십의 자리 수가 각각 같으므로 ❸ ☐ 의 자리 수끼리 비교합니다.
➡ 537 ❹ ◯ 536
7 > 6

[답] ❶ 십 ❷ < ❸ 일 ❹ >

핵심 체크

1 742는 481보다 백의 자리 수가 더 (크므로 , 작으므로)
742가 481보다 더 (큽니다 , 작습니다).

2 354는 357보다 (십 , 일)의 자리 수가 더 작으므로
354가 357보다 더 (큽니다 , 작습니다).

집중 연습

[01~04] 수를 읽으시오.

01 139 ➡ (   )

02 327 ➡ (   )

03 558 ➡ (   )

04 972 ➡ (   )

[05~08] 수로 나타내시오.

05 칠백사십이 ➡ (   )

06 오백팔십사 ➡ (   )

07 백구십오 ➡ (   )

08 삼백칠 ➡ (   )

[09~16] 두 수의 크기를 비교하여 ○ 안에 > 또는 <를 알맞게 써넣으시오.

09 167 ○ 312

10 529 ○ 490

11 300 ○ 289

12 314 ○ 602

13 837 ○ 829

14 680 ○ 691

15 552 ○ 513

16 729 ○ 720

7 원 알아보기

◦ 원

그림과 같은 모양의 도형을 원이라고 합니다.

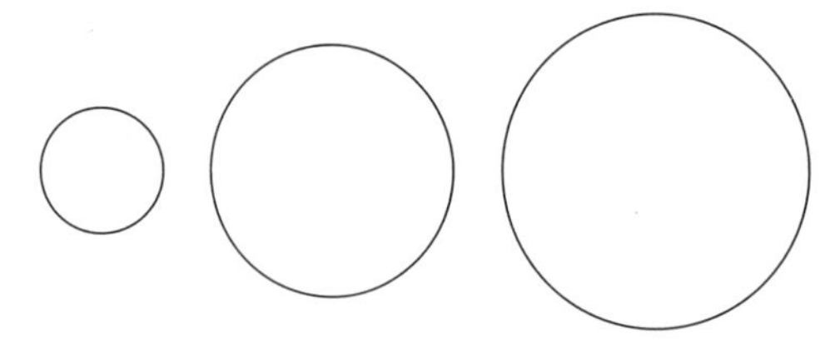

동전, 바퀴, 피자 등에서 ❶ [　　] 모양을 찾을 수 있습니다.

동전

바퀴

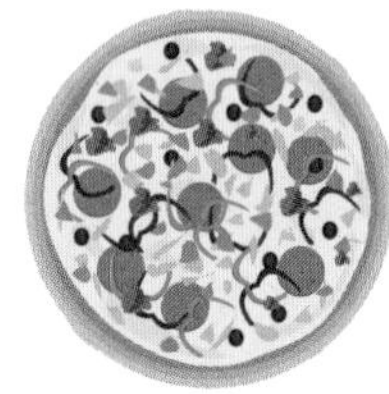
피자

◦ 원의 특징

- 크기는 다양하지만 생긴 모양은 ❷ [　　　　].
- 뾰족한 부분이 없습니다.
- 곧은 선이 없고, ❸ [　　] 선으로 이루어져 있습니다.
- 길쭉하거나 찌그러진 곳 없이 어느 쪽에서 보아도 똑같이 동그란 모양입니다.

[답] ❶ 원 ❷ 같습니다 ❸ 굽은

핵심 체크

1 (○ , △)은 원입니다.

2 원은 뾰족한 부분이 (있고 , 없고), 곧은 선이 (있습니다 , 없습니다).

8 삼각형 알아보기

• 삼각형

그림과 같은 모양의 도형을 삼각형이라고 합니다.

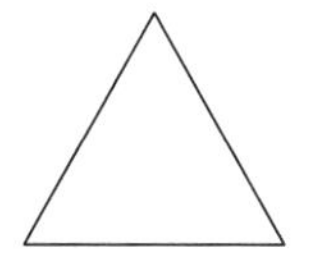 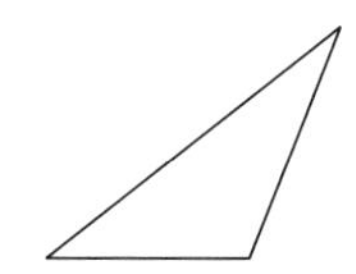 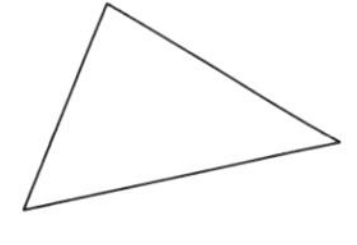

삼각자, 트라이앵글, 옷걸이 등에서 ❶ ☐ 모양을 찾을 수 있습니다.

삼각자

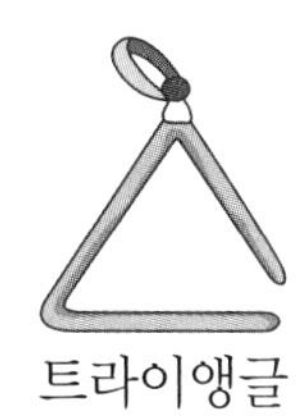
트라이앵글

옷걸이

• 삼각형의 특징

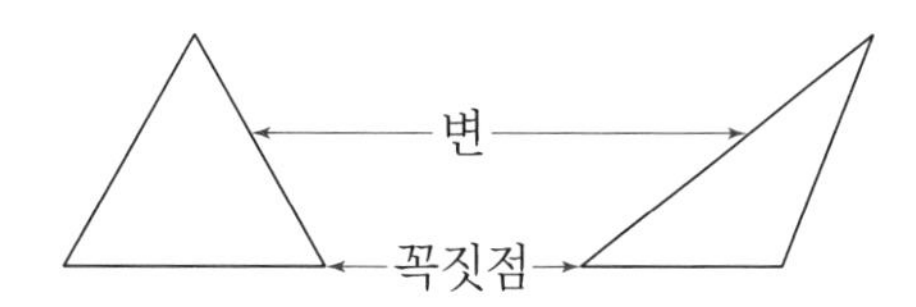

삼각형에서 곧은 선을 ❷ ☐, 두 곧은 선이 만나는 점을 ❸ ☐이라고 합니다.
삼각형에서 변과 꼭짓점은 각각 3 개입니다.

[답] ❶ 삼각형 ❷ 변 ❸ 꼭짓점

핵심 체크

1 (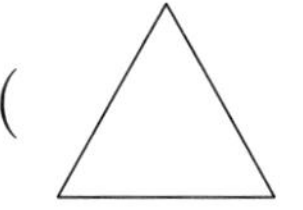 , )은 삼각형입니다.

2 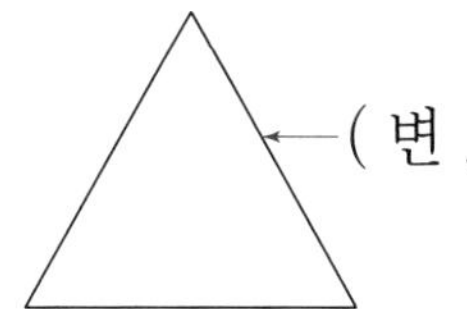 (변 , 꼭짓점)

9 사각형 알아보기

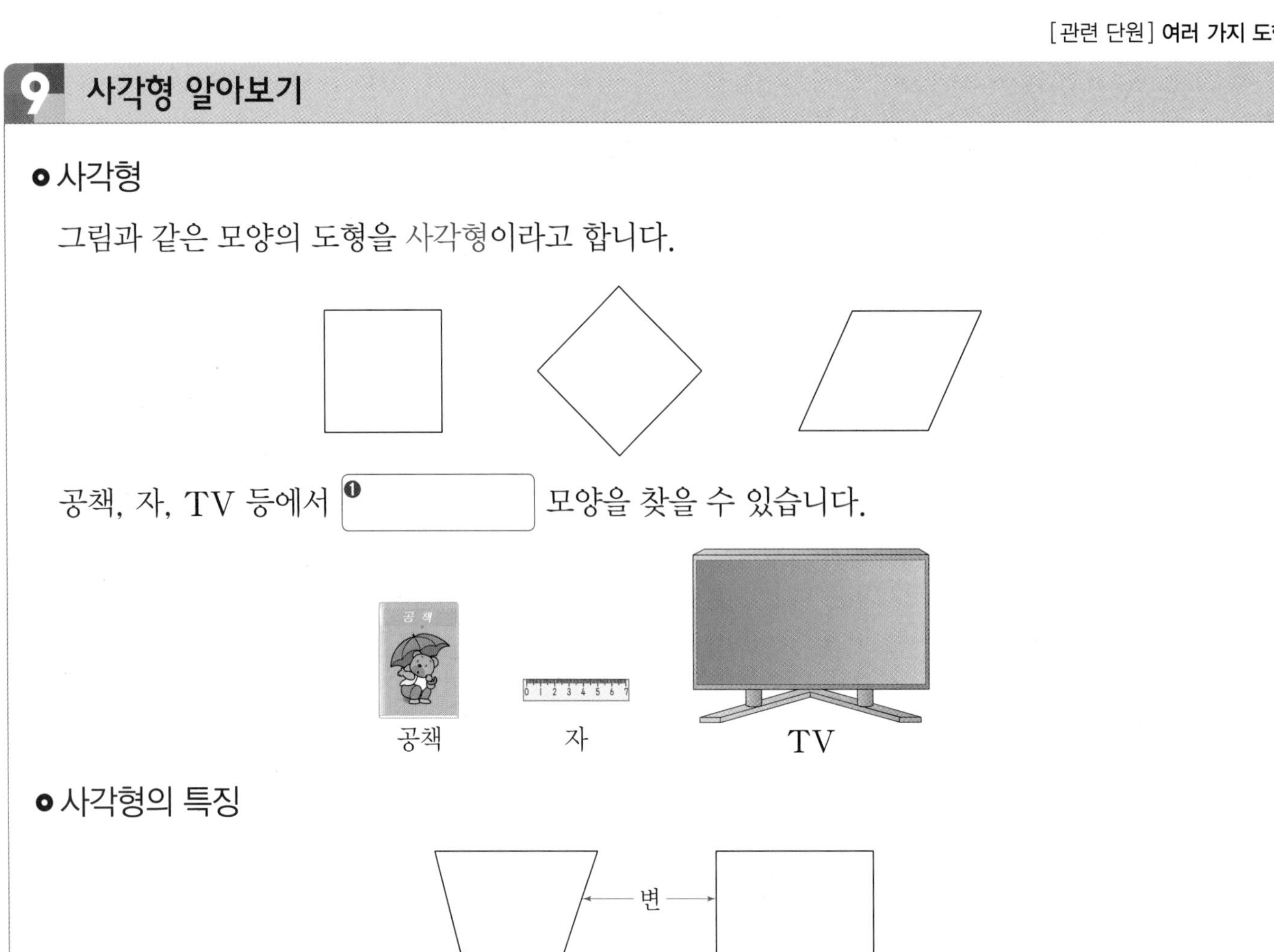

사각형

그림과 같은 모양의 도형을 사각형이라고 합니다.

공책, 자, TV 등에서 ❶ [ ] 모양을 찾을 수 있습니다.

공책　　자　　TV

사각형의 특징

변　꼭짓점

사각형에서 곧은 선을 ❷ [ ], 두 곧은 선이 만나는 점을 ❸ [ ]이라고 합니다.
사각형에서 변과 꼭짓점은 각각 4개입니다.

[답] ❶ 사각형 ❷ 변 ❸ 꼭짓점

핵심 체크

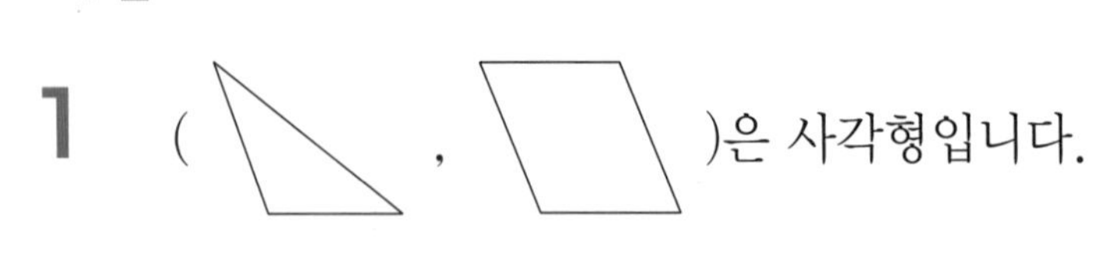

1 (,)은 사각형입니다.

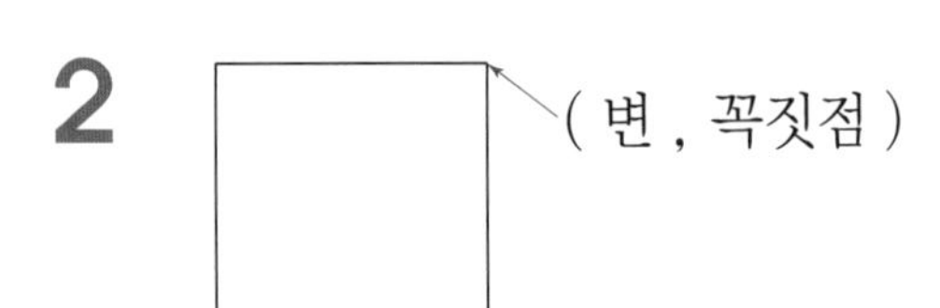

2 (변 , 꼭짓점)

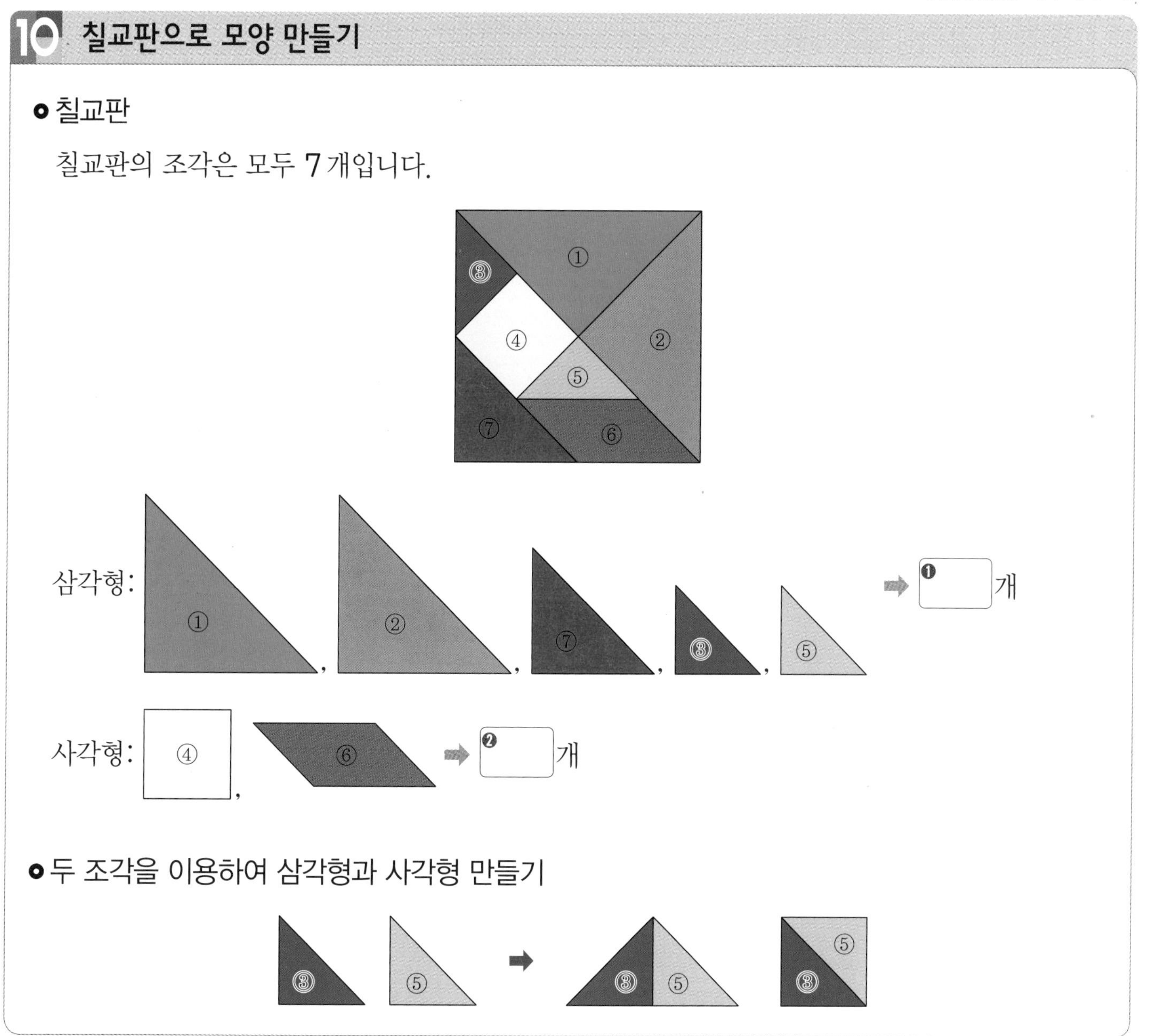

[답] ❶ 5 ❷ 2

핵심체크

1

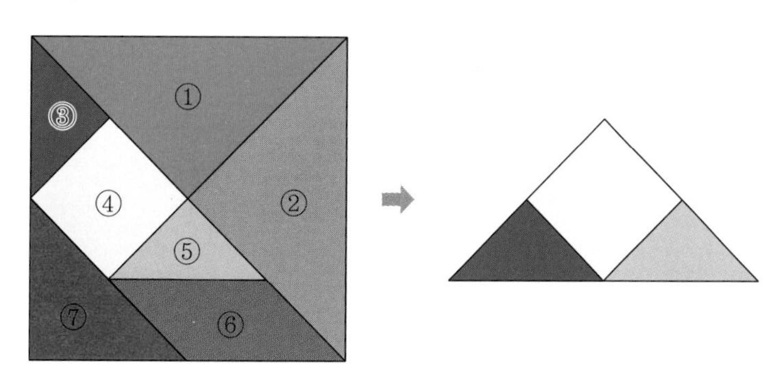

칠교판의 3조각 (① , ② , ③ , ④ , ⑤ , ⑥)을/를 이용하여 삼각형을 만들었습니다.

11 오각형, 육각형 알아보기

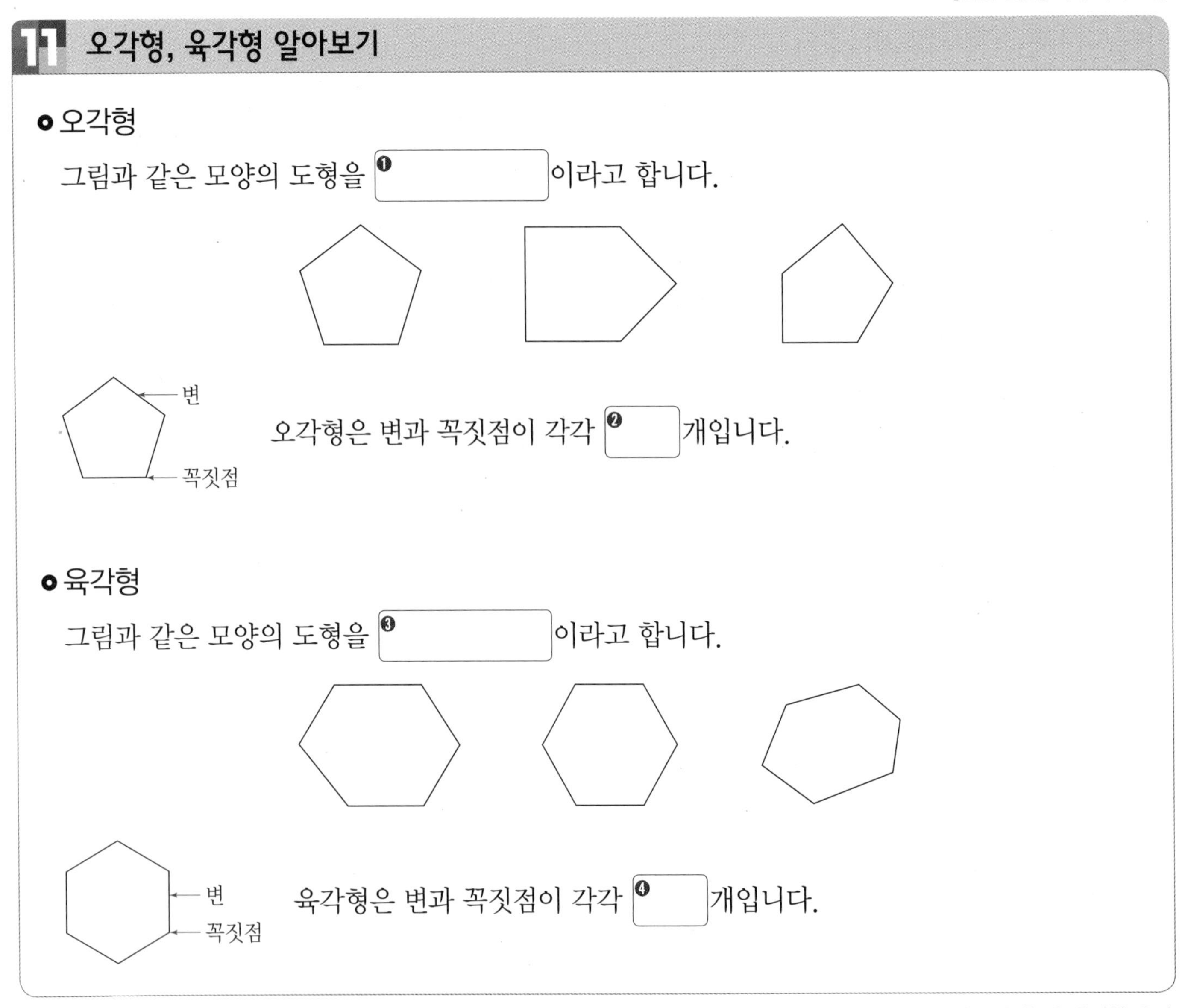

○ 오각형

그림과 같은 모양의 도형을 ❶ ☐ 이라고 합니다.

오각형은 변과 꼭짓점이 각각 ❷ ☐ 개입니다.

○ 육각형

그림과 같은 모양의 도형을 ❸ ☐ 이라고 합니다.

육각형은 변과 꼭짓점이 각각 ❹ ☐ 개입니다.

[답] ❶ 오각형 ❷ 5 ❸ 육각형 ❹ 6

핵심 체크

1 (오각형 그림) 와 같은 모양의 도형을 (오각형 , 육각형)이라고 합니다.

2 육각형은 변과 꼭짓점이 각각 (5 , 6)개입니다.

12 똑같은 모양으로 쌓기, 여러 가지 모양으로 쌓기

◦ 똑같은 모양으로 쌓기

똑같은 모양으로 쌓으려면 이용한 쌓기나무의 수, 전체적인 모양, 쌓기나무를 놓은 위치나 방향을 생각해야 합니다.

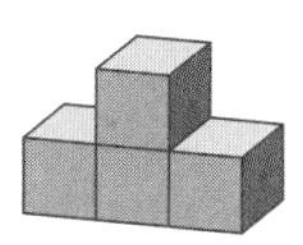

1층엔 3개, 2층엔 ❶ [ ] 개가 있습니다.

➡ 똑같은 모양으로 쌓으려면 ❷ [ ] 개의 쌓기나무가 필요합니다.

◦ 쌓은 모양에서 위치 알아보기

빨간색 쌓기나무의 오른쪽에 있는 쌓기나무 찾기

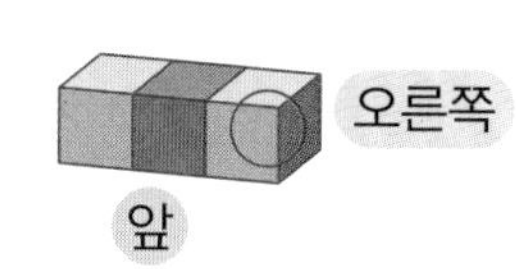

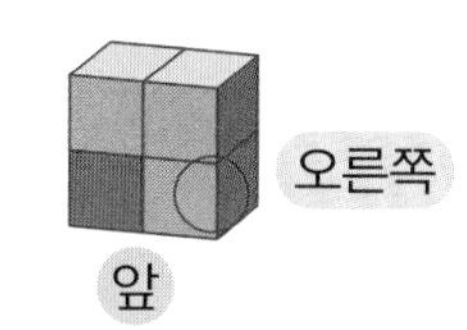

◦ 쌓기나무 4개, 5개로 만들 수 있는 모양 알아보기

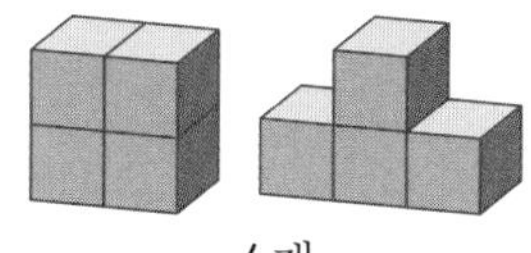

4개

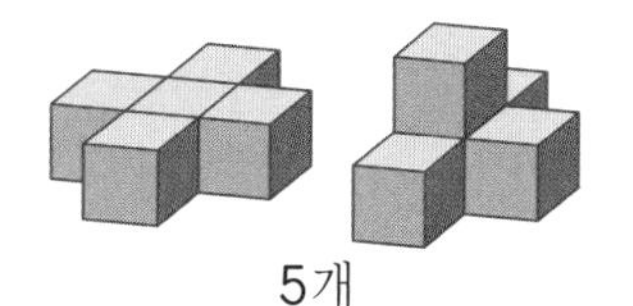

5개

◦ 쌓기나무 3개로 모양을 만들고 설명하기

➡ 쌓기나무 2개가 옆으로 나란히 있고, 왼쪽 쌓기나무 위에 쌓기나무 ❸ [ ] 개가 2층으로 있습니다.

[답] ❶ 1 ❷ 4 ❸ 1

핵심 체크

1

1층에는 (1 , 2)개, 2층에는 1개가 있습니다.

2

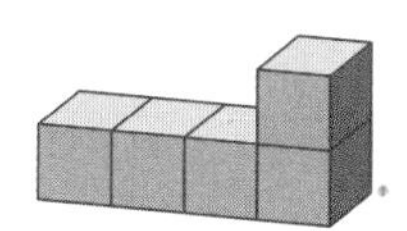

쌓기나무 (3 , 4)개가 옆으로 나란히 있고,
맨 오른쪽 쌓기나무 위에 쌓기나무 1개가 있습니다.

집중 연습

[01~04] 원에는 ○표, 원이 아닌 것에는 ×표 하시오.

01 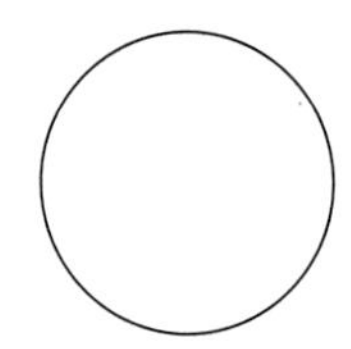 (　　　　)

02 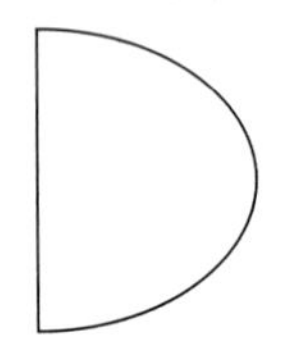 (　　　　)

03 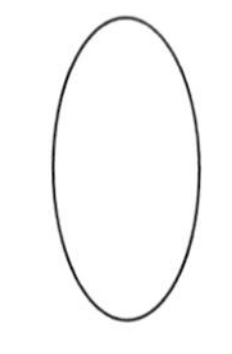 (　　　　)

04 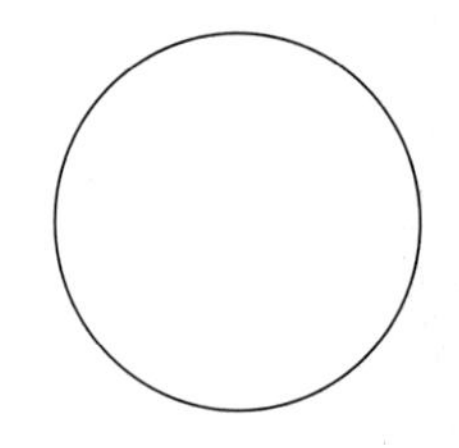 (　　　　)

[05~08] 삼각형에는 ○표, 삼각형이 아닌 것에는 ×표 하시오.

05 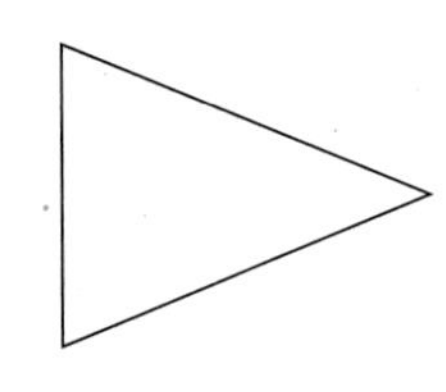 (　　　　)

06  (　　　　)

07 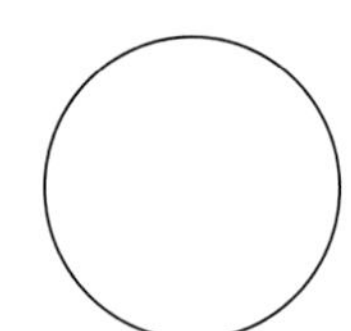 (　　　　)

08 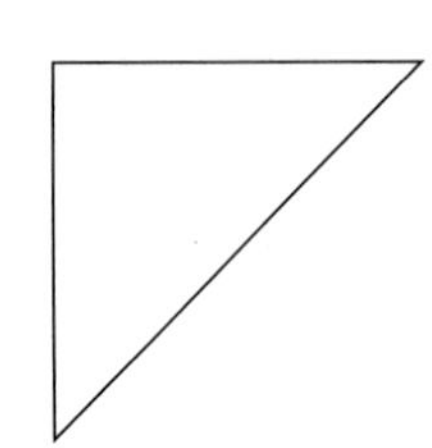 (　　　　)

[09~12] 사각형에는 ○표, 사각형이 아닌 것에는 ×표 하시오.

09 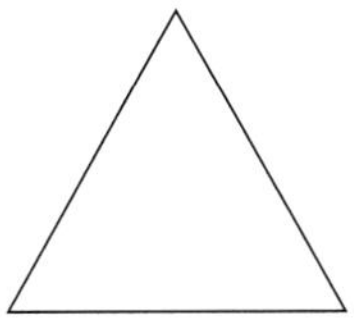 ( )

10 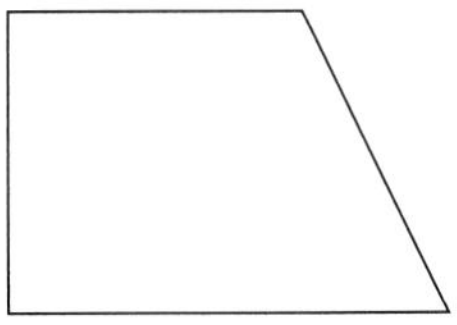 ( )

11 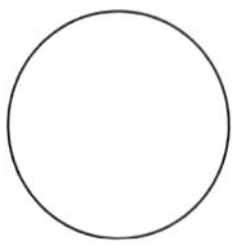 ( )

12 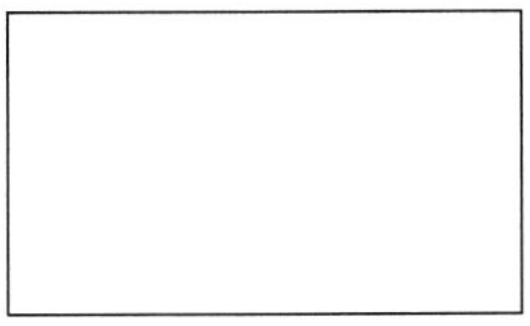 ( )

[13~16] 오각형에는 '오', 육각형에는 '육'이라고 쓰시오.

13 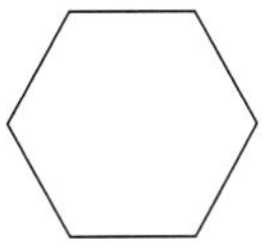 ( )

14  ( )

15 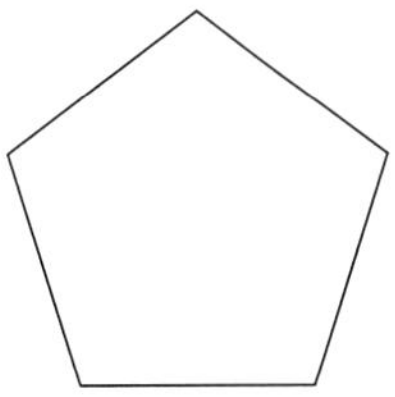 ( )

16 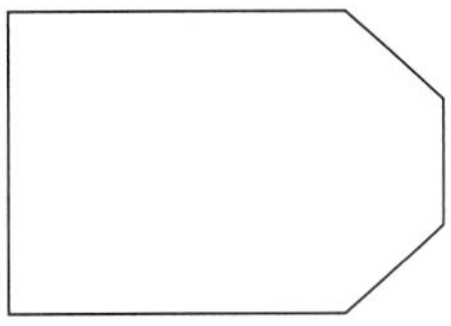 ( )

13 덧셈하기(1)

- 받아올림이 있는 (두 자리 수)+(한 자리 수)

$$\begin{array}{r} {}^{1}13 \\ +\ \ 9 \\ \hline 2 \end{array} \Rightarrow \begin{array}{r} {}^{1}13 \\ +\ \ 9 \\ \hline 22 \end{array}$$

① 일의 자리 계산: 3+9=12 (십의 자리로 받아올림합니다.)

② 십의 자리 계산: 1+❶ ☐ =2

➡ 13+9=❷ ☐

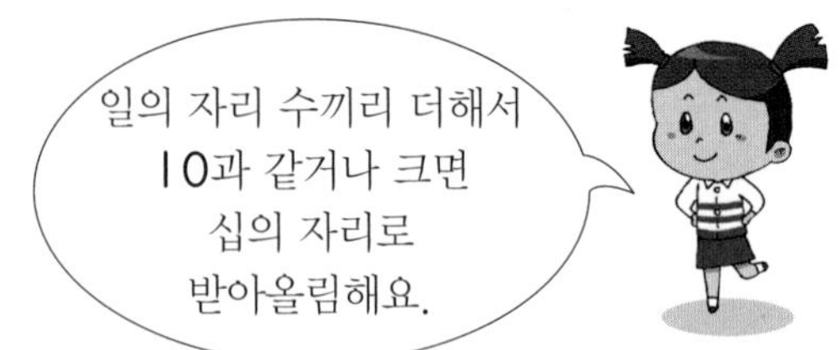

- 일의 자리에서 받아올림이 있는 (두 자리 수)+(두 자리 수)

$$\begin{array}{r} {}^{1}36 \\ +\ 17 \\ \hline 3 \end{array} \Rightarrow \begin{array}{r} {}^{1}36 \\ +\ 17 \\ \hline 53 \end{array}$$

① 일의 자리 계산: 6+7=13 (십의 자리로 받아올림합니다.)

② 십의 자리 계산: ❸ ☐ +3+1=5

➡ 36+17=❹ ☐

[답] ❶ 1 ❷ 22 ❸ 1 ❹ 53

핵심 체크

1 15+8의 계산에서 일의 자리 계산은 5+8=13이고,
십의 자리 계산은 (1+1=2 , 1+3=4)이므로 15+8=(23 , 43)입니다.

2 27+14의 계산에서 일의 자리 계산은 (2+1=3 , 7+4=11)이고,
십의 자리 계산은 1+2+1=4이므로 27+14=(31 , 41)입니다.

14 덧셈하기(2)

- 십의 자리에서 받아올림이 있는 (두 자리 수)+(두 자리 수)

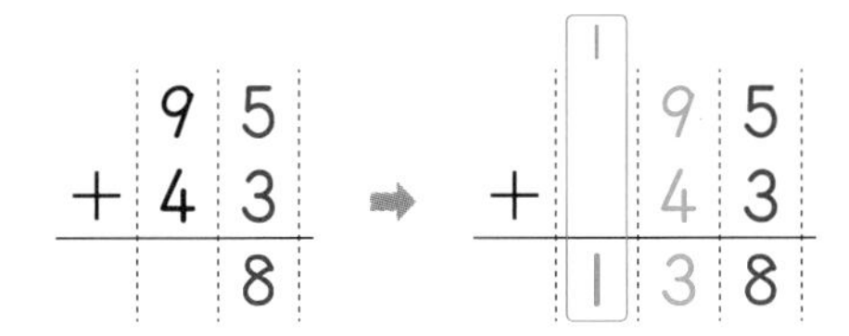

받아올림한 수를 더하지 않아 계산이 틀리는 경우가 있으니 주의해요.

① 일의 자리 계산: 5+3=8

② 십의 자리 계산: 9+4=13

③ 백의 자리: 1 백의 자리로 받아올림합니다.

➡ 95+43=❶ ☐

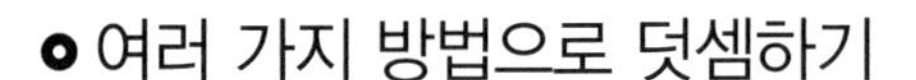

- 여러 가지 방법으로 덧셈하기

43+18의 계산

방법1 43에 10을 먼저 더하고 ❷ ☐ 을 더하는 방법입니다.

➡ 43+18=43+❸ ☐ +8=53+8=61

방법2 43을 50으로 생각하여 더하고 ❹ ☐ 을 빼는 방법입니다.

➡ 43+18=50+18−❺ ☐ =68−7=61

[답] ❶ 138 ❷ 8 ❸ 10 ❹ 7 ❺ 7

핵심 체크

1 62+74의 계산에서 일의 자리 계산은 2+4=6이고,
십의 자리 계산은 (6+7=13 , 2+4=6)이므로
62+74=(236 , 136)입니다.

2 15+19의 계산에서 15에 10을 먼저 더하고 (5 , 9)를 더하는 방법으로 계산하면
15+19=15+10+9=25+9=(30 , 34)입니다.

15 뺄셈하기(1)

- 받아내림이 있는 (두 자리 수)−(한 자리 수)

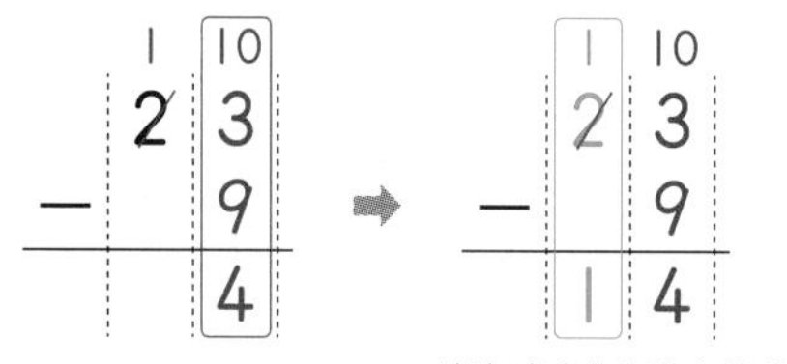

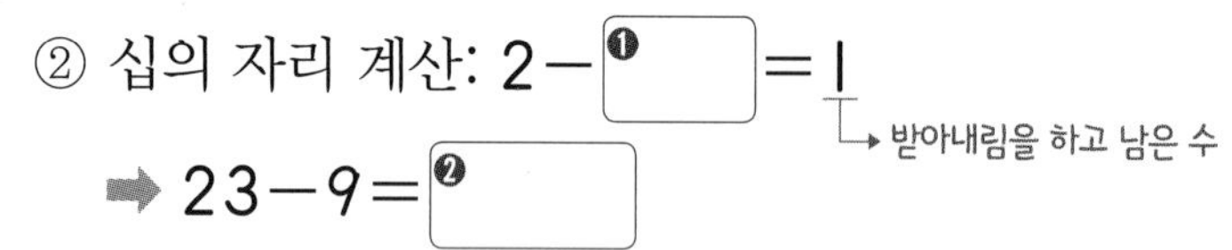

→ 십의 자리에서 받아내림한 수

① 일의 자리 계산: 13−9=4

② 십의 자리 계산: 2−❶ ☐ =1

→ 받아내림을 하고 남은 수

➡ 23−9=❷ ☐

- 받아내림이 있는 (몇십)−(몇십몇)

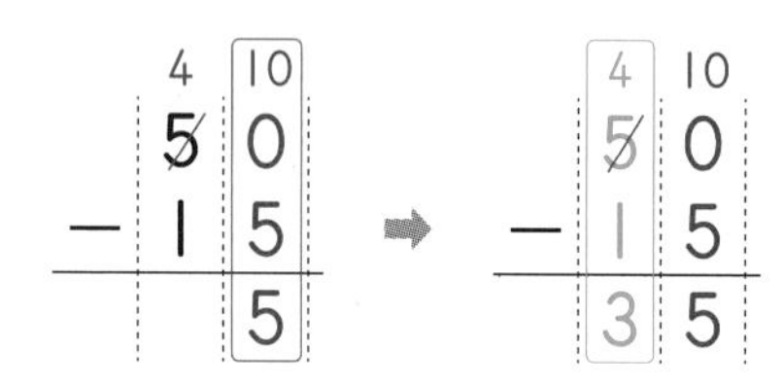

→ 십의 자리에서 받아내림한 수

① 일의 자리 계산: 10−5=5

② 십의 자리 계산: 5−❸ ☐ −1=3

→ 받아내림을 하고 남은 수

➡ 50−15=❹ ☐

[답] ❶ 1 ❷ 14 ❸ 1 ❹ 35

핵심 체크

1 34−8의 계산에서 일의 자리 계산은 십의 자리에서 받아내림하여 (8−4=4 , 14−8=6)이고, 십의 자리 계산은 3−1=2이므로 34−8=(24 , 26)입니다.

2 70−41의 계산에서 일의 자리 계산은 십의 자리에서 받아내림하여 10−1=9이고, 십의 자리 계산은 (7−4=3 , 7−1−4=2)이므로 70−41=(31 , 29)입니다.

16 뺄셈하기(2)

● 받아내림이 있는 (두 자리 수)−(두 자리 수)

$$\begin{array}{r} {\scriptstyle 3\ \ 10} \\ \not{4}\ \ 1 \\ -\ 2\ \ 8 \\ \hline 3 \end{array} \Rightarrow \begin{array}{r} {\scriptstyle 3\ \ 10} \\ \not{4}\ \ 1 \\ -\ 2\ \ 8 \\ \hline 1\ \ 3 \end{array}$$

받아내림하고 남은 수에서 빼지 않아 계산이 틀리는 경우가 있으니 주의해요.

(십의 자리에서 받아내림한 수)

① 일의 자리 계산: 11−8=3

② 십의 자리 계산: 4−❶ ☐ −2=1 (받아내림을 하고 남은 수)

➡ 41−28=❷ ☐

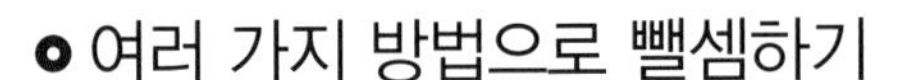

● 여러 가지 방법으로 뺄셈하기

43−19의 계산

방법1 43에서 13을 먼저 빼고 6을 더 빼는 방법입니다.

➡ 43−19=43−13−❸ ☐ =30−6=24

방법2 43에서 20을 뺀 후 1을 더하는 방법입니다.

➡ 43−19=43−20+❹ ☐ =23+1=24

[답] ❶ 1 ❷ 13 ❸ 6 ❹ 1

핵심 체크

1 46−29의 계산에서 일의 자리 계산은 십의 자리에서 받아내림하여 (9−6=3 , 16−9=7)이고, 십의 자리 계산은 4−1−2=1이므로 46−29=(17 , 27)입니다.

2 52−16의 계산에서 52에서 20을 뺀 후 (4 , 6)을/를 더하는 방법으로 계산하면 52−16=52−20+4=32+4=(36 , 46)입니다.

17 덧셈과 뺄셈의 관계, □의 값 구하기

덧셈식을 뺄셈식으로 나타내기	뺄셈식을 덧셈식으로 나타내기
8+2=10 → 10−8=2, 10−❶□=8	7−4=3 → 3+❷□=7, 4+3=7

• 덧셈식에서 □의 값 구하기

데려온 토끼 수를 □로 나타내면 5+□=8입니다.
덧셈과 뺄셈의 관계를 이용하면
8−❸□=□, □=3입니다.
➡ 데려온 토끼는 3마리입니다.

• 뺄셈식에서 □의 값 구하기

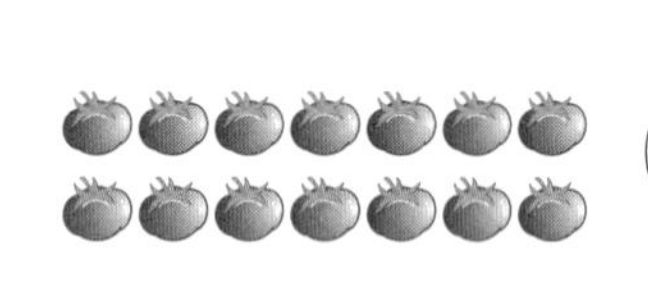

먹은 토마토 수를 □로 나타내면 14−□=9입니다.
덧셈과 뺄셈의 관계를 이용하면
14−❹□=□, □=5입니다.
➡ 먹은 토마토는 ❺□개입니다.

[답] ❶ 2 ❷ 4 ❸ 5 ❹ 9 ❺ 5

핵심 체크

1 덧셈식에서 6+1=7을 뺄셈식 7−□=6으로 나타낼 때 □ 안에 들어갈 수는 (1 , 2)입니다.

2 8−□=3에서 덧셈과 뺄셈의 관계를 이용하면 8−(5 , 3)=□, □=(3 , 5)입니다.

18 세 수의 계산

세 수의 계산은 앞에서부터 두 수씩 차례로 계산합니다.

- $24+17-11$의 계산

$24+17-11=30$ (① $24+17=41$, ② $41-11=30$)

$$\begin{array}{r} 24 \\ +\ 17 \\ \hline 41 \end{array} \rightarrow \begin{array}{r} ❶ \\ -\ 11 \\ \hline 30 \end{array}$$

① $24+17=41$ ② $41-11=30$ ➡ $24+17-11=$ ❷

- $53-27+16$의 계산

$53-27+16=42$ (① $53-27=26$, ② $26+16=42$)

$$\begin{array}{r} 53 \\ -\ 27 \\ \hline 26 \end{array} \rightarrow \begin{array}{r} ❸ \\ +\ 16 \\ \hline 42 \end{array}$$

① $53-27=26$ ② $26+16=42$ ➡ $53-27+16=$ ❹

[답] ❶ 41 ❷ 30 ❸ 26 ❹ 42

핵심체크

1 $46-19+13$의 계산에서 ($46-19$, $19+13$)을/를 먼저 계산합니다.

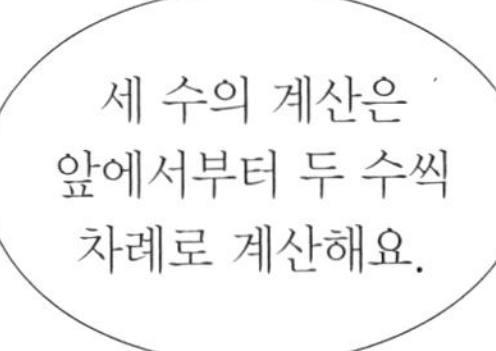

2 $30+16-22$의 계산에서 $30+16=$(46 , 56)이므로
$30+16-22=$(24 , 34)입니다.

집중 연습

[01~08] 계산을 하시오.

01
$$\begin{array}{r} 35 \\ +\ \ 9 \\ \hline \end{array}$$

02
$$\begin{array}{r} 67 \\ +26 \\ \hline \end{array}$$

03
$$\begin{array}{r} 58 \\ +92 \\ \hline \end{array}$$

04
$$\begin{array}{r} 26 \\ +84 \\ \hline \end{array}$$

05 $54+9$

06 $36+37$

07 $46+83$

08 $98+39$

[09~16] 계산을 하시오.

09
$$\begin{array}{r} 43 \\ -\ \ 6 \\ \hline \end{array}$$

10
$$\begin{array}{r} 90 \\ -38 \\ \hline \end{array}$$

11
$$\begin{array}{r} 60 \\ -56 \\ \hline \end{array}$$

12
$$\begin{array}{r} 58 \\ -19 \\ \hline \end{array}$$

13 $36-9$

14 $84-6$

15 $30-17$

16 $60-44$

집중 연습

[17~20] 덧셈식을 보고 뺄셈식으로 나타내시오.

17

$3+6=9$

➡ $9-\square=6$, $9-6=\square$

18

$17+21=38$

➡ $\square-17=21$, $38-21=\square$

19

$40+25=65$

➡ $65-\square=25$, $65-\square=\square$

20

$68+9=77$

➡ $77-\square=9$, $\square-\square=\square$

[21~24] 뺄셈식을 보고 덧셈식으로 나타내시오.

21

$8-2=6$

➡ $6+2=\square$, $2+\square=8$

22

$11-4=7$

➡ $\square+4=11$, $4+\square=11$

23

$33-15=18$

➡ $\square+15=33$, $15+\square=\square$

24

$90-61=29$

➡ $29+\square=\square$, $\square+\square=\square$

[25~32] 계산을 하시오.

25 $16+28+45=\square$

26 $34+27+18=\square$

27 $28-19-3=\square$

28 $60-22-17=\square$

29 $37+44-16=\square$

30 $59+27-22=\square$

31 $40-12+34=\square$

32 $91-5+3=\square$

19 여러 가지 단위로 길이 재기

우리 몸을 이용하여 길이 재기

뼘은 여러 가지 방법으로 잴 수 있습니다.

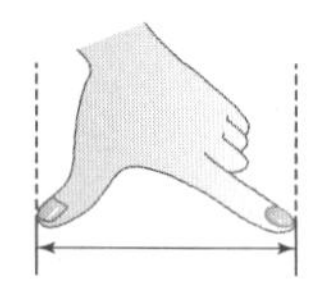
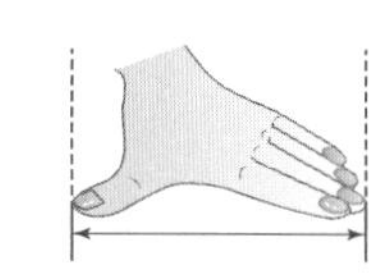
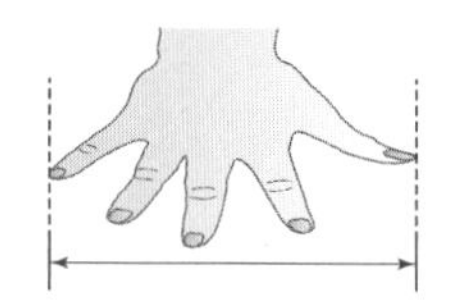

여러 가지 단위로 길이 재기

길이를 잴 때 사용할 수 있는 단위에는 여러 가지가 있습니다.

물건을 이용하여 길이를 잴 때 재어 보는 물건에 따라 재는 횟수가 ❶ [ ] 니다.

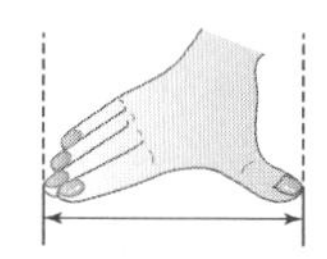
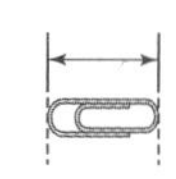
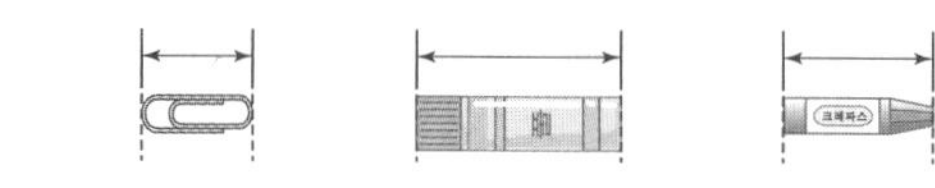
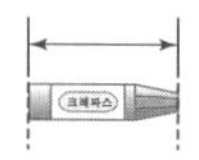

색 테이프의 길이를 뼘으로 재어 보기

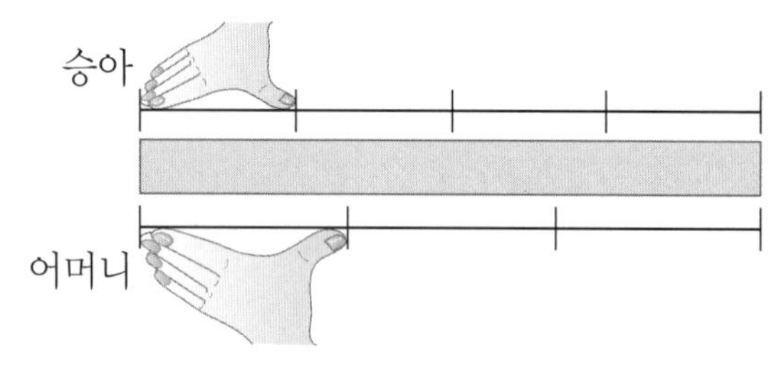

승아의 뼘으로 ❷ [ ] 번, 어머니의 뼘으로 3번입니다.

➡ 길이를 재는 단위가 다르면 길이를 잰 횟수가 다르기 때문에 불편합니다.

[답] ❶ 다릅 ❷ 4

핵심 체크

1

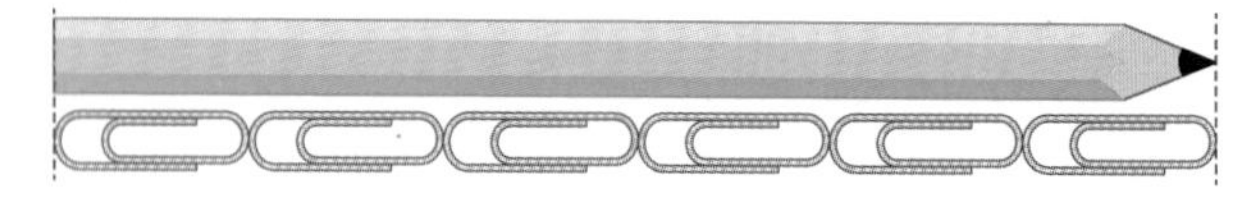

➡ 연필의 길이는 클립으로 (5 , 6)번입니다.

2 길이를 잴 때 사용되는 단위 중에 (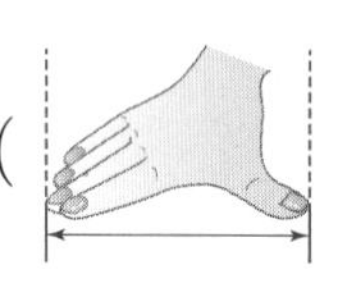 , [크레파스])이 더 깁니다.

20 1 cm 알아보기

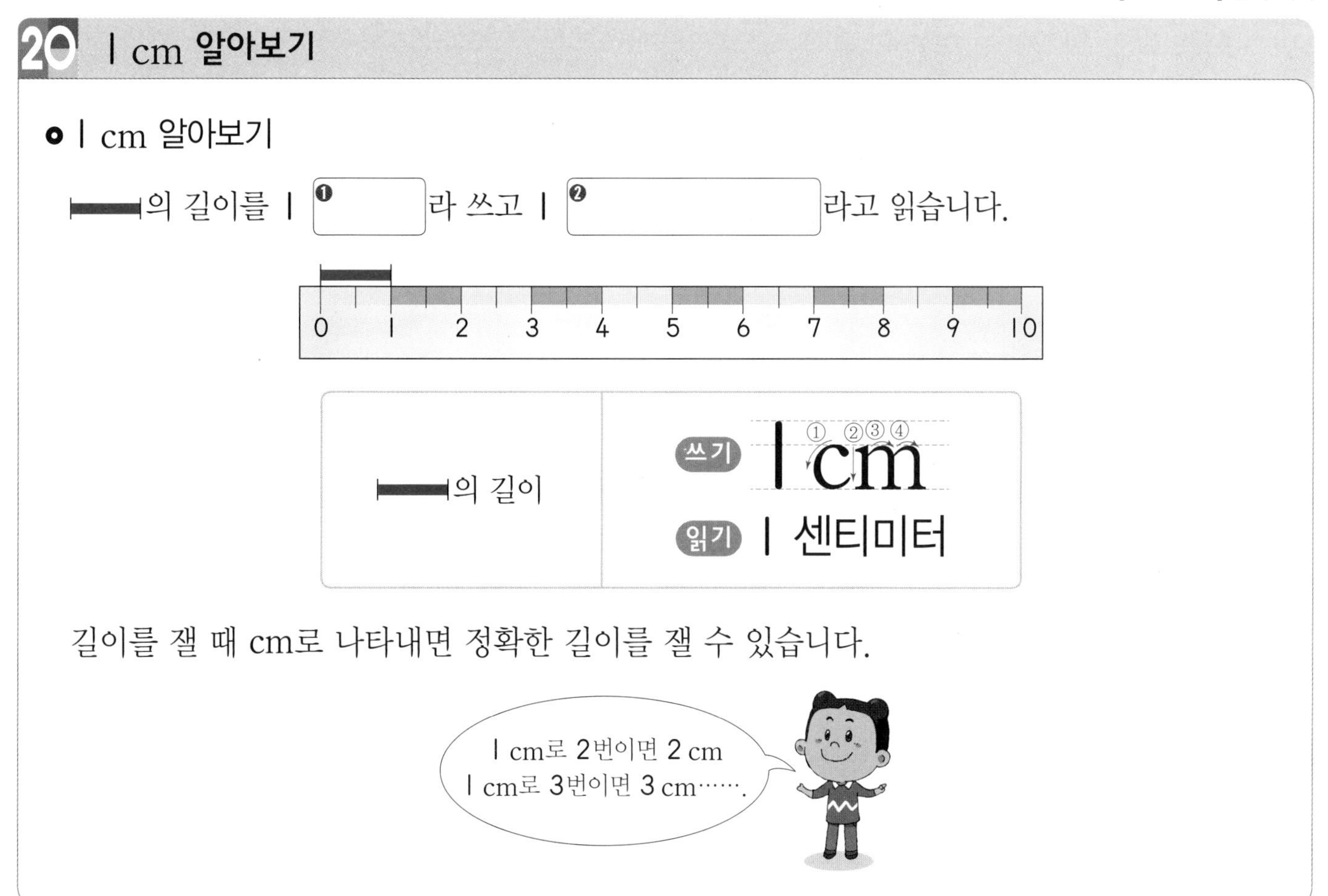

- 1 cm 알아보기

▬의 길이를 1 ❶ (   ) 라 쓰고 1 ❷ (   ) 라고 읽습니다.

길이를 잴 때 cm로 나타내면 정확한 길이를 잴 수 있습니다.

[답] ❶ cm ❷ 센티미터

핵심 체크

1 1 cm는 (1 cm , 1 cm)라고 씁니다.

2

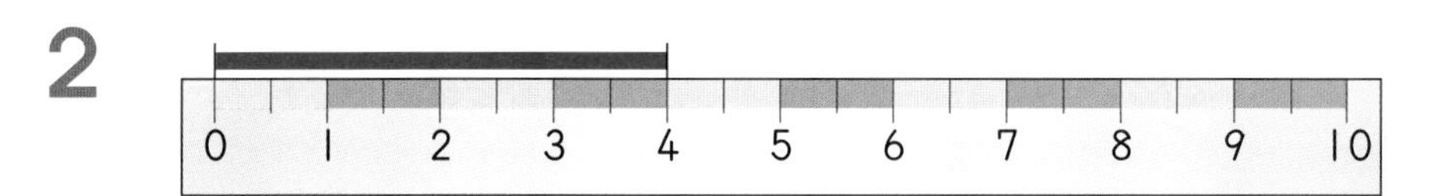

➡ 주어진 길이 4 cm는 (4 미터 , 4 센티미터)라고 읽습니다.

21 자로 길이 재기

- 물건의 한쪽 끝을 자의 눈금 0에 맞추어 길이 재기

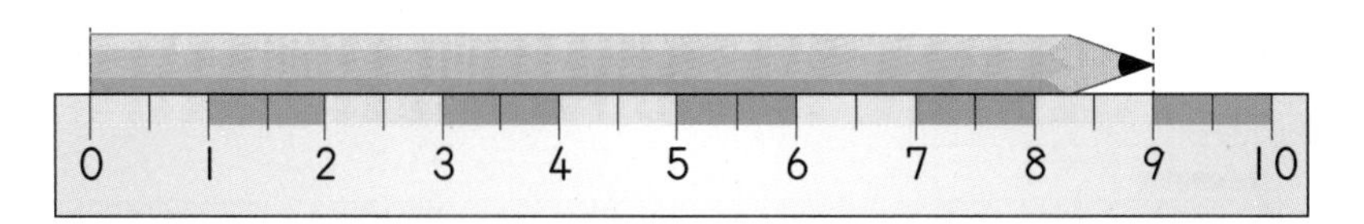

① 연필의 한쪽 끝을 자의 눈금 ❶ [ ] 에 맞춥니다.

② 연필의 다른 쪽 끝에 있는 자의 눈금을 읽습니다.

➡ 연필의 길이는 ❷ [ ] cm입니다.

- 물건의 한쪽 끝을 자의 눈금 0이 아닌 한 눈금에 맞추어 길이 재기

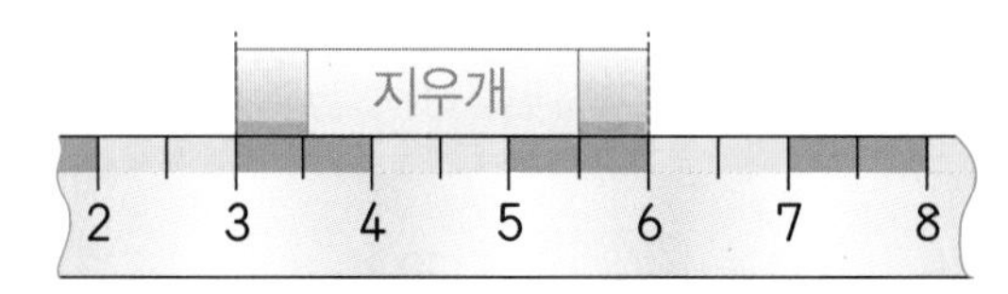

① 지우개의 한쪽 끝을 자의 한 눈금에 맞춥니다.

② 그 눈금에서 다른 쪽 끝까지 1 cm가 몇 번 들어가는지 셉니다.

➡ 3부터 6까지 1 cm가 ❸ [ ] 번 있으므로 지우개의 길이는 ❹ [ ] cm입니다.

[답] ❶ 0 ❷ 9 ❸ 3 ❹ 3

핵심 체크

1

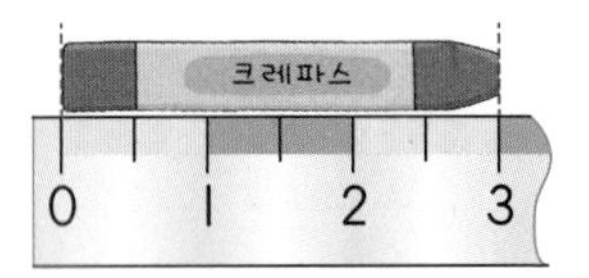

➡ 크레파스의 길이는 (2 cm , 3 cm)입니다.

2

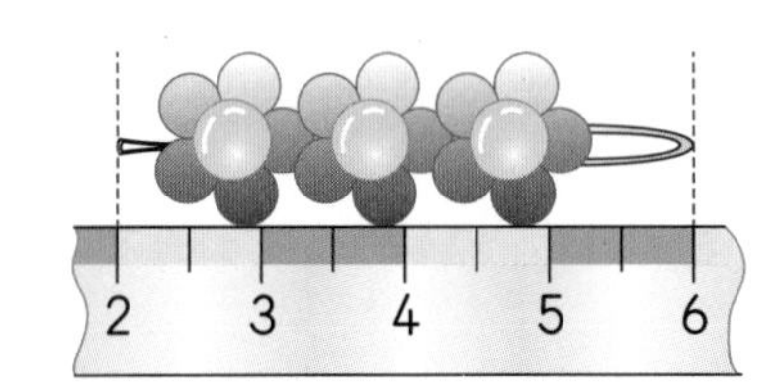

➡ 머리핀의 길이는 1 cm가 (4 , 6)번 있으므로 (4 cm , 6 cm)입니다.

22 길이 어림하기

● 자를 이용하여 약 몇 cm인지 알아보기

길이가 자의 눈금 사이에 있을 때는 눈금과 가까이에 있는 쪽의 숫자를 읽으며, 숫자 앞에 약을 붙여 말합니다.

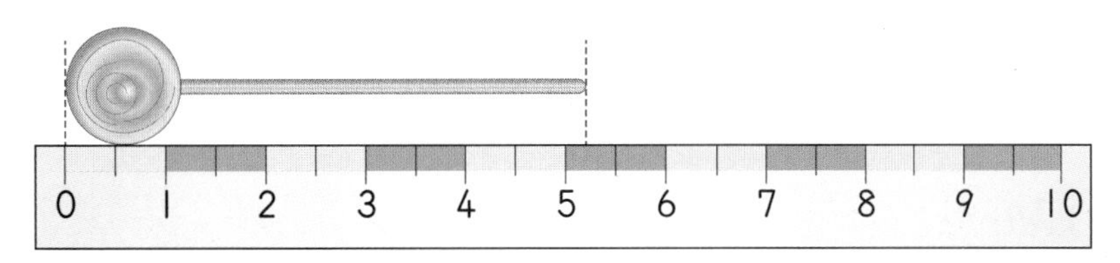

➡ ❶ [　　] cm에 가깝기 때문에 사탕의 길이는 ❷ [　　] 5 cm입니다.

● 자를 이용하지 않고 물건의 길이를 어림하기

자를 이용하지 않고 1 cm가 몇 번 정도 들어가는지 생각하여 길이를 어림할 수 있습니다.
어림한 길이를 말할 때는 숫자 앞에 약을 붙여서 말합니다.

연필의 길이는 1 cm가 7번 정도 들어가므로 약 ❸ [　　] cm로 어림할 수 있습니다.

[답] ❶ 5 ❷ 약 ❸ 7

핵심 체크

1

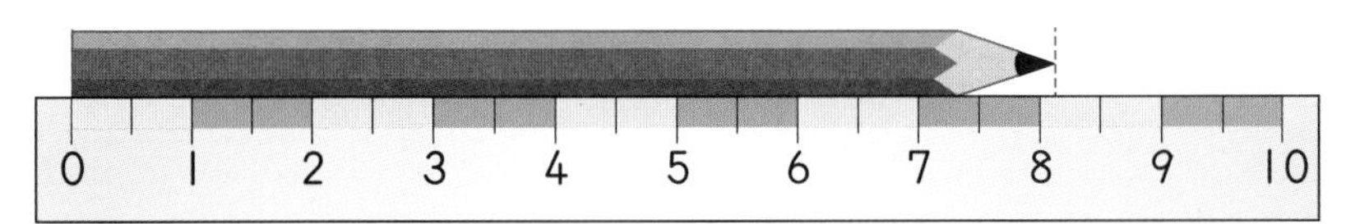

➡ 연필의 길이는 약 (8 cm , 9 cm)입니다.

2

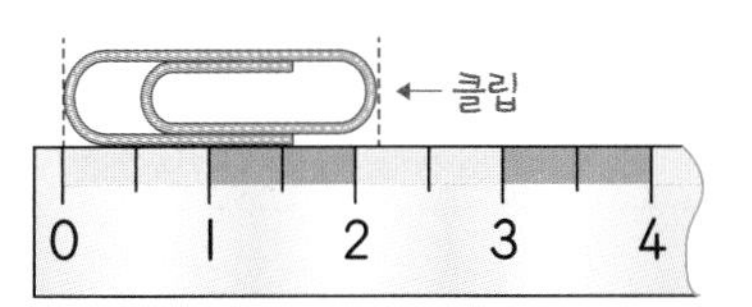

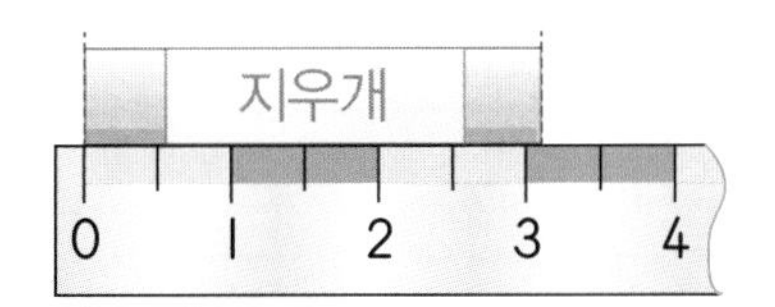

➡ 어림한 길이가 약 3 cm인 물건은 (클립 , 지우개)입니다.

집중 연습

[01~02] 주어진 물건의 길이를 여러 가지 단위로 재어 보시오.

01

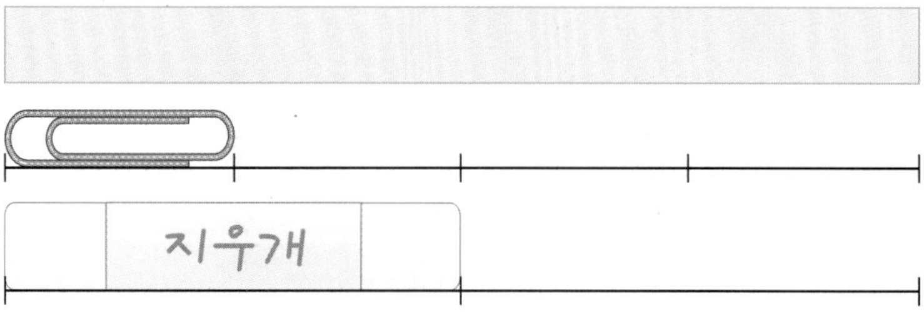

□번

지우개

□번

02

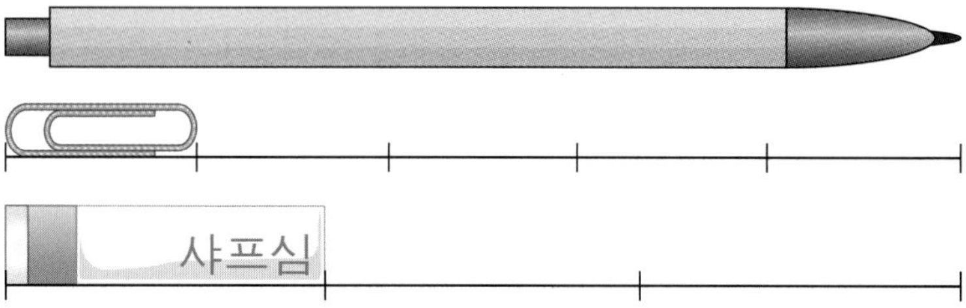

□번

샤프심

□번

[03~04] 주어진 길이를 쓰고 읽어 보시오.

03

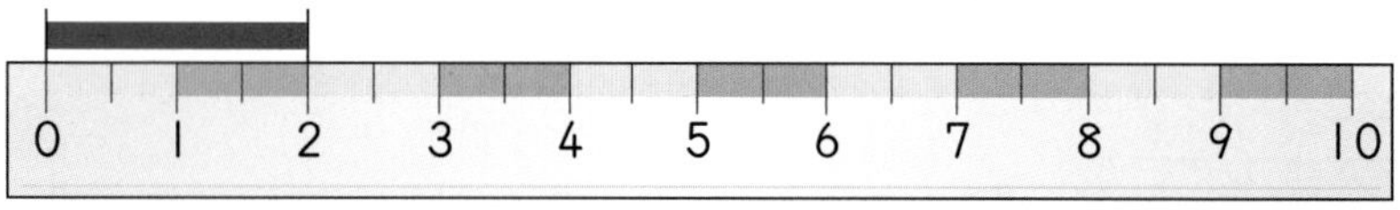

0 1 2 3 4 5 6 7 8 9 10

1 cm □번 쓰기 읽기

04

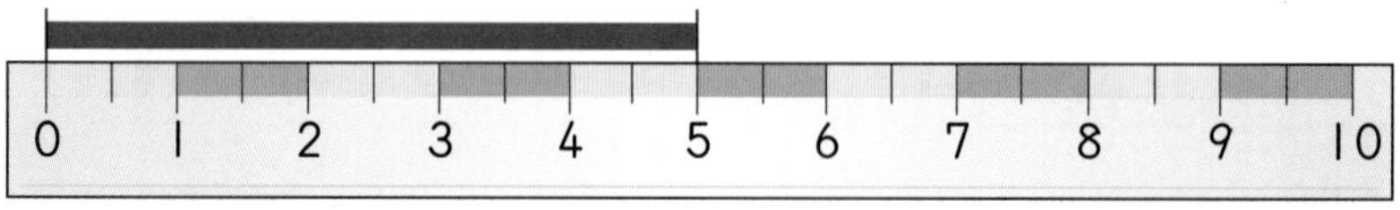

0 1 2 3 4 5 6 7 8 9 10

1 cm □번 쓰기 읽기

[05~08] 물건의 길이를 알아 보시오.

05

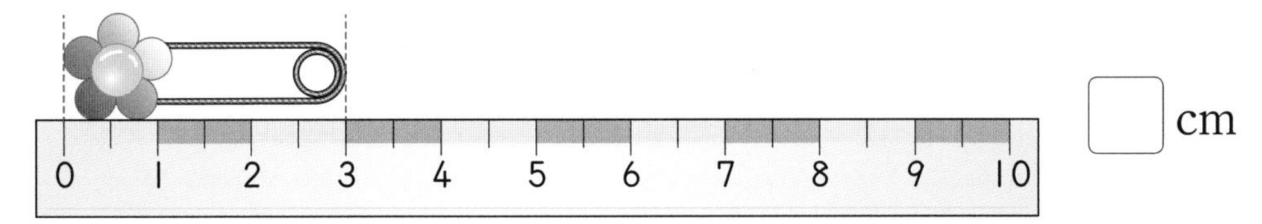

□ cm

06

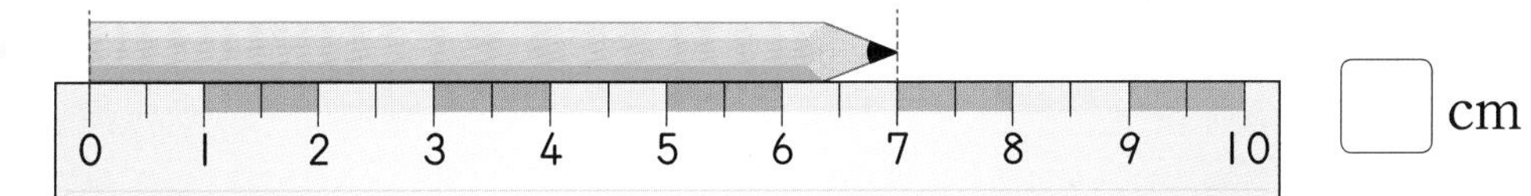

□ cm

07

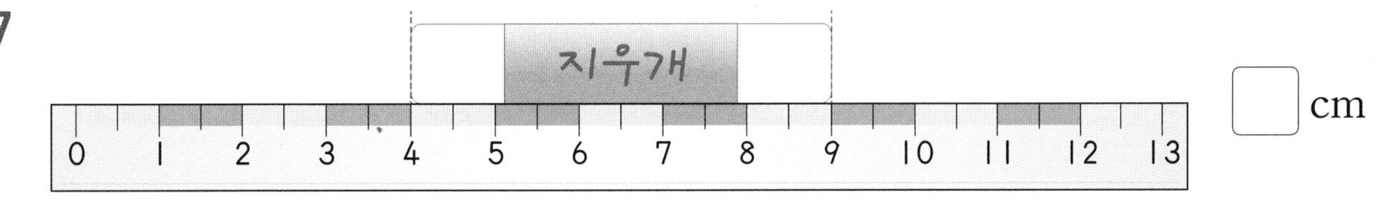

□ cm

08

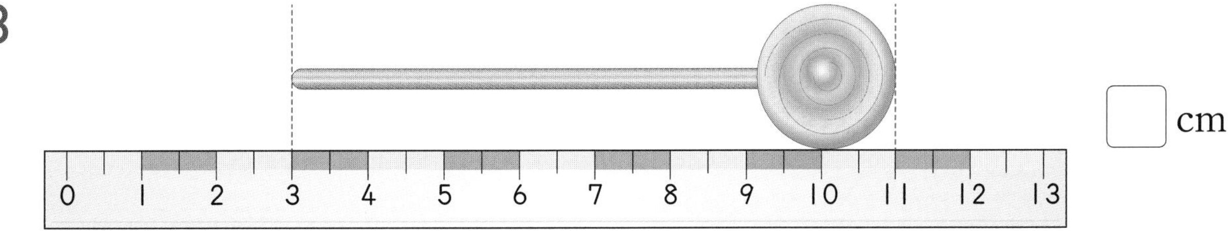

□ cm

23 분류하기

❶ [　　　]는 기준에 따라 나누는 것입니다.

■ 모양	▲ 모양

- 분명한 기준으로 분류하기

좋아하는 옷과 좋아하지 않는 옷으로 분류하면 사람에 따라 다른 결과가 나올 수 있습니다. 분명한 기준으로 분류해야 누구나 같은 결과가 나옵니다.

[답] ❶ 분류 ❷ 바지

핵심 체크

1

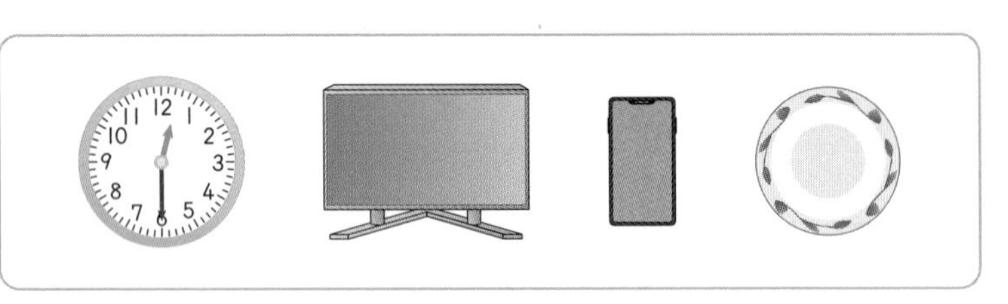

위의 물건은 (비싼 것과 비싸지 않은 것 , 모양)에 따라 분류할 수 있습니다.

2 분명한 기준으로 분류하면 누구나 같은 결과가 나옵니다. (○ , ×)

24 기준에 따라 분류하기

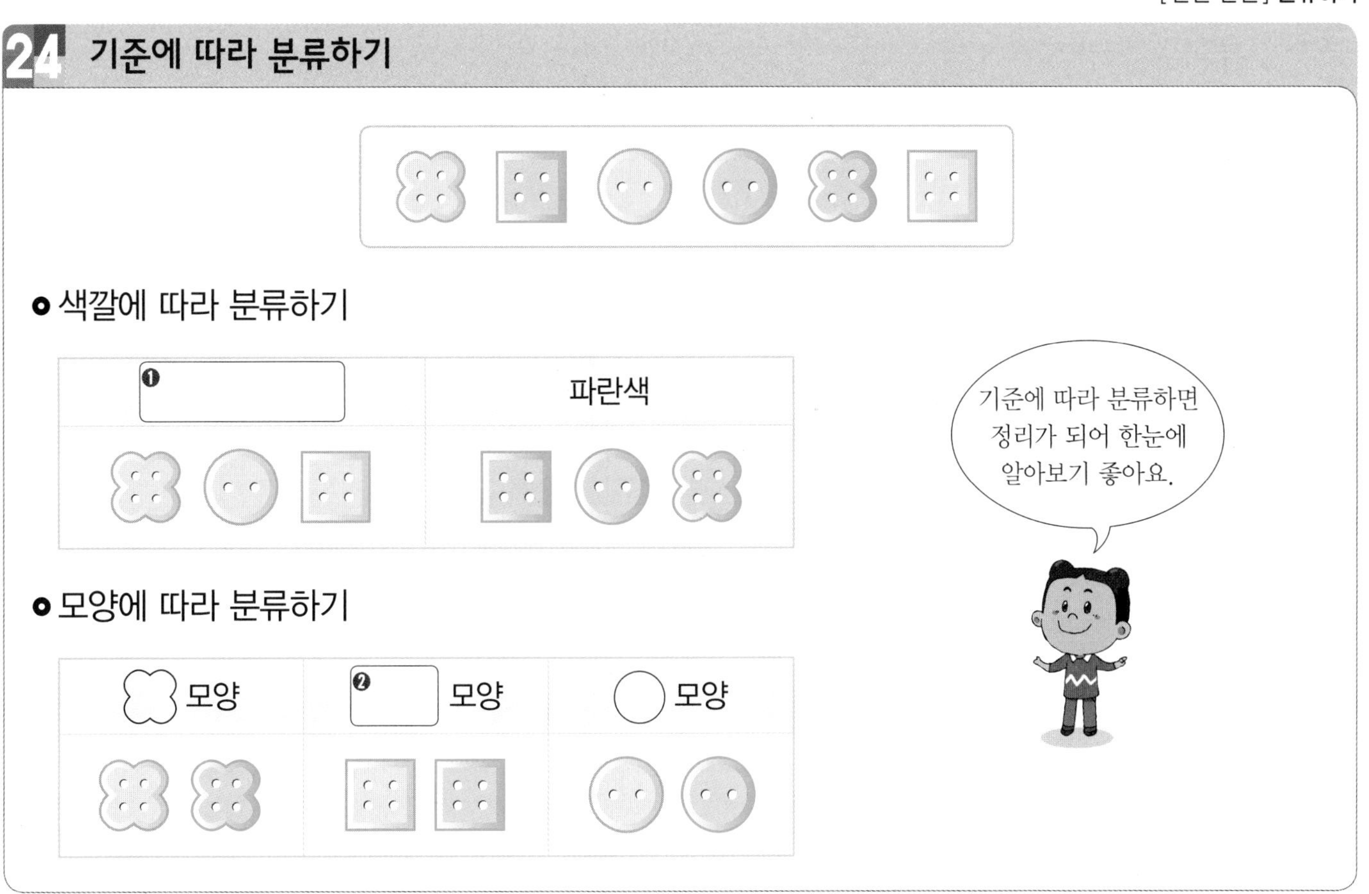

- 색깔에 따라 분류하기

❶	파란색

- 모양에 따라 분류하기

모양	❷ 모양	○ 모양

[**답**] ❶ 노란색 ❷ □

핵심 체크

1

노란색	파란색	빨간색

➡ 신발을 (색깔 , 모양)에 따라 분류한 것입니다.

2

원	삼각형	사각형

➡ 블록을 (색깔 , 크기 , 모양)에 따라 분류한 것입니다.

25 분류하여 세어 보기

● 분류하여 세어 보기

종류별로 ∨, ○, × 등과 다양한 기호를 사용하여 자료를 빠뜨리지 않고 모두 셉니다.

센 것을 표시할 때 ~~////~~의 표시를 사용하는 것이 좋습니다.

좋아하는 색

초록	빨강	파랑	파랑	빨강
빨강	파랑	빨강	초록	빨강

좋아하는 색	초록	빨강	❶
세면서 표시하기	//	~~////~~	///
학생 수(명)	❷	5	3

[답] ❶ 파랑 ❷ 2

핵심 체크

[1~2] 사탕을 분류하여 세어 보려고 합니다.

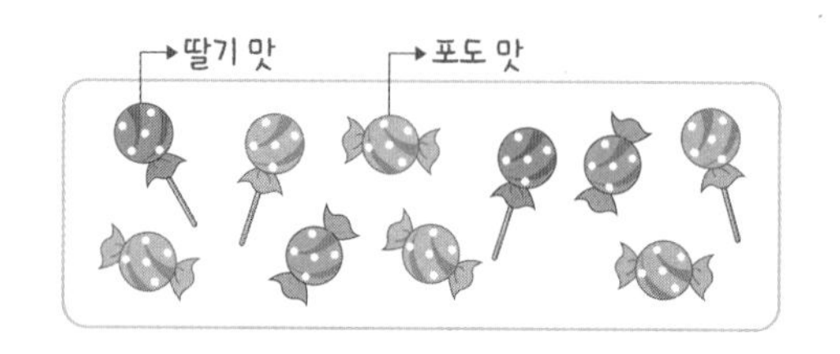

사탕의 맛	딸기 맛	포도 맛
세면서 표시하기		
사탕 수(개)		

1 딸기 맛을 세면서 표시하면 (//// , ~~////~~ /)이고, (4 , 6)개입니다.

2 포도 맛을 세면서 표시하면 (//// , ~~////~~ /)이고, (4 , 6)개입니다.

26 분류한 결과 말해 보기

분류한 결과 알아보기

학생들이 좋아하는 과일을 조사하여 분류하였습니다.

과일	사과	배	포도
학생 수(명)	10	5	3

➡ 가장 많은 학생들이 좋아하는 과일: 사과

가장 적은 학생들이 좋아하는 과일: ❶ ☐

분류한 결과를 보고 이야기하기

지유네 반 친구들이 가고 싶어 하는 소풍 장소를 조사하였습니다.

장소	놀이공원	식물원	박물관
학생 수(명)	5	4	11

➡ 분류한 결과를 보고 가장 많은 학생들이 가고 싶어 하는 ❷ ☐ 으로 소풍을 가기로 했습니다.

[답] ❶ 포도 ❷ 박물관

핵심 체크

[1~2] 학생들이 좋아하는 운동을 조사하여 분류한 것입니다.

운동	야구	배구	농구	축구
학생 수(명)	6	3	4	7

1 가장 많은 학생들이 좋아하는 운동은 (야구 , 축구)입니다.

2 가장 적은 학생들이 좋아하는 운동은 (배구 , 농구)입니다.

집중 연습

[01~02] 조사한 자료를 주어진 기준에 따라 분류해 보시오.

01

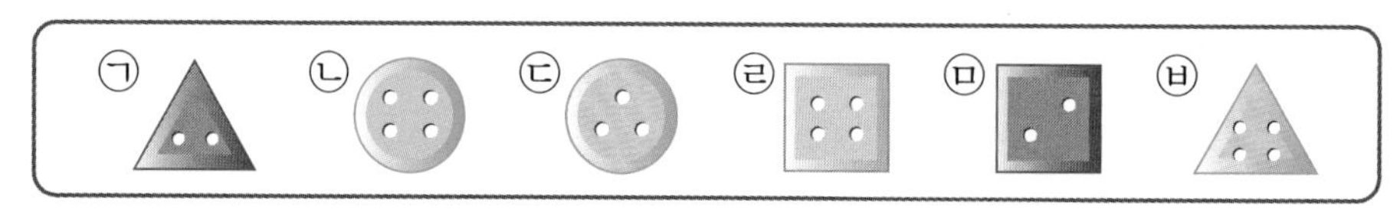

(1)

모양	삼각형	원	사각형
기호			

(2)

구멍 수	2개	3개	4개
기호			

02

(1)

먹을 수 있는 것	먹을 수 없는 것

(2)

원	삼각형	사각형

[03~06] 학생들이 좋아하는 것을 조사하여 나타낸 것입니다. 표를 완성하시오.

03

사과	배	포도	사과
포도	사과	포도	배
포도	배	포도	사과
포도	사과	사과	포도

종류	사과		
세면서 표시하기	𝍸/		
학생 수(명)			

04

윷놀이	딱지치기	딱지치기	줄넘기
줄넘기	윷놀이	줄넘기	딱지치기
딱지치기	딱지치기	줄넘기	줄넘기
딱지치기	줄넘기	딱지치기	줄넘기

종류	윷놀이	딱지치기	
세면서 표시하기			
학생 수(명)			

05

야구	농구	축구	배구
야구	야구	배구	농구
축구	축구	농구	야구
야구	농구	야구	축구

종류				
세면서 표시하기				
학생 수(명)				

06

파랑	보라	검정	분홍
분홍	파랑	파랑	검정
검정	분홍	파랑	검정
파랑	보라	파랑	파랑

종류				
세면서 표시하기				
학생 수(명)				

27 여러 가지 방법으로 세어 보기, 묶어 세기

사과의 개수 세어 보기

하나씩 세어 보기 ➡ 1, 2, 3, ……, 11, 12 ➡ 12개

2씩 뛰어 세어 보기 ➡ 2, 4, 6, 8, 10, 12 ➡ 12개

3씩 묶어 세어 보기 ➡ 3개씩 ❶ [ ] 묶음

➡ 3+3+3+3=❷ [ ] (개)

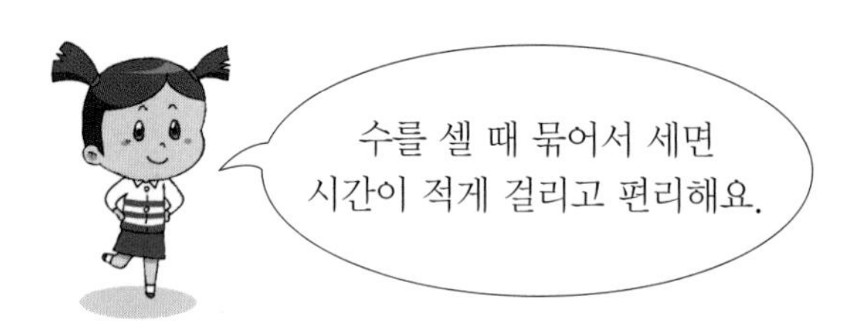

3개씩 묶어 세어 보기

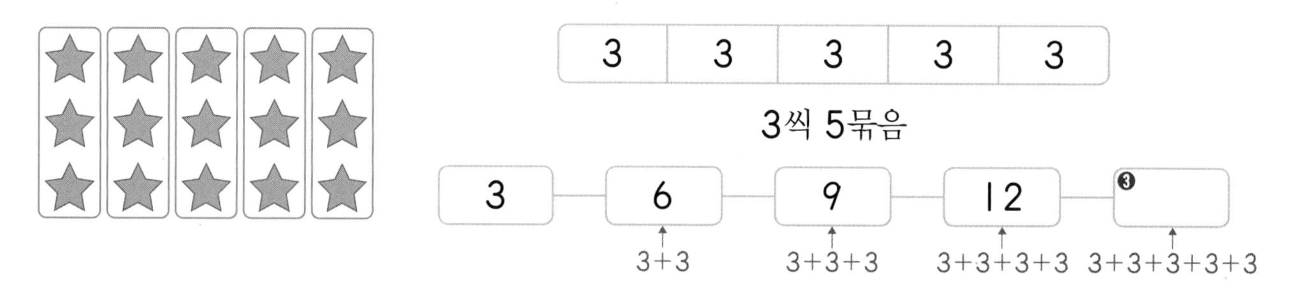

5개씩 묶어 세어 보기

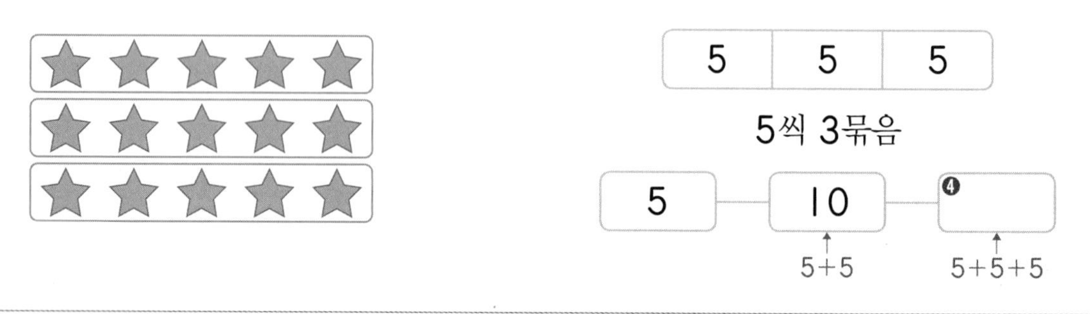

[답] ❶ 4 ❷ 12 ❸ 15 ❹ 15

핵심 체크

1

➡ 사탕을 3개씩 묶어 세어 보면 3개씩 (3 , 4)묶음이므로 (9 , 12)개입니다.

28 몇의 몇 배

2의 4배

① 8은 2씩 4묶음입니다.

② 2씩 4묶음은 2의 ❶ ☐ 배입니다.

2+2+2+2=8

③ 2의 4배는 ❷ ☐ 입니다.

3의 5배

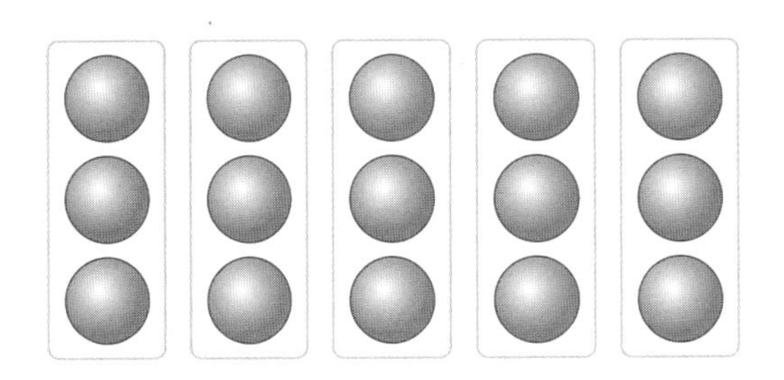

① 3씩 5묶음은 15입니다.

② 3씩 5묶음은 ❸ ☐ 의 5배입니다.

3+3+3+3+3=15

③ 3의 5배는 ❹ ☐ 입니다.

[답] ❶ 4 ❷ 8 ❸ 3 ❹ 15

핵심 체크

1

➡ 2의 3배는 (4 , 6)입니다.

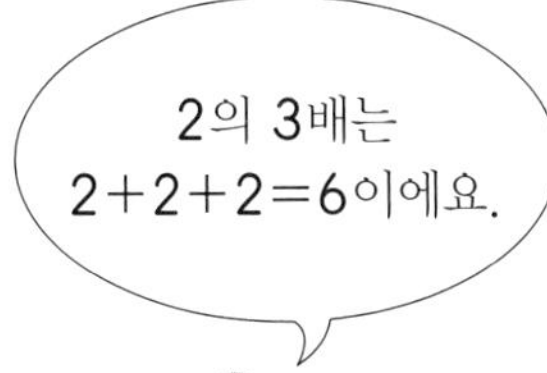

2

➡ 4씩 3묶음은 (12 , 15)이고 12는 4의 (3 , 4)배입니다.

29 곱셈식

3의 4배

3의 4배는 3 ❶[ ] 4라고 씁니다.

3×4를 3 곱하기 4라고 읽습니다.

3+3+3+3은 3×4와 같습니다.
3×4=12는 3 곱하기 4는 12와 같습니다라고 읽습니다.

3과 4의 곱은 ❷[ ] 입니다.

풍선의 개수 알아보기

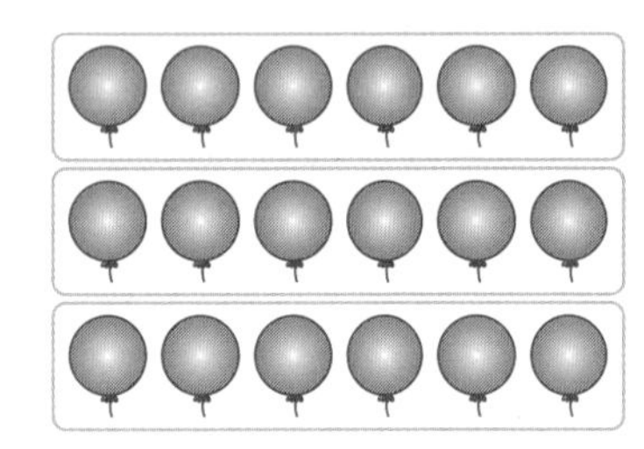

풍선의 개수는 6씩 3묶음이므로 6+6+6=18입니다.
곱셈식으로 나타내면 6×❸[ ]=❹[ ]입니다.

[답] ❶ × ❷ 12 ❸ 3 ❹ 18

핵심 체크

1 5의 6배는 (5+6 , 5×6)이라고 쓰고,
(5 더하기 6 , 5 곱하기 6)이라고 읽습니다.

2 7+7+7은 (7×3 , 7×4)와/과 같습니다.

30 여러 가지 방법으로 곱셈식 나타내기

● 사과의 개수를 곱셈식으로 나타내기

① 8씩 2묶음이므로 $8+8=16$입니다.

➡ $8\times$ ❶ $=16$

② 2씩 8묶음이므로 $2+2+2+2+2+2+2+2=16$입니다.

➡ ❷ $\times8=16$

③ 4씩 4묶음이므로 $4+4+4+4=16$입니다.

➡ $4\times$ ❸ $=16$

[답] ❶ 2 ❷ 2 ❸ 4

핵심 체크

1

➡ 단추가 (4 , 5)개씩 2봉지 있습니다.
이것을 (4×2 , 5×2)라고 씁니다.

2

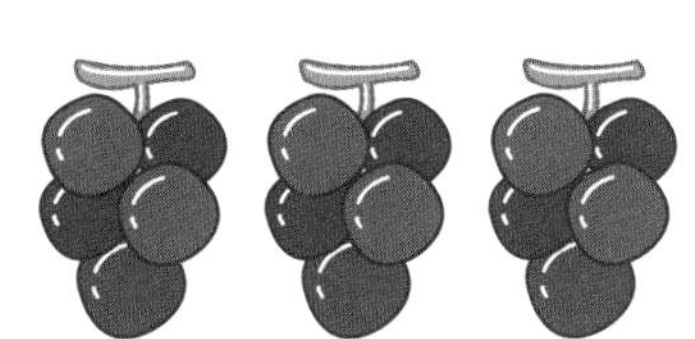

➡ (5×2 , 5×3)(으)로 나타내고 (10 , 15)입니다.

집중 연습

[01~06] 그림을 보고 □ 안에 알맞은 수를 써넣으시오.

01

4씩 3묶음

➡ □+□+□

➡ □×□

02

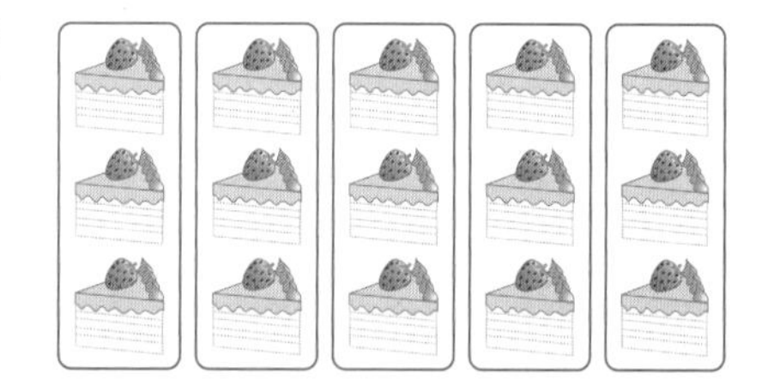

3씩 □묶음

➡ □+□+□+□+□

➡ □×□

03

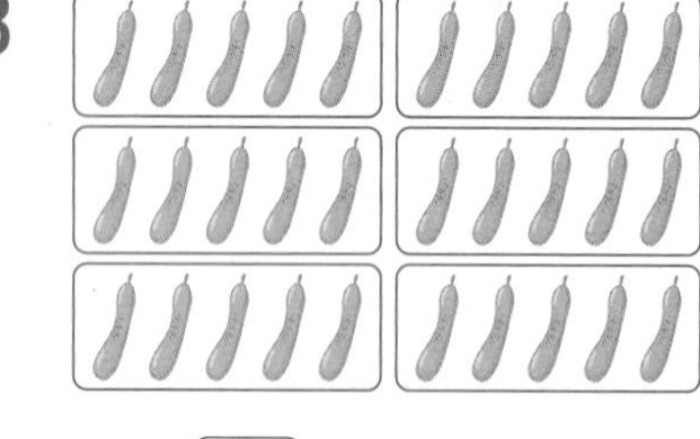

5씩 □묶음

➡ □+□+□+□+□+□

➡ □×□

04

□씩 3묶음

➡ □+□+□

➡ □×□

05

□씩 4묶음

➡ □+□+□+□

➡ □×□

06

□씩 7묶음

➡ □+□+□+□+□+□+□

➡ □×□

[07~12] 그림을 보고 □ 안에 알맞은 수를 써넣으시오.

07

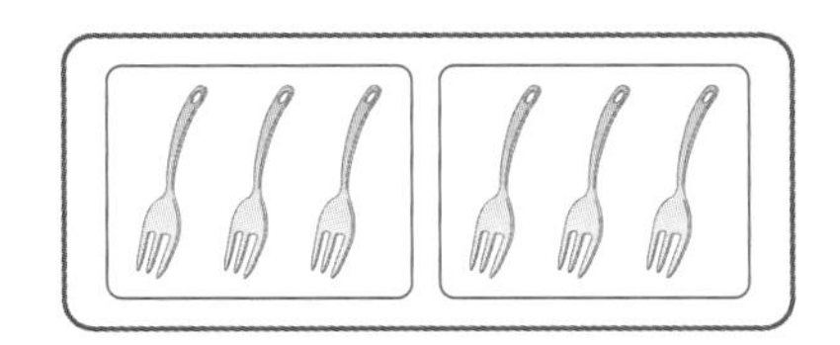

3의 2배는 □입니다.

3×□=□

08

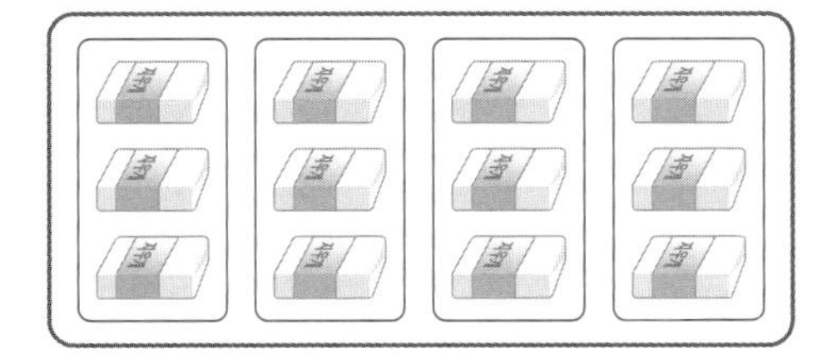

3의 4배는 □입니다.

3×□=□

09

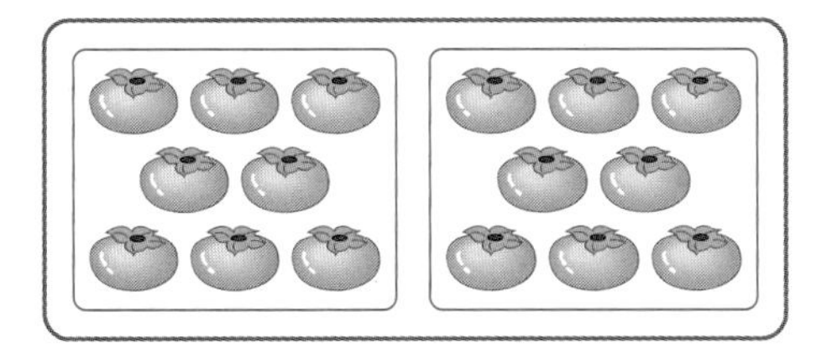

8의 □배는 □입니다.

8×□=□

10

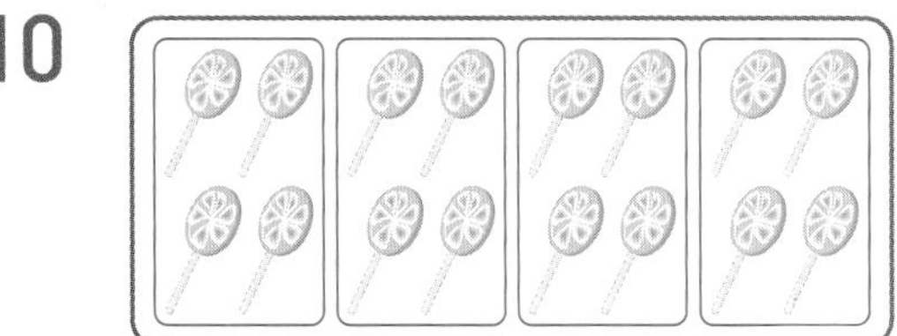

4의 □배는 □입니다.

□×□=□

11

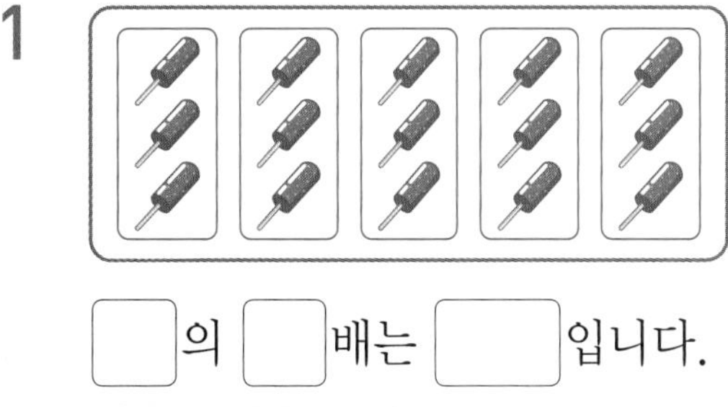

□의 □배는 □입니다.

□×□=□

12

□의 □배는 □입니다.

□×□=□

정답

2쪽 1 10에 ○표, 백에 ○표
2 3에 ○표, 삼백에 ○표

3쪽 1 1에 ○표, 5에 ○표
2 이백구십삼에 ○표

4쪽 1 40에 ○표
2 백에 ○표

5쪽 1 백에 ○표
2 1000에 ○표

6쪽 1 작습니다에 ○표

7쪽 1 크므로에 ○표, 큽니다에 ○표
2 일에 ○표, 작습니다에 ○표

8쪽
01 백삼십구 05 742
02 삼백이십칠 06 584
03 오백오십팔 07 195
04 구백칠십이 08 307

9쪽
09 $<$ 13 $>$
10 $>$ 14 $<$
11 $>$ 15 $>$
12 $<$ 16 $>$

10쪽 1 ◯에 ○표
2 없고에 ○표, 없습니다에 ○표

11쪽 1 △에 ○표
2 변에 ○표

12쪽 1 ▱에 ○표
2 꼭짓점에 ○표

13쪽 1 ③, ④, ⑤에 ○표

14쪽 1 오각형에 ○표
2 6에 ○표

15쪽 1 2에 ○표
2 4에 ○표

16쪽
01 ○ 05 ○
02 × 06 ×
03 × 07 ×
04 ○ 08 ○

17쪽
09 × 13 육
10 ○ 14 오
11 × 15 오
12 ○ 16 육

18쪽 1 $1+1=2$에 ○표, 23에 ○표
2 $7+4=11$에 ○표, 41에 ○표

정답

19쪽
1 6+7=13에 ○표, 136에 ○표
2 9에 ○표, 34에 ○표

20쪽
1 14−8=6에 ○표, 26에 ○표
2 7−1−4=2에 ○표, 29에 ○표

21쪽
1 16−9=7에 ○표, 17에 ○표
2 4에 ○표, 36에 ○표

22쪽
1 1에 ○표
2 3에 ○표, 5에 ○표

23쪽
1 46−19에 ○표
2 46에 ○표, 24에 ○표

24쪽
01 44
02 93
03 150
04 110
05 63
06 73
07 129
08 137

25쪽
09 37
10 52
11 4
12 39
13 27
14 78
15 13
16 16

26쪽
17 3, 3
18 38, 17
19 40, 25, 40
20 68, 77, 9, 68
21 8, 6
22 7, 7
23 18, 18, 33
24 61, 90, 61, 29, 90

27쪽
25 89
26 79
27 6
28 21
29 65
30 64
31 62
32 89

28쪽
1 6에 ○표
2 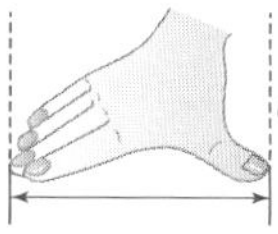 에 ○표

29쪽
1 1 cm 에 ○표
2 4 센티미터에 ○표

30쪽
1 3 cm에 ○표
2 4에 ○표, 4 cm에 ○표

31쪽
1 8 cm에 ○표
2 지우개에 ○표

32쪽
01 4, 2
02 5, 3
03 2, 2 cm, 2 센티미터
04 5, 5 cm, 5 센티미터

33쪽
05 3
06 7
07 5
08 8

34쪽 1 모양에 ○표 2 ○에 ○표

35쪽 1 색깔에 ○표 2 모양에 ○표

36쪽
1 ////에 ○표, 4에 ○표
2 卌 /에 ○표, 6에 ○표

37쪽 1 축구에 ○표 2 배구에 ○표

38쪽
01 (1) ㉠, ㉥ / ㉡, ㉢ / ㉣, ㉤
(2) ㉠, ㉤ / ㉢ / ㉡, ㉣, ㉥
02 (1) 비스킷, 피자
/ 거울, 단추, 동전, 트라이앵글, 공책, 교통 표지판, 색종이
(2) 거울, 동전, 피자
/ 단추, 트라이앵글, 교통 표지판
/ 비스킷, 공책, 색종이

39쪽
03 예 배, 포도 / ///, 卌 // / 6, 3, 7
04 줄넘기 / //, 卌 //, 卌 // / 2, 7, 7
05 예 야구, 농구, 축구, 배구 / 卌 /, ////, ////, // / 6, 4, 4, 2
06 예 파랑, 보라, 검정, 분홍 / 卌 //, //, ////, /// / 7, 2, 4, 3

40쪽 1 4에 ○표, 12에 ○표

41쪽
1 6에 ○표
2 12에 ○표, 3에 ○표

42쪽
1 5×6에 ○표, 5 곱하기 6에 ○표
2 7×3에 ○표

43쪽
1 5에 ○표, 5×2에 ○표
2 5×3에 ○표, 15에 ○표

44쪽
01 4, 4, 4 / 4, 3
02 5 / 3, 3, 3, 3, 3 / 3, 5
03 6 / 5, 5, 5, 5, 5, 5 / 5, 6
04 3 / 3, 3, 3 / 3, 3
05 6 / 6, 6, 6, 6 / 6, 4
06 2 / 2, 2, 2, 2, 2, 2, 2 / 2, 7

45쪽
07 6 / 2, 6
08 12 / 4, 12
09 2, 16 / 2, 16
10 4, 16 / 4, 4, 16
11 3, 5, 15 / 3, 5, 15
12 2, 6, 12 / 2, 6, 12

핵심개념
유형연습
탄탄하게!

수학
전략

꿈을 위한 동행

축구 선수, 래퍼, 선생님, 요리사, ...
배움을 통해 아이들은 꿈을 꿉니다.

학교에서 공부하고, 뛰어놀고 싶은 마음을
잠시 미뤄 둔 친구들이 있습니다.
어린이 병동에 입원해 있는 아이들.

이 아이들도 똑같이 공부하고
맘껏 꿈 꿀 수 있어야 합니다.
천재교육 학습봉사단은
직접 병원으로 찾아가
같이 공부하고 얘기를 나눕니다.

함께 하는 시간이
아이들이 꿈을 키우는 밑바탕이 되길 바라며
천재교육은 앞으로도
나눔을 실천하며 세상과 소통하겠습니다.

초등생의 필수 학습!
탄탄하게 다져두자!

초등 **수학**

정답 및 풀이

2·1

천재교육

모르는 문제는
확실하게
알고 가자!

정답 및 풀이

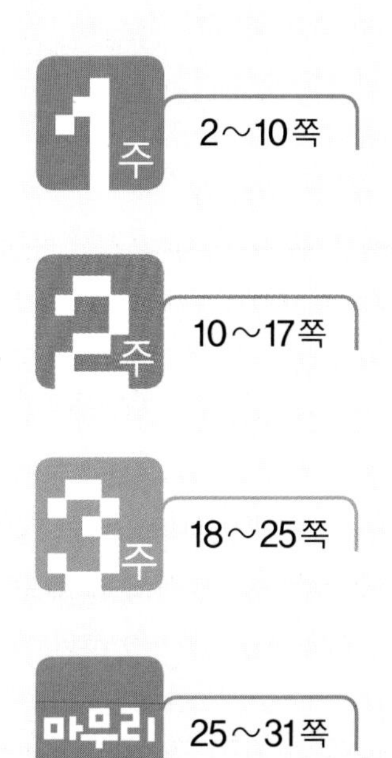

초등 수학 2-1

정답 및 풀이

1주 01일

개념 돌파 전략❶ 개념 기초 확인 9, 11쪽

1-1 100 ; 백	1-2 300 ; 삼백
2-1 270, 280	2-2 200, 300, 500
3-1 $<$	3-2 $<$
4-1 43	4-2 72
5-1 35	5-2 57

6-1 45, 19 ; 19, 45

6-2 58, 25 ; 25, 58

1-2 백 모형이 3개이므로 300이라고 쓰고, 삼백이라고 읽습니다.

2-2 100부터 100씩 뛰어서 세면 백의 자리 수가 1씩 커집니다.
따라서 100, 200, 300, 400, 500입니다.

3-2 백 모형의 수를 비교하면 2가 3보다 작으므로 253이 더 작습니다.

4-2 일 모형 12개는 십 모형 1개와 일 모형 2개로 바꿀 수 있으므로 수 모형은 모두 십 모형 7개, 일 모형 2개가 됩니다.

5-2 일 모형이 없으면 십 모형 1개를 일 모형 10개로 바꿉니다.
일 모형은 10개에서 3개를 빼서 7개가 남고, 십 모형은 6개에서 1개를 빼서 5개가 남습니다.

6-2 그림의 전체인 83에서 58을 빼면 25가 남고, 83에서 25를 빼면 58이 남습니다.

개념 돌파 전략❷ 12~13쪽

1 5, 3, 9

2 370, 390, 410

3 십에 ○표, 작습니다에 ○표

4 (1) (위에서부터) 1, 8, 2
(2) (위에서부터) 1, 1, 2, 5

5 (1) (위에서부터) 2, 10, 2, 5
(2) (위에서부터) 7, 10, 3, 6

6 43 ; 27, 70 ; 43, 70

1 539를 수 모형으로 나타내면 백 모형이 5개, 십 모형이 3개, 일 모형이 9개입니다.
따라서 100이 5개, 10이 3개, 1이 9개인 수입니다.

2 360부터 10씩 뛰어서 세면 십의 자리 수가 1씩 커집니다.
따라서 360, 370, 380, 390입니다.
400보다 10만큼 더 큰 수는 410입니다.

3 두 수의 백의 자리 수가 같으므로 바로 아래 자리인 십의 자리 수를 비교합니다.
3은 5보다 작으므로 635는 653보다 작습니다.

4 (1)
$$\begin{array}{r} {}^{1} \\ 46 \\ +\,36 \\ \hline 82 \end{array}$$
(2)
$$\begin{array}{r} {}^{1} \\ 83 \\ +\,42 \\ \hline 125 \end{array}$$

5 (1)
$$\begin{array}{r} {}^{2\;10} \\ \not{3}0 \\ -\;\;5 \\ \hline 25 \end{array}$$
(2)
$$\begin{array}{r} {}^{7\;10} \\ \not{8}1 \\ -\,45 \\ \hline 36 \end{array}$$

6 70에서 27을 빼면 43이므로 그림의 빈칸에 알맞은 수는 43입니다.
뺄셈식 $70-27=43$은 덧셈식 $43+27=70$, $27+43=70$으로 나타낼 수 있습니다.

필수 체크 전략 ❶ 14~17쪽

필수 예제 01 372 ; 삼백칠십이
확인 1-1 423 ; 사백이십삼
확인 1-2 ( )(○)
필수 예제 02 300, 20, 1
확인 2-1 600, 90, 8
확인 2-2 (1) 7, 700 (2) 2, 20
필수 예제 03 (1) 81 (2) 46
확인 3-1 46, 19
확인 3-2 (위에서부터) 76, 100, 85, 91
필수 예제 04 ( )(○)
확인 4-1 $80-32$에 ○표
확인 4-2 (선 잇기: 엇갈리게 연결)

확인 1-1 백 모형 4개, 십 모형 2개, 일 모형 3개이므로 수 모형이 나타내는 수는 423입니다.
423은 사백이십삼이라고 읽습니다.

확인 1-2 삼백팔을 수로 쓰면 308입니다.
308은 백 모형이 3개, 일 모형이 8개인 수입니다.

확인 2-1 698은 100이 6개, 10이 9개, 1이 8개인 수입니다.
따라서 698에서 6은 600을 나타내고, 9는 90을 나타내고, 8은 8을 나타냅니다.

확인 2-2 (1) 칠백이를 수로 쓰면 702입니다. 백의 자리 숫자는 7이고 700을 나타냅니다.
(2) 오백이십사를 수로 쓰면 524입니다. 십의 자리 숫자는 2이고, 20을 나타냅니다.

확인 3-1 오른쪽으로 한 칸 이동할 때마다 화살표에 쓰여진 수만큼 뺍니다.
따라서 두 번째 칸에 들어갈 수는 $55-9=46$입니다.
세 번째 칸에 들어갈 수는 $46-27=19$입니다.

확인 3-2 화살표가 가리키는 대로 두 수를 더합니다.
$48+28=76$, $37+63=100$
$48+37=85$, $28+63=91$

확인 4-1 $76-28=48$입니다.
$61-15=46$, $93-35=58$,
$80-32=48$, $83-45=38$

확인 4-2 $85-59=26$, $60-34=26$
➡ 선으로 잇습니다.
$82-46=36$, $53-17=36$
➡ 선으로 잇습니다.

필수 체크 전략 ❷ 18 ~ 19쪽

1 715
2 (위에서부터) 6, 5, 50, 6 ; 50, 6
3 400 4 ㉡
5 42, 8(또는 8, 42) 6 45회

1 100이 7개이면 백의 자리 숫자는 7입니다.
10이 1개이면 십의 자리 숫자는 1입니다.
1이 5개이면 일의 자리 숫자는 5입니다.
따라서 100이 7개, 10이 1개, 1이 5개인 수는 715입니다.

2 356에서 3은 100이 3개인 300을 나타내고, 5는 10이 5개인 50을 나타내고, 6은 1이 6개인 6을 나타냅니다.
따라서 356=300+50+6입니다.

3 475는 100이 4개, 10이 7개, 1이 5개인 수입니다.
따라서 4는 100이 4개인 400을 나타냅니다.

4 ㉠ 37+54=91
㉢ 85+34=119

5 두 수의 합이 50이므로, 일의 자리 수끼리의 합이 0이나 10이 되어야 합니다.
8은 2와 더하면 10이 되므로
42와 8의 합을 확인하면 42+8=50입니다.
6은 4와 더하면 10이 되므로
34와 6의 합을 확인하면
34+6=40입니다.
따라서 합한 두 수는 42, 8입니다.

6 준서는 민우보다 줄넘기를 48회 더 적게 했으므로 민우의 줄넘기 횟수에서 48을 빼야 합니다.
준서는 줄넘기를 93−48=45(회) 했습니다.

1주 03일

필수 체크 전략 ❶ 20 ~ 23쪽

필수 예제 01 998, 999, 1000 ; 1
확인 1-1 418, 518, 618, 718
확인 1-2 495, 505, 515, 525
필수 예제 02 3, 8, 5 ; >
확인 2-1 4, 7, 0 ; >
확인 2-2 0, 3, 5, 3, 0
; 오백삼십에 ○표
필수 예제 03 48 ; 48
; 29, 19, 19, 29
(또는 19, 29, 29, 19)
확인 3-1 71, 46, 25, 71, 25, 46
(또는 71, 25, 46, 71, 46, 25)
확인 3-2 18, 53, 35, 53
필수 예제 04 (위에서부터) 40, 24, 40
; 24, 40
확인 4-1 (위에서부터) 32, 91, 32
확인 4-2 (1) 53 (2) 96

확인 1-1 보기의 수들은 백의 자리 수가 1씩 커지므로 355부터 100씩 뛰어 센 것입니다.
따라서 318부터 100씩 뛰어 세면 318, 418, 518, 618, 718입니다.

확인 1-2 보기의 수들은 십의 자리 수가 1씩 커지므로 838부터 10씩 뛰어 센 것입니다.
따라서 485부터 10씩 뛰어 세면 485, 495, 505, 515, 525입니다.

확인 2-1 두 수의 백의 자리 수가 4로 같고, 십의 자리 수가 7로 같습니다. 따라서 일의 자리 수끼리 비교하면 $3>0$이므로 473이 470보다 큽니다.

확인 2-2 오백삼을 수로 쓰면 503이고, 오백삼십을 수로 쓰면 530입니다.
두 수의 백의 자리 수는 5로 같습니다.
따라서 십의 자리 수를 비교하면 $0<3$이므로 오백삼십이 오백삼보다 더 큽니다.

확인 3-1 전체는 $46+25=71$입니다.
71에서 46을 빼면 25가 남습니다.
71에서 25를 빼면 46이 남습니다.

확인 3-2 전체 53에서 18을 빼면 35가 남습니다.
따라서 35와 18을 더하면 53입니다.

확인 4-1 앞에서부터 차례로 $38+53$을 계산하고, 계산한 값인 91에서 59를 뺍니다. 따라서 $91-59=32$입니다.

확인 4-2 (1) 앞에서부터 차례로 $58+42$를 계산하고, 계산한 값인 100에서 47을 뺍니다.
⇨ $100-47=53$
(2) 앞에서부터 차례로 $72-15$를 계산하고, 계산한 값인 57에 39를 더합니다.
⇨ $57+39=96$

필수 체크 전략 ❷ 24~25쪽

1 400, 420, 430
2 >
3 83, 229, 239
4 65, 29, 94 ; 29, 65, 94 (바꾸어 써도 정답입니다.)
5 36
6 18권

1 410의 오른쪽으로 갈수록 10씩 커지므로 십의 자리 수가 1씩 커집니다.
따라서 390−400−410−420−430입니다.

2 이백오십팔과 이백오십을 수로 쓰면 258과 250입니다. 258과 250은 백의 자리 수가 2로 같고 십의 자리 수가 5로 같으므로, 일의 자리 수가 더 큰 258이 250보다 더 큽니다.

3 83은 두 자리 수이므로 세 수 중에 가장 작습니다.
239와 229는 백의 자리 수가 2로 같으므로, 십의 자리 수를 비교합니다.
3>2이므로 239가 229보다 큽니다.
⇨ 83<229<239

4 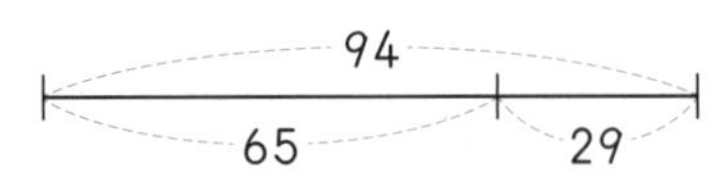

94에서 29를 뺐더니 65가 남습니다.
따라서 65와 29를 더하면 94이고, 29와 65를 더하면 94입니다.

참고
빼는 수와 남는 수를 더하면 빼어지는 수가 됩니다.

5 어떤 수를 ■로 놓고 덧셈식을 만들면 ■+5=41입니다.

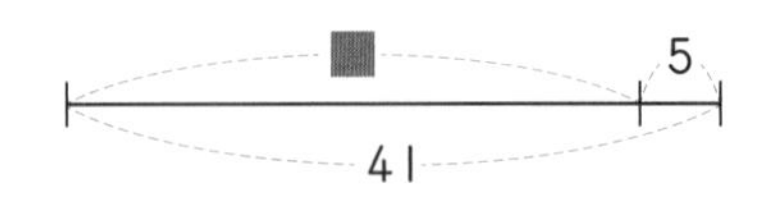

덧셈과 뺄셈의 관계를 이용하면
41−5=■입니다.
41−5=36이므로
어떤 수는 36입니다.

6 만화책 32권 중에 14권을 읽었습니다.
읽지 않은 만화책은 뺄셈을 이용해서 구합니다.
⇨ 32−14=18(권)

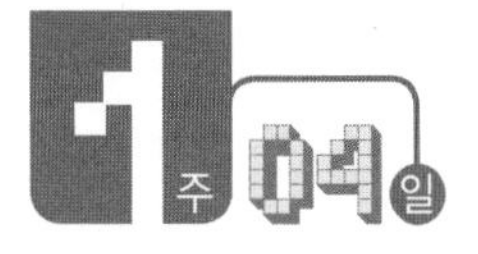

교과서 대표 전략❶ 26~29쪽

대표 예제 01 100
대표 예제 02 5 ; 500, 80, 4
대표 예제 03 423 ; 사백이십삼
대표 예제 04 747, 777, 787
대표 예제 05 390, 400, 410, 420
대표 예제 06 7, 3, 4 ; <
대표 예제 07 <
대표 예제 08 334, 343, 434
대표 예제 09 91
대표 예제 10 5, 58(또는 58, 5)
대표 예제 11 50, 122
대표 예제 12 27, 24
대표 예제 13 36명
대표 예제 14 34, 47 ; 47, 34
대표 예제 15 = (서로 바꾸어도 정답입니다.)
대표 예제 16 (위에서부터) 67, 38, 67

대표 예제 01 99보다 1만큼 더 큰 수는 100입니다.

대표 예제 02 584는 100이 5개, 10이 8개, 1이 4개인 수입니다.
5는 500을 나타내고, 8은 80을 나타내고, 4는 4를 나타냅니다.
따라서 584=500+80+4입니다.

대표 예제 03 백 모형이 4개, 십 모형이 2개, 일 모형이 3개인 수는 423입니다.
423은 사백이십삼이라고 읽습니다.

대표 **예제 04** 757 다음에 767이므로 10씩 뛰어 센 것입니다.

대표 **예제 05** 370부터 10씩 뛰어 세면
370－380－390－400
－410－420입니다.

대표 **예제 06** 두 수의 백의 자리 수와 십의 자리 수가 각각 같으므로 일의 자리 수를 비교합니다.
$2 < 4$이므로 732가 734보다 더 작습니다.

대표 **예제 07** 두 수의 백 모형의 수는 2개로 같으므로 십 모형이 더 많을수록 큽니다. $3 < 5$이므로 231이 252보다 더 작습니다.

대표 **예제 08** 백의 자리 수가 가장 큰 434가 가장 큽니다.
334와 343은 백의 자리 수가 3으로 같으므로 십의 자리 수가 더 큰 343이 334보다 더 큽니다.

대표 **예제 09** 일 모형은 모두 3＋8＝11개이고, 이것은 십 모형 1개, 일 모형 1개와 같습니다.
따라서 두 수의 합은 십 모형이 3＋5＋1＝9(개), 일 모형이 1개인 91입니다.

대표 **예제 10** 일의 자리 수끼리의 합이 3이나 13이어야 합니다.
따라서 5와 58을 골라야 합니다.

대표 **예제 11** 두 수의 합은 두 수를 더하는 것입니다.
따라서 첫 번째 빈 곳에 들어갈 수는 34＋16＝50이고, 두 번째 빈 곳에 들어갈 수는
50＋72＝122입니다.

대표 **예제 12** 두 수의 차는 큰 수에서 작은 수를 빼는 것입니다.
따라서 첫 번째 빈 곳에 들어갈 수는 63－36＝27이고,
두 번째 빈 곳에 들어갈 수는
51－27＝24입니다.

대표 **예제 13** 어제 손님의 수는 53명보다 17명 더 적습니다.
따라서 53－17＝36(명)입니다.

대표 **예제 14**
34　47
81

81－34＝47,
81－47＝34입니다.

대표 **예제 15** 85－48＝37이고,
53－16＝37입니다.
따라서 계산 결과는 서로 같습니다.

대표 **예제 16** 세 수를 계산할 때는 앞에서부터 순서대로 합니다.
53－15＝38이고
38＋29＝67입니다.
따라서 53－15＋29는 67입니다.

교과서 대표 전략 ❷ 30~31쪽

1 6, 9, 5 2 300, 3, 30
3 870, 860, 850, 840, 830
4 864 5 52
6 25+15=40 ; 40개
7 □+4=29 ; 25
8 53+38−23=68 ; 68명

1 육백구십오를 수로 쓰면 695입니다. 695의 백의 자리 숫자는 6, 십의 자리 숫자는 9, 일의 자리 숫자는 5입니다.

2 316에서 3은 100이 3개인 300을 나타내고, 843에서 3은 1이 3개인 3을 나타냅니다. 632에서 3은 10이 3개인 30을 나타냅니다.

3 10씩 거꾸로 세면 십의 자리 수가 1씩 작아집니다.
따라서 880−870−860−850−840−830입니다.

4 수 카드를 가장 큰 수부터 백의 자리, 십의 자리, 일의 자리에 놓은 864가 가장 큰 세 자리 수입니다.

5 십의 자리로 받아올림한 수는 십의 자리 수끼리의 합에 더해 줍니다.

$$\begin{array}{r} {\scriptstyle 1} \\ 39 \\ +\,13 \\ \hline 52 \end{array}$$

6 딸기가 25개 있었는데 15개가 더 많아졌으므로, 덧셈을 하면 딸기는 25+15=40(개)입니다.

7 어떤 수를 □로 하여 식을 만들면 □+4=29입니다.
이 덧셈식을 뺄셈식으로 나타내면 29−4=□입니다.
따라서 □=25입니다.

8 처음에는 53명과 38명이 모두 참가했으므로 53과 38의 합을 구하면 53+38=91(명)입니다.
중간에 23명이 집에 돌아갔으므로 91에서 23을 빼면 91−23=68(명)입니다.

누구나 만점 전략 32~33쪽

01 (1) 609 (2) 400 (3) 230
02 718에 ○표 03 385에 ○표
04 기욱 05 932
06 75−37+48=86 ; 86가마니
07 >
08 (위에서부터) 29, 9, 48, 28
09 43, 9
10 12+□=21 ; 9마리

01 (1) 육백구를 수로 쓰면 609입니다.
(2) 100이 4개인 수는 400입니다.
(3) 100이 2개, 10이 3개인 수는 230입니다.

02 718에서 7이 나타내는 값은 700입니다.
978에서 7이 나타내는 값은 70입니다.
따라서 718의 7이 나타내는 값이 더 큽니다.

03 백의 자리 수가 3으로 같으므로 십의 자리 수가 더 큰 385가 378보다 더 큽니다.

04 기욱이는 $870-880-890-900-910$으로 5번째에 910을 말합니다.
희수는 $905-906-907-908-909-910$으로 6번째에 910을 말합니다. 따라서 기욱이가 먼저 910을 말합니다.

05 수 카드를 가장 큰 수부터 백의 자리, 십의 자리, 일의 자리에 놓은 932가 가장 큰 세 자리 수입니다.

06 형은 쌀 75가마니 중에 37가마니를 동생에게 주고, 48가마니를 다시 받았으므로 형의 쌀은 $75-37+48=86$(가마니)입니다.

07 $62+29=91$,
$48+33=81$
따라서 $62+29$가 $48+33$보다 더 큽니다.

08 $73-44=29$, $25-16=9$,
$73-25=48$, $44-16=28$입니다.

09 십의 자리에서 받아내림을 했을 때 일의 자리 수끼리의 차가 4가 되는 두 수를 고릅니다.
43과 일의 자리 수끼리의 차가 4가 되는 9와의 차를 확인하면 $43-9=34$입니다.
따라서 43과 9를 골랐습니다.

10 새로 깨어난 병아리의 수를 □마리라 하고 식을 세우면 $12+□=21$입니다.

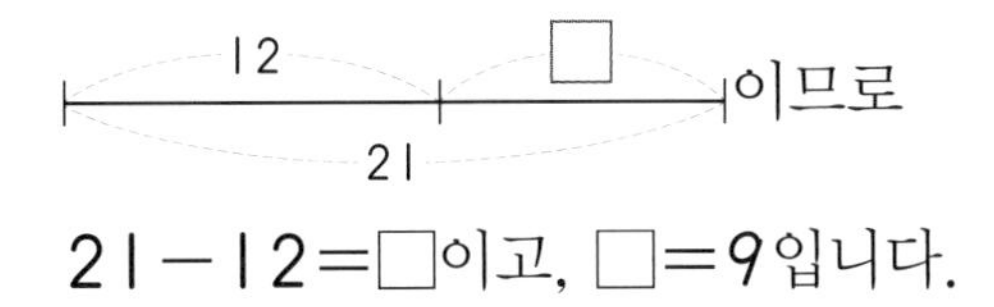

$21-12=□$이고, $□=9$입니다.

창의・융합・코딩 전략 ❶ 34~35쪽

1 100장 2 21번

2 $6+15=21$(번)

창의・융합・코딩 전략 ❷ 36~39쪽

1 530, 500, 민호
2 맹꽁이 열차
3 15
4 39살, 13살
5 425
6 복숭아
7 23과 27에 ○표
8 80, 28, 52

1 민호는 530원을 가지고 있고, 동주는 500원을 가지고 있습니다.
따라서 십의 자리 수를 비교하면 $3>0$이므로 민호가 돈을 더 많이 가지고 있습니다.

2 백의 자리 수가 1인 '파라오의 모험'이 기다리는 사람이 가장 적습니다.
백의 자리 수가 3인 '날아라 바이킹', '맹꽁이 열차'의 십의 자리 수를 비교하면 $0<1$이므로 '맹꽁이 열차'가 '날아라 바이킹'보다 기다리는 사람이 더 많습니다.

3 $65-26=39$, $39+34=73$,
$73-58=15$입니다.
따라서 ♥에 들어갈 수는 15입니다.

4 엄마의 나이를 ■로 두면, 46+■=85입니다.

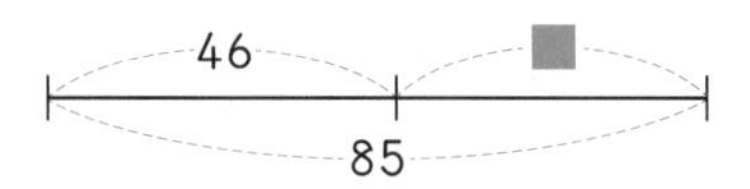

따라서 85−46=■이므로 엄마의 나이는 39살입니다.
누나는 엄마보다 26살 적으므로
39−26=13(살)입니다.

5 375부터 10씩 뛰어 세면 375−385−395−405−415−425입니다. 따라서 마지막으로 도착하는 꽃에 쓰인 수는 425입니다.

6 사과의 무게는 100이 5개, 10이 2개, 1이 5개인 수이므로 525입니다.
500에서 10씩 3번 뛰어서 세면 500−510−520−530이므로 복숭아의 무게는 530입니다. 525<530이므로 복숭아가 사과보다 더 무겁습니다.

7 두 수의 합이 50이 되려면 일의 자리 수끼리의 합이 0 또는 10이어야 합니다.
35+5=40, 33+27=60,
27+23=50이므로 27과 23을 묶습니다.

8 집에서 우체통이 가장 가깝고 학교가 가장 멉니다. 따라서 집에서 학교까지의 거리에 가장 큰 80을 써넣습니다. 집에서 우체통은 소방서보다 가까우므로 집에서 우체통까지의 거리에 30보다 작은 28을 써넣습니다. 따라서 우체통에서 학교까지의 거리는 80−28=52(걸음)입니다.

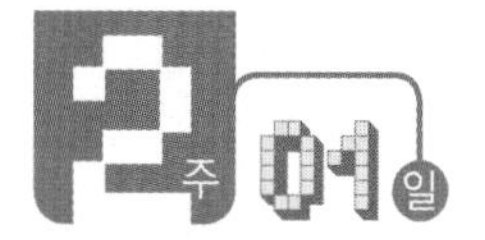

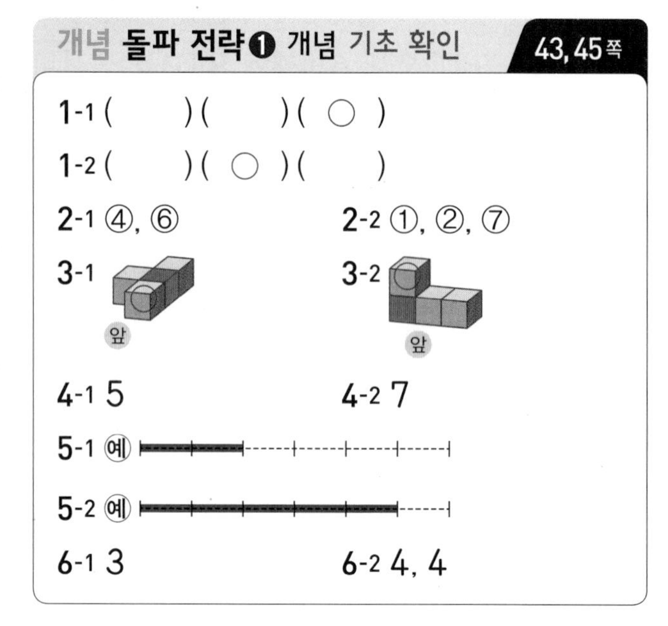
개념 돌파 전략❶ 개념 기초 확인 43, 45쪽

1-1 ( )( )(○)
1-2 ( )(○)( )
2-1 ④, ⑥
2-2 ①, ②, ⑦
3-1 앞
3-2 앞
4-1 5
4-2 7
5-1 예
5-2 예
6-1 3
6-2 4, 4

1-2 원은 변과 꼭짓점이 없습니다.

2-2 칠교판의 조각 중 삼각형은 ①, ②, ③, ⑤, ⑦입니다.
그중에서 ⑤는 ③과 크기가 같습니다.
따라서 ③보다 큰 삼각형은 ①, ②, ⑦입니다.

3-2 빨간색 쌓기나무의 위에 쌓기나무 1개가 있습니다.

4-2 책상의 긴 쪽에 연필이 7번 들어갑니다.

5-2 5 cm는 1 cm가 5번입니다.
눈금 한 칸이 1 cm이므로 다섯 칸이 5 cm입니다.

6-2 막대의 길이는 1 cm가 4번 정도 됩니다.
따라서 막대의 길이를 어림하면 약 4 cm입니다.

개념 돌파 전략❷ 46~47쪽

1 육각형
2 3, 삼각형에 ○표
3 ( )(○)( )
4 도마
5 5, 5 cm
6 6, 6

1 벌집 한 칸의 모양은 변이 6개, 꼭짓점이 6개인 육각형 모양입니다.

2 삼각형 조각 3개를 이용하여, 변이 3개, 꼭짓점이 3개인 삼각형을 만들었습니다.

3 첫 번째 모양은 쌓기나무가 1층에 5개입니다.
두 번째 모양은 쌓기나무가 1층에 2개, 2층에 2개로 모두 4개입니다.
세 번째 모양은 쌓기나무가 1층에 4개, 2층에 1개로 모두 5개입니다.

4 국자의 길이는 못 6개를 늘어놓은 길이와 같습니다.
도마의 길이는 못 8개를 늘어놓은 길이와 같습니다.
따라서 도마는 국자보다 더 깁니다.

5 한쪽 끝에서 다른 쪽 끝까지 1 cm가 5번 있으므로 길이는 5 cm입니다.

6 머리핀의 오른쪽 끝은 5 cm 눈금과 6 cm 눈금 사이에 있습니다.
5 cm보다 6 cm 눈금에 더 가까우므로 약 6 cm입니다.

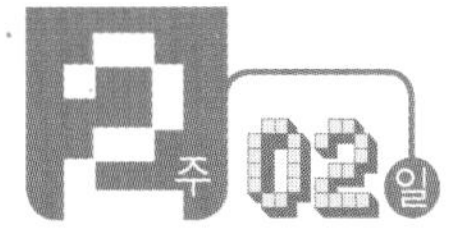

필수 체크 전략❶ 48~51쪽

필수 예제 01 나, 마, 사
확인 1-1 바
확인 1-2 나, 사
필수 예제 02 ㉡
확인 2-1 ㉡
확인 2-2 ㉠
필수 예제 03 학교 화단
확인 3-1 토끼 집
확인 3-2 현우
필수 예제 04 11 cm
확인 4-1 3 cm ; 3 센티미터
확인 4-2 ( )
(○)

확인 1-1 사각형은 변이 4개, 꼭짓점이 4개입니다.

확인 1-2 오각형은 변이 5개, 꼭짓점이 5개입니다.

확인 2-1 ㉡ 사각형의 변은 꼭짓점과 같이 4개입니다.

확인 2-2 ㉡ 육각형은 꼭짓점이 6개, 오각형은 꼭짓점이 5개입니다.
㉢ 백 원짜리 동전을 본뜨면 원을 그릴 수 있습니다.

확인 3-1 토끼 집의 긴 쪽에는 풀이 9번 들어가고, 강아지 집의 긴 쪽에는 풀이 6번 들어갑니다.

따라서 긴 쪽의 길이는 토끼 집이 더 깁니다.

확인 3-2 현우가 만든 다리는 상자 20개가 들어가고, 연서가 만든 다리는 상자 15개가 들어갑니다.
$20>15$이므로 현우가 다리를 더 길게 만들었습니다.

확인 4-1 아래쪽 끝이 눈금 0에 맞춰져 있고, 위쪽 끝에 있는 자의 눈금이 3이므로 3 cm입니다.
3 cm는 3 센티미터라고 읽습니다.

확인 4-2 위쪽: 성냥을 눈금 0에 정확히 맞추어 재지 않았으므로 바르게 잰 것이 아닙니다.
아래쪽: 한쪽 끝이 0에 맞춰져 있고 다른 쪽 끝에 있는 자의 눈금이 4이므로 4 cm입니다.

필수 체크 전략 ❷ 52~53쪽

1 5개

2

변의 수	6
꼭짓점의 수	6
도형의 이름	육각형

3 원

4 수아

5 가족사진

6 ○

1
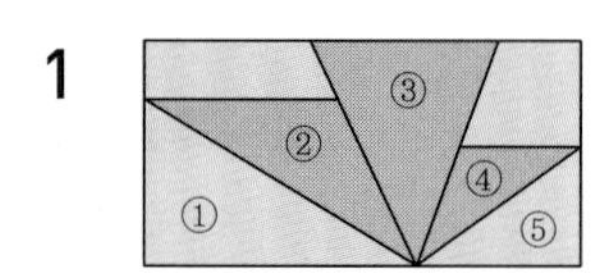

그림에서 변이 3개, 꼭짓점이 3개인 도형을 찾습니다.
그림에서 삼각형은 5개입니다.

2 주어진 점을 곧은 선으로 연결하면 변이 6개, 꼭짓점이 6개인 육각형입니다.

3 원은 변과 꼭짓점이 없습니다.
또한 어느 쪽에서 봐도 똑같이 동그랗고, 크기가 달라도 모양은 같습니다.

4 $4<5$이므로 뼘으로 잰 횟수가 더 많은 사람은 수아입니다.
똑같은 길이를 잴 때 한 뼘의 길이가 짧으면 더 많이 재야 합니다.
따라서 수아의 한 뼘이 더 짧습니다.

5 물건으로 길이를 잰 횟수가 3번으로 같지만 숟가락보다 더 긴 지팡이로 3번 잰 길이가 더 깁니다.
따라서 가족사진이 더 깁니다.

6 자로 길이를 직접 재어 보면, 첫 번째 테이프와 세 번째 테이프는 길이가 8 cm입니다.
두 번째 테이프는 길이는 7 cm입니다.

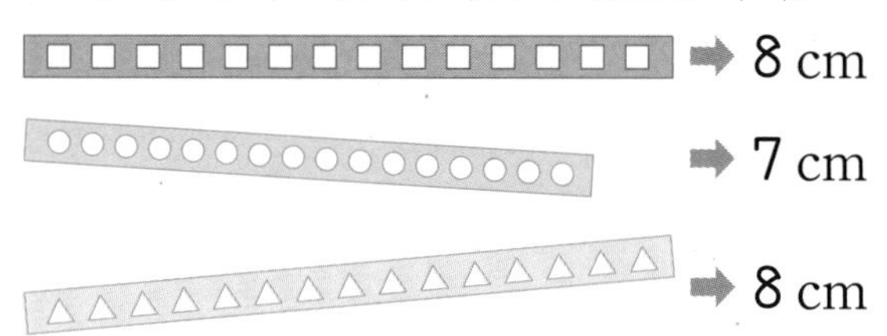

필수 체크 전략 ❶ 54~57쪽

필수 예제 01 2, 2, 오각형에 ○표
확인 1-1 5, 2, 육각형
확인 1-2 예 ; 사각형
필수 예제 02 3, 2, 5
확인 2-1 5개
확인 2-2 2개
필수 예제 03 7, 7
확인 3-1 3 cm
확인 3-2 4 cm
필수 예제 04 9, 9
확인 4-1 약 5 cm
확인 4-2 약 7 cm

확인 1-1 삼각형 5개와 사각형 2개를 이용하여 만든 모양입니다.
꼭짓점이 6개이므로 육각형입니다.

확인 1-2 변이 4개, 꼭짓점이 4개인 사각형입니다.

확인 2-1 1층에는 4개의 쌓기나무가 있고, 2층에는 1개의 쌓기나무가 있습니다.
따라서 똑같이 만들기 위해
$4+1=5$(개)의 쌓기나무가 필요합니다.

확인 2-2 왼쪽 모양은 쌓기나무 3개, 오른쪽 모양은 쌓기나무 5개로 만든 모양입니다.
따라서 쌓기나무는 $5-3=2$(개) 더 필요합니다.

확인 3-1 붓의 왼쪽 끝 2 cm 눈금부터 오른쪽 끝 5 cm 눈금까지 1 cm가 3번 들어가므로 3 cm입니다.

확인 3-2 피리의 왼쪽 끝 5 cm 눈금부터 오른쪽 끝 9 cm 눈금까지 1 cm가 4번 들어가므로 4 cm입니다.

확인 4-1 분홍색 막대의 오른쪽 끝이 5 cm 눈금에 가깝습니다.
따라서 분홍색 막대의 길이는
약 5 cm입니다.

확인 4-2 연두색 막대의 오른쪽 끝이 10 cm 눈금에 가깝습니다.
3 cm부터 재었으므로 연두색 막대의 길이는 약 7 cm입니다.

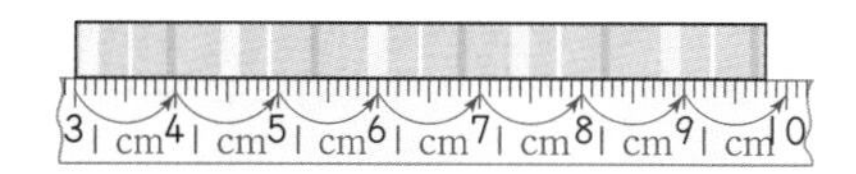

1 cm가 7번인 길이에 가까우므로 약 7 cm입니다.

다른 풀이
오른쪽 끝이 10 cm, 왼쪽 끝이 3 cm이므로 막대의 길이는
$10-3=7$ (cm)입니다.

필수 체크 전략 ❷ 58~59쪽

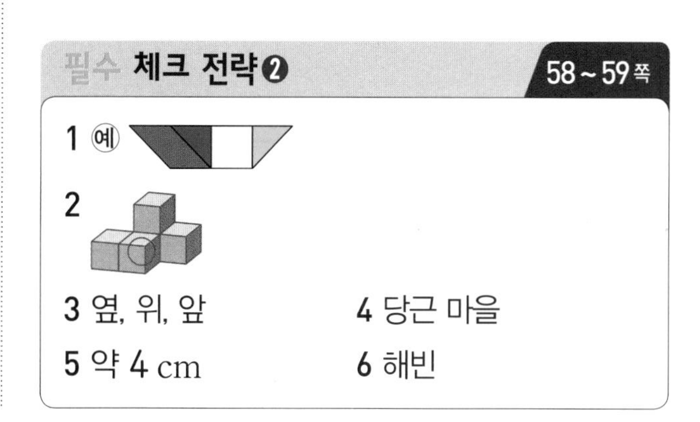

1 예
2
3 옆, 위, 앞
4 당근 마을
5 약 4 cm
6 해빈

1 □ 모양 조각이 들어가는 곳을 먼저 찾고 나머지 부분에 다른 모양 조각들을 넣습니다.

2 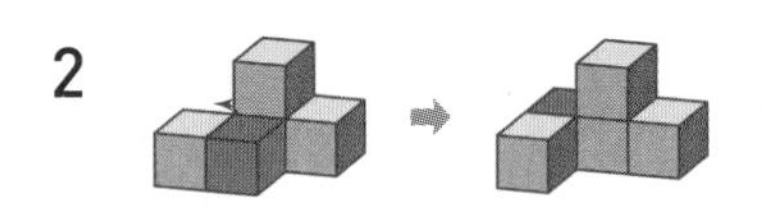

3 ① 1층에 3개의 쌓기나무 조각이 옆으로 나란히 있습니다.
② 위 ①의 왼쪽 쌓기나무 위에 쌓기나무 1개가 있습니다.
③ 위 ①의 오른쪽 쌓기나무 앞에 쌓기나무 1개가 있습니다.

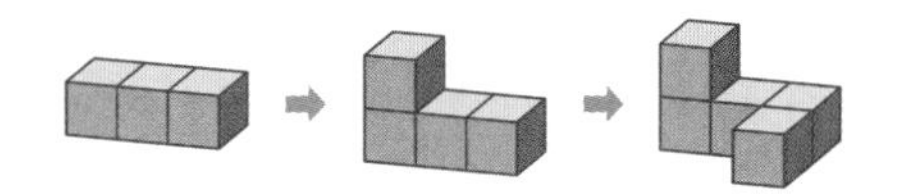

4 버섯 마을 집은 1 cm가 3번 들어가므로 3 cm입니다.
당근 마을 집은 1 cm가 4번 들어가므로 4 cm입니다.
3＜4이므로 당근 마을 집이 더 깁니다.

5 물고기의 오른쪽 끝은 6 cm 눈금에 가깝지만 2 cm부터 재었기 때문에 약 4 cm입니다.

6 해빈이의 종이테이프의 길이는 약 5 cm입니다.
정훈이의 종이테이프의 길이는 약 4 cm입니다.
따라서 해빈이가 5 cm에 더 가깝게 어림하였습니다.

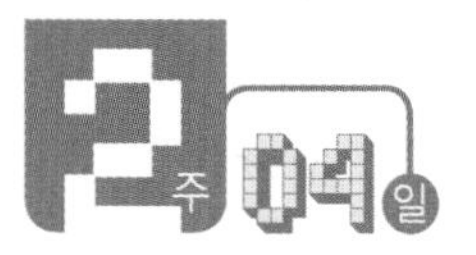

교과서 **대표 전략 ❶** 60~63쪽

대표 **예제 01** 3개

대표 **예제 02** 사각형, 8

대표 **예제 03**

도형	오각형 그림	육각형 그림
변의 수	5	6
꼭짓점의 수	5	6
도형의 이름	오각형	육각형

대표 **예제 04** 3, 2

대표 **예제 05** 예

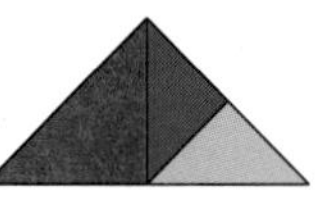

대표 **예제 06** 5개

대표 **예제 07**

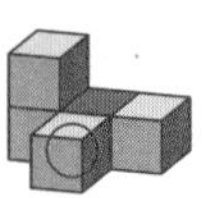

대표 **예제 08** (○)(   )(○)

대표 **예제 09** 4

대표 **예제 10** 3, 30

대표 **예제 11** 식탁

대표 **예제 12** 예

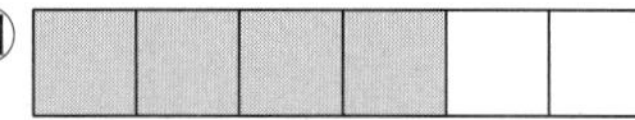

대표 **예제 13** 0

대표 **예제 14** 5 cm

대표 **예제 15** 약 4 cm

대표 **예제 16** 선희

대표 **예제 01** 삼각형은 곧은 선 3개로 둘러싸여 있고, 꼭짓점이 3개입니다.

대표 **예제 02** 점선을 따라 자르면 변이 4개, 꼭짓점이 4개인 사각형이 8개 생깁니다.

대표 **예제 03** 오각형은 변이 5개, 꼭짓점이 5개 입니다.
육각형은 변이 6개, 꼭짓점이 6개 입니다.

대표 **예제 04** 변이 3개, 꼭짓점이 3개인 삼각형 조각은 3개, 변이 4개, 꼭짓점이 4개인 사각형 조각은 2개 사용했습니다.

대표 **예제 05** 주어진 조각을 합쳐서 변이 3개, 꼭짓점이 3개가 되도록 만듭니다.

대표 **예제 06** 1층에 4개, 2층에 1개가 있으므로, 똑같은 모양으로 만들려면 쌓기나무 5개가 필요합니다.

대표 **예제 07** 빨간색 쌓기나무의 앞에 있는 쌓기나무에 ○표를 합니다.

대표 **예제 08** 두 번째 쌓은 모양은 쌓기나무가 1층에 3개, 2층에 1개 있으므로 쌓기나무 4개로 만든 모양입니다.

대표 **예제 09** 막대의 길이는 풀을 4개 늘어놓은 것과 같습니다.

대표 **예제 10** 국자가 클립보다 깁니다.
따라서 텔레비전의 길이를 재는 횟수는 국자가 클립보다 적습니다.

대표 **예제 11** $5<9$이므로 식탁의 긴 쪽의 길이가 더 깁니다.

대표 **예제 12** 4 cm는 1 cm가 4번이므로 4칸을 이어 색칠합니다.

대표 **예제 13** 자로 길이를 잴 때는 왼쪽 끝을 눈금 0에 맞춰야 합니다.

대표 **예제 14** 왼쪽 끝 1 cm 눈금부터 오른쪽 끝 6 cm 눈금까지 1 cm가 5번 들어가므로 장난감의 길이는 5 cm입니다.

대표 **예제 15**

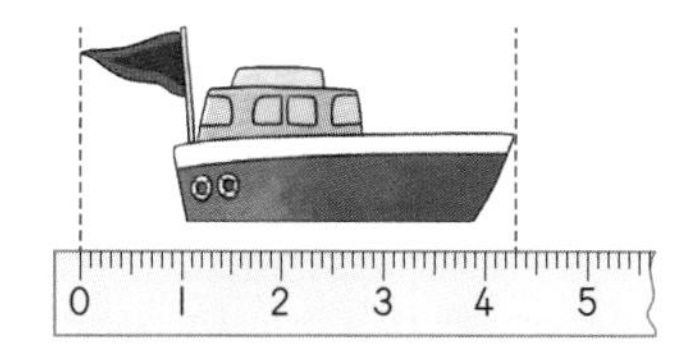

기념품의 왼쪽 끝을 눈금 0에 맞추면 오른쪽 끝은 4 cm 눈금에 가까우므로 기념품의 길이는
약 4 cm입니다.

대표 **예제 16** 14가 18보다 15에 더 가까우므로, 선희가 실제 길이에 더 가깝게 어림하였습니다.

교과서 **대표 전략❷** 64~65쪽

1 ( )(△)(△)( )
2 태용
3
4
5 기영
6 5 cm
7 4 cm
8 민경

1 원은 변과 꼭짓점이 없습니다.
또한 모양이 항상 같습니다.

2 삼각형의 변의 수와 사각형의 변의 수를 더하면 7개입니다.
꼭짓점은 오각형은 5개, 육각형은 6개이므로 오각형의 꼭짓점의 수가 육각형보다 적습니다.
원은 크기에 상관없이 모양이 같습니다.

3 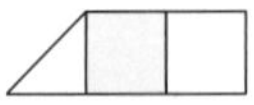 모양을 왼쪽과 같이 놓으면 모양을 놓을 수 없습니다. 따라서 모양을 오른쪽에 놓습니다.

4 3층에 있는 쌓기나무를 왼쪽으로 옮기면, 왼쪽 모양과 똑같습니다.

5 한 뼘의 길이가 더 길수록 물건의 길이를 재는 횟수는 더 적습니다.
$7>6$이므로 기영이의 한 뼘이 더 깁니다.

6 선반의 왼쪽 끝을 눈금 0에 맞추면 오른쪽 끝은 5 cm 눈금에 있습니다.

7 이름표의 왼쪽 끝은 2 cm 눈금에 있고, 오른쪽 끝은 6 cm 눈금에 있습니다.
1 cm가 4번 있으므로 4 cm입니다.

8 색 테이프의 길이를 재어 보면 6 cm에 가깝습니다.
따라서 민경이가 지윤이보다 더 가깝게 어림하였습니다.

누구나 만점 전략

66 ~ 67쪽

01 변, 꼭짓점	02 21
03 예	04
05 ( )(○)	06 (○)( )
07 가위	08 5 cm
09 $<$	10 약 4 cm

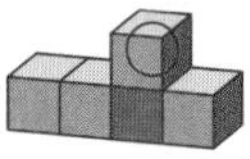

01 곧은 선을 '변'이라고 하고, 두 곧은 선이 만나는 점을 '꼭짓점'이라고 합니다.

02 변이 4개, 꼭짓점이 4개인 도형이 사각형입니다.
따라서 사각형에 있는 수의 합은
$6+7+8=21$입니다.

03 칠교판 조각으로 모양을 만들 때 조각끼리 서로 떨어지거나 겹치지 않게 변끼리 딱 맞게 붙여야 합니다.

04 빨간색 쌓기나무의 위에는 1개의 쌓기나무가 있습니다.

05 오른쪽 모양은 쌓기나무 5개를 사용하여 만든 모양입니다. 따라서 5개보다 많은 쌓기나무를 사용한 모양을 찾습니다.

06 풀로 잰 횟수는 가로보다 세로가 더 많으므로 진우의 방에 있는 달력은 세로의 길이가 가로의 길이보다 더 깁니다.

07 칠판의 긴 쪽의 길이는 물병을 6번, 가위를 5번 늘어놓은 것과 같습니다.
가위로 잰 횟수가 더 적으므로 가위의 길이가 물병의 길이보다 깁니다.

08 배의 왼쪽 끝이 눈금 0에 있고, 오른쪽 끝은 5 cm 눈금에 있으므로 5 cm입니다.

09 1 cm로 4번은 4 cm입니다.
$4<6$이므로 6 cm가 더 깁니다.

10 색 테이프는 1 cm가 4번 정도 들어가므로 약 4 cm입니다.

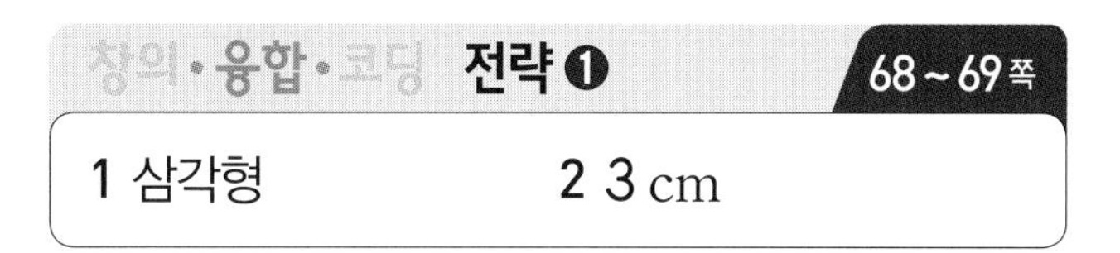

2 짧은 쪽: 2 cm, 긴 쪽: 5 cm
➡ $5-2=3$(cm)

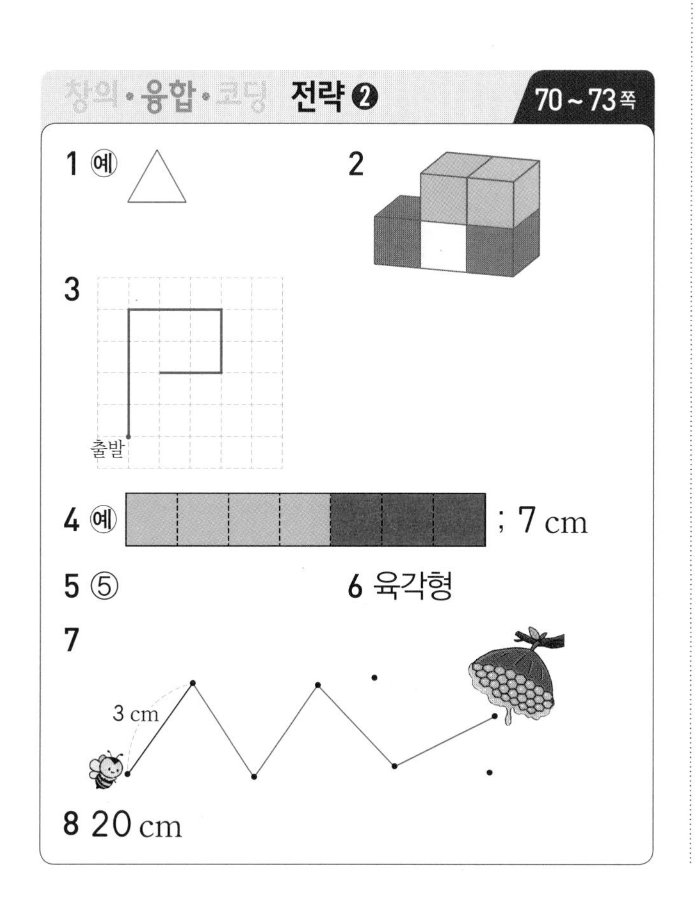

1 두 도형의 변의 수의 합이 5, 6, 7, 8이므로 1씩 늘어나는 규칙입니다.
육각형과 빈칸의 도형의 변의 수의 합이 9여야 하므로 빈칸에 변의 수가 3인 삼각형을 그립니다.

2 1층에는 빨간색, 노란색, 빨간색을 칠합니다.
노란색 쌓기나무 위에는 초록색을 색칠하고, 빨간색 쌓기나무 위에는 파란색을 색칠합니다.

3 방향에 맞게 선을 길이만큼 긋습니다.

4 파란색, 파란색, 빨간색 막대로 만들면 길이는 $2+2+3=7$ (cm)입니다.

5 감자 밭의 꼭짓점도 되고, 당근 밭의 꼭짓점도 되는 곳의 번호는 ①, ⑤입니다.
①, ⑤ 중에 오이 밭의 꼭짓점이 되는 것은 ⑤입니다.

6 점선을 따라 자른 후 펼치면 다음과 같이 변이 6개인 육각형이 만들어 집니다.

7 한 점에서 3 cm만큼 떨어져 있는 점을 찾습니다.

8 (창문의 짧은 쪽의 길이)
$=10+10=20$(cm)
(창문의 긴 쪽의 길이)
$=10+10+10+10=40$(cm)
따라서 창문의 긴 쪽과 짧은 쪽의 길이의 차는 $40-20=20$ (cm)입니다.

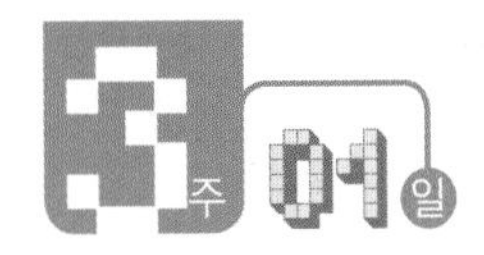

개념 돌파 전략❶ 개념 기초 확인 77, 79쪽

1-1 색깔에 ○표

1-2 모양에 ○표

2-1

꽃 모양	별 모양
③, ⑤	①, ②, ④

2-2

보라색	초록색
①, ③	②, ④, ⑤

3-1

색깔	초록색	보라색
붙임딱지 수(개)	3	2

3-2 예

모양	꽃	별	하트
붙임딱지 개수(개)	1	2	2

4-1 2, 4　　4-2 4, 3

5-1 2, 2　　5-2 2, 2

6-1 2 ; 곱하기　　6-2 3 ; 곱하기

1-2 왼쪽에 있는 도형들은 모두 모양이고, 오른쪽에 있는 도형들은 모두 모양이므로 분류 기준은 모양입니다.

2-2 주어진 붙임딱지의 색깔은 보라색, 초록색으로 2가지입니다.
모양에 상관없이 색깔에 따라 붙임딱지를 분류합니다.

3-2 붙임딱지의 모양은 꽃, 별, 하트로 3가지입니다.
색깔에 상관없이 모양에 따라 붙임딱지를 분류합니다.

4-2 별을 4개씩 묶은 것이 3개입니다.

5-2 별은 6을 2번 더한 $6+6=12$(개)입니다.

6-2 4의 3배는 4×3이라 쓰고 4 곱하기 3이라고 읽습니다.

개념 돌파 전략❷ 80~81쪽

1 ㉡　　2 크기에 ○표

3

운동	축구	(야구)	배드민턴
이름	중기, 지연	수민, 정근, 미연, 지민	준성
학생 수(명)	2	4	1

4 10, 12 ; 12

5 5, 5　　6 3 ; 곱하기

1 양에 따라 분류하면 누가 분류를 하더라도 같은 결과가 나옵니다.

2 왼쪽은 크기가 큰 붙임딱지이고 오른쪽 크기가 작은 붙임딱지입니다.

3 야구를 좋아하는 학생이 4명으로 가장 많습니다.

4 토마토를 2씩 6번 뛰어서 세면 2—4—6—8—10—12로 모두 12개입니다.

5 파란색 쌓기나무는 2개입니다.
노란색 쌓기나무의 수는 2씩 5묶음이므로 2의 5배입니다.

6 구슬은 6개씩 3묶음이므로 6의 3배입니다.
6의 3배는 6×3이라고 쓰고 6 곱하기 3은 18과 같습니다.

3주 02일

필수 체크 전략 ❶ 82~85쪽

필수 예제 01 (○)
( )

확인 1-1 (○) ( )

확인 1-2 ( ) (○)

필수 예제 02

모양	삼각형	사각형
번호	①, ③, ⑥	②, ④, ⑤, ⑦

확인 2-1

원	사각형
②, ④, ⑤	①, ③

확인 2-2 말에 ○표

필수 예제 03 24, 30 ; 5, 30

확인 3-1 6, 18

확인 3-2 (감 5개씩 4묶음 그림) ; 4, 20

필수 예제 04 8, 8

확인 4-1 7

확인 4-2 3, 18

확인 1-1 음식과 음식이 아닌 것은 누가 분류하더라도 분류한 결과가 항상 같습니다.

확인 1-2 무거운 것과 무겁지 않은 것은 사람에 따라 다를 수 있으므로 분류 기준이 분명하지 않습니다.

확인 2-1 열쇠를 손잡이 부분의 모양에 따라 분류하면 원 모양은 ②, ④, ⑤이고, 사각형 모양은 ①, ③입니다.

확인 2-2 고양이, 코끼리, 호랑이는 다리가 4개이고 참새, 비둘기는 다리가 2개입니다. 말은 다리가 4개이므로 다리 수가 4개인 동물로 분류해야 합니다.

확인 3-1 사과는 3개씩 6묶음입니다.
3씩 6번 뛰어서 세면
3−6−9−12−15−18이므로 사과는 18개입니다.

확인 3-2 감은 5개씩 4묶음입니다.
5씩 4번 뛰어서 세면 5−10−15−20이므로 감은 20개입니다.

확인 4-1 야구공은 5개씩 7묶음입니다. 따라서 5씩 7묶음이므로 5의 7배입니다.

참고
5의 7배
➡ $5+5+5+5+5+5+5=35$

확인 4-2 구슬은 6개씩 3묶음입니다.
$6+6+6=18$(개)이고 18은 6의 3배입니다.

필수 체크 전략❷ 86~87쪽

1 ( )
(○)
(○)

2

하트 모양	별 모양

3 모양에 ○표

4 3, 24

5 4, 7

6 6배

1 색깔이 예쁜 것과 예쁘지 않은 것을 고르는 것은 사람마다 다르므로 분류 기준으로 알맞지 않습니다.

2 모양에 따라 분류한 것이므로 하트는 하트 모양 쪽으로 분류해야 합니다.

3 왼쪽의 상자는 모양이고, 오른쪽의 상자는 모양이므로 승윤이는 모양에 따라 상자를 분류했습니다.

4 구슬은 8개씩 3줄입니다.
따라서 구슬은 $8+8+8=24$(개)입니다.

5 꽃을 가로로 7송이씩 묶으면 4묶음이고, 세로로 4송이씩 묶으면 7묶음입니다.

6 우유를 3개씩 묶으면 6묶음입니다.
따라서 18은 3의 6배입니다.

필수 체크 전략❶ 88~91쪽

필수 예제 01 (1) 4 (2) 2

확인 1-1 3가지 **확인 1-2** 4가지

필수 예제 02 3, 3, 2

확인 2-1 바다 **확인 2-2** 휴대 전화

필수 예제 03 7, 21, 21

확인 3-1 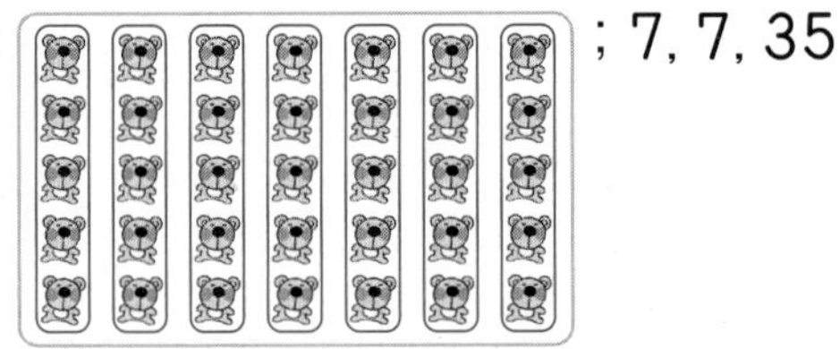 ; 7, 7, 35

확인 3-2 4, 24

필수 예제 04 6, 30, 6, 30

확인 4-1 5, 5, 15

확인 4-2 $8 \times 6 = 48$; 48개

확인 1-1 오토바이와 두발자전거는 바퀴가 2개이고 버스와 자동차는 바퀴가 4개입니다. 배는 바퀴가 없으므로 3가지로 분류할 수 있습니다.

확인 1-2 학생들이 소풍 가고 싶은 장소는 수영장, 박물관, 식물원, 유원지이므로 4곳으로 분류할 수 있습니다.

확인 2-1 $10>7>5$이므로 가장 많은 학생들이 여름 방학에 가고 싶어하는 곳은 바다입니다.

확인 2-2 $27>15>8$이므로 가장 많은 학생들이 받고 싶어하는 선물은 휴대 전화입니다.

확인 3-1 인형은 5개씩 7묶음입니다.
따라서 인형의 수는 5의 7배이고
$5+5+5+5+5+5+5=35$(개)
입니다.

확인 3-2 달걀은 6개씩 4판이므로 달걀의 수는
6의 4배입니다.
따라서 6씩 4번 뛰어서 세면
6-12-18-24입니다.

확인 4-1 세발자전거의 바퀴는 3개입니다.
따라서 세발자전거가 5대이면 바퀴의
수는 3의 5배이고
$3+3+3+3+3=15$,
$3\times5=15$(개)입니다.

확인 4-2 배는 8개씩 6묶음이므로 8의 6배입니다. 배의 수는 $8\times6=48$(개)입니다.

필수 체크 전략 ❷ 92~93쪽

1

원	사각형
②, ③, ④, ⑧, ⑩	①, ⑤, ⑥, ⑦, ⑨

2 3개
3 흰색에 ○표
4 $6\times7=42$; 42송이
5 $3\times4=12$; 12개
6 4

1 원 모양과 사각형 모양으로 분류하면 주어진 붙임딱지를 2가지로 분류할 수 있습니다.

2 노란색이 아닌 장난감의 수는
$7+5+3+2=17$(개)입니다.
따라서 노란색 장난감의 수는
$20-17=3$(개)입니다.

3

색깔	흰색	파란색
개수(개)	9	7

따라서 흰색 풍선이 더 많습니다.

4 포도는 6송이씩 7묶음이므로 포도의 수는
6의 7배입니다.
$6+6+6+6+6+6+6=42$
따라서 $6\times7=42$(송이)입니다.

5 사과나무 4그루에 열린 사과의 수는 3씩
4묶음입니다.
3씩 4묶음은 3의 4배이므로 사과는
$3\times4=12$(개)입니다.

6 서현이가 사용한 모형의 수는 2의 4배이므로 $2\times4=8$(개)입니다.
성우가 사용한 모형의 수는 2의 6배이므로
$2\times6=12$(개)입니다.
➡ $12-8=4$(개)
따라서 성우가 서현이보다 4개 더 많이 쌓았습니다.

다른 풀이
서현: 도균이의 4배
성우: 도균이의 6배
→ $6-4=2$
따라서 서현이와 성우가 쌓은 모형 수의 차는 도균이의 2배입니다.
도균이가 2개를 쌓았으므로 2의 2배를 구하면 4개입니다.

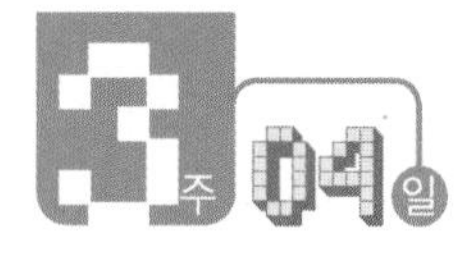

교과서 대표 전략❶ 94~97쪽

대표 예제 01 ㉡에 ○표

대표 예제 02 ㉠에 ○표

대표 예제 03 (○)( )

대표 예제 04

빨간색	노란색	파란색
⑤	②, ④	①, ③

대표 예제 05

숫자	500	100	50
세면서 표시하기	//////	//////	//////

대표 예제 06

종류	북	탬버린	트라이앵글
수(개)	2	3	3

대표 예제 07

모양	원	사각형	삼각형
수(개)	4	2	2

대표 예제 08

색깔	빨간색	파란색	노란색
수(개)	2	4	2

대표 예제 09 4 ; 16 ; 16

대표 예제 10 14개

대표 예제 11 5, 3

대표 예제 12 3

대표 예제 13 4

대표 예제 14 3, 3, 3, 3, 12 ; 12개

대표 예제 15 5, 5, 15 ; 5, 3, 15

대표 예제 16 $6+6+6+6=24$; $6\times4=24$

대표 예제 01 김밥을 파는 곳과 팔지 않는 곳은 누가 분류하더라도 같습니다.

대표 예제 02 좋아하는 옷은 사람마다 다릅니다.

대표 예제 03 오른쪽은 크기에 따라 분류하면 2가지로 분류할 수 있습니다.

대표 예제 04 색깔에 따라 빨간색, 노란색, 파란색 3가지로 분류할 수 있습니다.

대표 예제 05 500원짜리 동전은 2개, 100원짜리 동전은 3개, 50원짜리 동전은 2개입니다.

대표 예제 06 북은 2개, 탬버린은 3개, 트라이앵글은 3개입니다.

대표 예제 07 원 모양 단추는 4개, 사각형 모양 단추는 2개, 삼각형 모양 단추는 2개입니다.
가장 많은 것은 원 모양입니다.

대표 예제 08 빨간색 단추는 2개, 파란색 단추는 4개, 노란색 단추는 2개입니다.
가장 많은 것은 파란색 단추입니다.

대표 예제 09 자동차는 4대씩 4묶음이므로 4씩 뛰어 세면 $4-8-12-16$으로 16대입니다.

대표 예제 10 오이는 2개씩 7묶음입니다.
$2-4-6-8-10-12-14$
이므로 오이는 14개입니다.

대표 **예제** 11 연필을 3자루씩 묶으면 5묶음입니다.
또 연필을 5자루씩 묶으면 3묶음입니다.

대표 **예제** 12 지욱이는 재홍이가 만든 모양을 3개 만들었습니다.
따라서 지욱이는 재홍이가 사용한 모형의 3배를 사용했습니다.

대표 **예제** 13 농구공의 수는 6씩 4묶음입니다.
따라서 24는 6의 4배입니다.

대표 **예제** 14 기주가 가진 구슬의 수는 3의 4배이므로 $3+3+3+3=12$(개)입니다.

대표 **예제** 15 버섯의 수는 5씩 3묶음이므로
$5+5+5=15$(개)입니다.

대표 **예제** 16 케이크 조각의 수는 6씩 4묶음이므로 $6+6+6+6=24$입니다.
이를 곱셈식으로 나타내면
$6\times4=24$입니다.

교과서 대표 전략❷

98~99쪽

1 ㉢

2 예 짝수와 홀수

3

4

기준	수(개)
원 모양인 단추	4
원 모양이 아닌 단추	6

5 12

6 5

7 4, 24

8 8, 3, 24 ; 24개

1 크고 작은 것, 편하고 불편한 것은 사람마다 다릅니다.

2 9, 1, 7, 3은 홀수이고 2, 6, 10, 4는 짝수입니다.
따라서 짝수와 홀수로 분류했습니다.

3 상자는 뾰족한 부분이 있으므로 깡통과 다른 모양입니다.

4 원 모양 단추는 4개, 사각형 모양 단추는 3개, 삼각형 모양 단추는 3개입니다.

5 컵은 4개씩 3묶음이므로
$4+4+4=12$(개)입니다.

6 붙임딱지를 3개씩 묶으면 5묶음입니다.
붙임딱지는 15개이므로 15는 3의 5배입니다.

7 방울토마토의 수는 6씩 4묶음이므로 6의 4배이고, $6+6+6+6=24$(개)입니다.

8 8의 3배는 $8\times3=24$(개)입니다.

누구나 만점 전략 100~101쪽

01 ㉠, ㉢

02

빨간색	노란색
①, ④, ⑥, ⑦	②, ③, ⑤

03 색깔

04

색깔	빨강	노랑	파랑	초록
수(개)	8	5	9	2

05 파랑
06 12, 15 ; 15
07 6, 24
08 5배
09 42 ; 7, 42
10 $5\times3=15$; 15개

01 큰 수와 작은 수는 사람에 따라 다를 수 있으므로 분류 기준이 분명하지 않습니다.

참고
• 분류 기준: 모자의 모양

• 분류 기준: 모자의 색깔

02 모양에 상관없이 빨간색인 ①, ④, ⑥, ⑦ 조각과 노란색인 ②, ③, ⑤ 조각으로 분류합니다.

03 왼쪽은 연두색 주머니이고, 오른쪽은 분홍색 주머니입니다. 따라서 주머니를 색깔에 따라 분류한 것입니다.

04 빨강, 노랑, 파랑, 초록으로 분류하고 수를 셉니다.

05 $9>8>5>2$이므로 가장 많은 학생들이 좋아하는 색깔은 파랑입니다.

06 곰 인형을 3개씩 묶으면 3씩 뛰어서 셉니다. 3씩 5번 뛰어 세면 3－6－9－12－15입니다.

07 밤은 4개씩 6묶음이므로
$4+4+4+4+4+4=24$(개)입니다.

08 그릇은 3개입니다.
빵을 3개씩 묶으면 빵의 수는 3씩 5묶음입니다. 따라서 3의 5배입니다.

09 6을 7번 더한 것은 6의 7배이고 6×7이라고 씁니다. $6\times7=42$입니다.

10 사탕이 5개씩 3접시이므로 5개씩 3묶음입니다.
따라서 사탕의 수는 $5\times3=15$(개)입니다.

창의•융합•코딩 전략 ❶ 102~103쪽

1

날 수 있는 동물	날 수 없는 동물
참새, 비둘기, 독수리	코끼리, 말, 고래

2 지우, 주호

2 2씩 8번 뛰면 16에 도착하고, 4씩 5번 뛰면 20에 도착합니다.
16과 20을 비교하면 20이 더 큽니다.

창의•융합•코딩 전략 ❷ 104~107쪽

1 물개에 ×표　　2 14, 많 ; 7, 적

3 21　　4 구

5

동동입니다.	동동이 아닙니다.
㉠, ㉡, ㉤	㉢, ㉣

6

분류	가	나	다
번호	①, ⑤	②, ⑦, ⑧	③, ④, ⑥

7 예

8 2, 8

1　물개를 뺀 나머지는 모두 과일입니다.

2　분류하여 수를 세면 맑은 날은 14일, 비 온 날은 7일, 흐린 날은 9일입니다.
따라서 맑은 날이 14일로 가장 많고, 비 온 날이 7일로 가장 적습니다.

3　3의 7배는 $3\times7=21$, 5의 4배는 $5\times4=20$이므로 더 큰 수는 21입니다.

4　$2\times7=14$, $3\times6=18$, $5\times4=20$, $7\times3=21$, $6\times6=36$, $4\times8=32$가 써 있는 칸을 색칠하면 글자 '구'가 완성됩니다.

5　동동인 도형은 안쪽에 색칠된 도형이 들어 있습니다.

6　주어진 동물 중에 물에서 사는 것은 ① 돌고래, ⑤ 해파리입니다.
물에서 살지 않는 동물 중에 다리가 4개인 것은 ② 기린, ⑦ 호랑이, ⑧ 말입니다.
물에서 살지 않고 다리가 4개가 아닌 동물은 ③ 독수리, ④ 닭, ⑥ 타조입니다.

7　두 수씩 곱해 보고 곱이 12면 울타리를 나타내는 선을 긋습니다.
$2\times6=12$, $4\times3=12$, $6\times2=12$

8　곱이 16인 두 수를 찾으면 2와 8, 4와 4입니다.
서로 다른 두 수를 찾아야 하므로 비밀번호는 2와 8입니다.

신유형•신경향•서술형 전략 110~115쪽

1 ❶ 2 ❷ 6 ❸ 분식집, 도서관

2 ❶ 4, 적습니다에 ○표
❷ 6, 많습니다에 ○표
❸ 예 삼각형이 4개로 가장 많습니다.

3 ❶ 2에 ○표 ❷ 3, 2, 1, 0
❸ 203, 212, 221, 230 ← 순서가 바뀌어도 정답입니다.

4 ❶ 13 ❷ 예 (오각형) ❸ 예 (삼각형)
❹ (왼쪽부터) 예 (오각형), (사각형)

5 ❶ 1 ❷ 2

6 ❶ 8 ❷ 7 ❸ 6 ❹ 4

1 ❶ 한 칸은 2 cm이므로 우체국으로 가려면 서쪽으로 2 cm 이동합니다.
❷ 한 칸은 2 cm이므로 병원으로 가려면 동쪽으로 $2+2+2=6$ (cm) 이동합니다.
❸ 한 칸은 2 cm이므로 남쪽으로 한 칸, 동쪽으로 한 칸, 북쪽으로 세 칸, 동쪽으로 두 칸 이동한 것과 같습니다.
따라서 자동차는 분식집을 거쳐 도서관에 도착했습니다.

2 ❶ 색 채우기에 따라 분류하면 채워진 것은 4개, 채워지지 않은 것은 6개입니다.
❷ 테두리 색깔에 따라 분류하면 빨간색은 4개, 파란색은 6개입니다.
❸ 모양에 따라 분류하면 원은 3개, 삼각형은 4개, 사각형은 3개입니다.

3 ❶ 200보다 큰 수이므로 1은 백의 자리 숫자가 될 수 없습니다.
300보다 작은 수이므로 백의 자리 수는 3보다 작아야 합니다.
❷ 합이 3이 되는 경우는 $0+3$, $1+2$, $2+1$, $3+0$입니다.
❸ ❶에 의해 백의 자리 숫자는 2입니다.
그리고 ❷에 의해 십의 자리 숫자와 일의 자리 숫자가 될 수 있는 것은 (0, 3), (1, 2), (2, 1), (3, 0)입니다.
따라서 조건을 만족하는 수는 203, 212, 221, 230입니다.

4 ❶ 가장 오른쪽 세로줄에 있는 세 도형의 변은 각각 4개, 3개, 6개이므로 변의 수의 합은 13입니다.
❷ 둘째 줄에 변이 5개, 3개인 도형이 있으므로 변이 5개인 오각형을 그립니다.
❸ 가장 아랫줄에 변이 4개, 6개인 도형이 있으므로 변이 3개인 삼각형을 그립니다.
❹ 가장 왼쪽 세로줄에 변이 5개, 3개인 도형이 있으므로 변이 5개인 오각형을 그립니다.
가운데 세로줄에 변이 5개, 4개인 도형이 있으므로 변이 4개인 사각형을 그립니다.

5

$3\times5=15$, $9\times8=72$,
$7\times4=28$, $2\times5=10$

❶ $6\times3=18$, $4\times5=20$, $5\times9=45$
가장 윗줄이 모두 ○표이므로 빙고는 1줄입니다.
❷ $5\times7=35$, $8\times3=24$
가장 왼쪽 세로줄, 가장 오른쪽 세로줄이 모두 ○표이므로 빙고는 2줄입니다.

6 ❶ ▲는 일의 자리 수끼리의 합이므로 $3+5=8$입니다.
❷ 십의 자리의 계산: ●+●=14이므로 ●는 7입니다.
❸ 2에서 6을 뺄 수 없으므로 십의 자리에서 받아내림하면 $12-6=6$이므로 ♥는 6입니다.
❹ 십의 자리의 계산: 일의 자리로 받아내림하였으므로 ♥−1−1=■에서 ■는 4입니다.

학력진단 전략 1회 116~119쪽

01 99, 100 ; 100
02 254 ; 이백오십사
03 60
04 (1) (2)

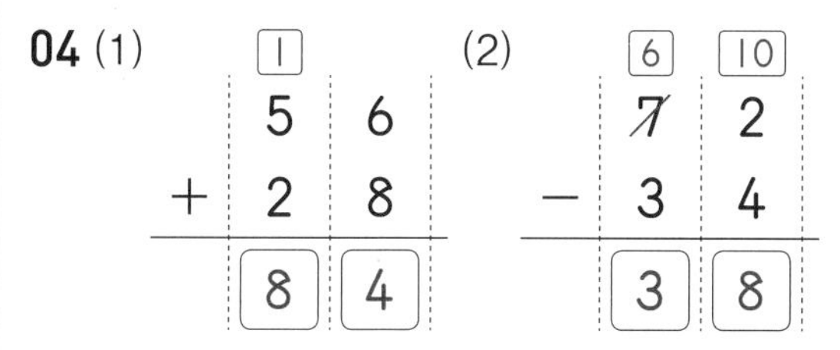

05 523
06 300, 90, 2
07 335, 345, 355
08 (1) $<$ (2) $>$
09 (   )
(×)
10 35, 47 ; 47, 35 (또는 47, 35 ; 35, 47)
11 해님팀
12 $<$
13 (1) 300 (2) 20
14 (1) 15 (2) 43
15 (위부터) 115, 74, 17, 24
16 839
17 1, 2, 3에 ○표
18 4개
19 $87-69=18$; 18송이
20 $23-4+9=28$; 28명

01 99보다 1만큼 더 큰 수는 100입니다.

02 백 모형이 2개, 십 모형이 5개, 일 모형이 4개이므로 254라고 쓰고 이백오십사라고 읽습니다.

03 일 모형 10개는 십 모형 1개와 같으므로 $39+21=60$입니다.

04 (1) 일의 자리의 계산에서 $6+8=14$이므로 십의 자리로 받아올림합니다.
(2) 일의 자리의 계산을 할 때 2에서 4를 뺄 수 없으므로 십의 자리에서 받아내림합니다.

05 100이 5개이면 500, 10이 2개이면 20, 1이 3개이면 3이므로 $500+20+3=523$입니다.

06 3은 백의 자리 숫자이고 300을 나타냅니다.
9는 십의 자리 숫자이고 90을 나타냅니다.
2는 일의 자리 숫자이고 2를 나타냅니다.

07 10씩 뛰어서 세면 십의 자리 수만 1씩 커집니다.

08 (1) 백의 자리 수를 비교하면 $1<2$이므로 215가 124보다 큽니다.
(2) 사백구십은 490이고 사백십구는 419입니다.
십의 자리 수를 비교하면 $9>1$이므로 490이 419보다 큽니다.

09 십의 자리 수끼리 더할 때 십의 자리로 받아올림한 수를 더해야 합니다.
따라서 $39+17=56$입니다.

10

35 47
82

82에서 35를 빼면 47이 남습니다.
82에서 47을 빼면 35가 남습니다.

11 십의 자리 수를 비교하면 $2>0$이므로 126이 107보다 큽니다.
따라서 해님팀이 이겼습니다.

12 $92-49=43$, $27+18=45$
45가 43보다 큽니다.

13 (1) 3은 백의 자리 숫자이므로 300을 나타냅니다.
(2) 2는 십의 자리 숫자이므로 20을 나타냅니다.

14 덧셈과 뺄셈의 관계를 이용합니다.
(1) $62-15=47$
(2) $49+43=92$

15 $63+52=115$
$46+28=74$
$63-46=17$
$52-28=24$

16 백의 자리 숫자가 8인 것은 839와 813입니다.
839에서 3은 30을 나타냅니다.

17 백의 자리 수와 일의 자리 수가 각각 3과 6으로 같습니다.
따라서 빈칸에 들어갈 수 있는 수는 4보다 작아야 하므로 1, 2, 3입니다.

18 동생에게 준 장난감 개수를 □로 두고 식을 쓰면 $13-□=9$입니다. 덧셈과 뺄셈의 관계를 이용하면 $13-9=□$이므로 $□=4$입니다.

19 백합 87송이 중에 69송이가 팔렸으므로 남은 백합은 $87-69=18$(송이)입니다.

20 내린 사람의 수만큼 빼고 탄 사람의 수만큼 더해야 합니다.
$23-4+9$
$=19+9=28$(명)입니다.

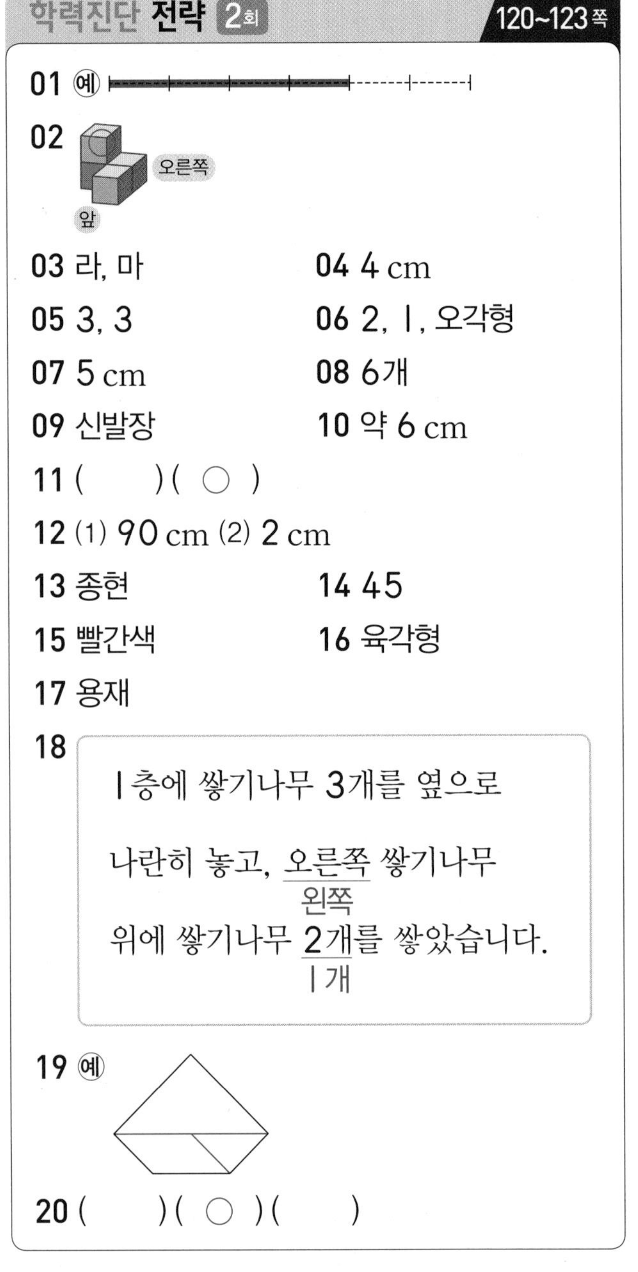
학력진단 전략 2회 120~123쪽

01 예
02 오른쪽 앞
03 라, 마
04 4 cm
05 3, 3
06 2, 1, 오각형
07 5 cm
08 6개
09 신발장
10 약 6 cm
11 ( )(○)
12 (1) 90 cm (2) 2 cm
13 종현
14 45
15 빨간색
16 육각형
17 용재
18 1층에 쌓기나무 3개를 옆으로 나란히 놓고, 오른쪽(→왼쪽) 쌓기나무 위에 쌓기나무 2개(→1개)를 쌓았습니다.
19 예
20 ( )(○)( )

01 4 cm는 1 cm가 4번입니다.
눈금 한 칸이 1 cm이므로 네 칸이 4 cm입니다.

02 빨간색 쌓기나무의 위에 있는 쌓기나무에 ○표 합니다.

03 라는 꼭짓점이 5개이고 마는 꼭짓점이 3개입니다.

04 자의 한쪽 끝을 0으로 맞추고 다른 쪽 끝의 눈금을 읽으면 지우개의 긴 쪽의 길이는 4 cm입니다.

05 막대의 길이는 1 cm가 3번 정도 됩니다. 따라서 막대의 길이를 어림하면 약 3 cm입니다.

06 만든 모양은 변이 5개이고 꼭짓점이 5개입니다.
따라서 오각형입니다.

07 막대의 왼쪽 끝 4 cm 눈금부터 오른쪽 끝 9 cm 눈금까지 1 cm가 5번 들어가므로 막대의 길이는 5 cm입니다.

08 주어진 모양은 쌓기나무가 1층에는 4개가 있고, 2층에는 2개가 있습니다.
똑같이 쌓으려면 쌓기나무 $4+2=6$(개)가 필요합니다.

09 뼘으로 잰 횟수가 많을수록 길이가 깁니다.
$12>10>5$이므로 신발장의 긴 쪽의 길이가 가장 깁니다.

10 크레파스의 왼쪽 끝은 눈금 0에 맞추어져 있고 오른쪽 끝은 6 cm 눈금에 가깝습니다.
따라서 크레파스의 길이는 약 6 cm입니다.

11 오른쪽 모양은 쌓기나무가 1층에 5개, 2층에 1개 있으므로 6개로 쌓은 모양입니다.
왼쪽 모양은 쌓기나무 5개로 쌓은 모양입니다.

12 (1) 책상의 긴 쪽의 길이는 3 cm, 15 cm가 될 수 없으므로 90 cm입니다.
(2) 알약의 길이는 15 cm, 90 cm가 될 수 없으므로 2 cm입니다.

13 똑같은 길이를 잴 때 한 뼘의 길이가 길수록 재야 하는 횟수는 더 적습니다.
$10<12$이므로 종현이의 뼘의 길이가 더 깁니다.

14 37, 8이 써 있는 도형이 삼각형입니다.
따라서 삼각형에 있는 수를 모두 더하면 $37+8=45$입니다.

15 색 테이프의 길이가 길수록 책상의 길이를 잰 횟수가 적습니다.
따라서 빨간색 테이프가 더 깁니다.

16 변과 꼭짓점의 개수가 각각 6개인 도형은 육각형입니다.

17 연필의 길이는 6 cm입니다.
$7-6=1$이고 $6-6=0$이므로 용재가 민수보다 실제 길이에 더 가깝게 어림하였습니다.

18 1층에 쌓기나무 3개를 옆으로 나란히 놓고, 왼쪽 쌓기나무 위에 쌓기나무 1개를 쌓았습니다.

19

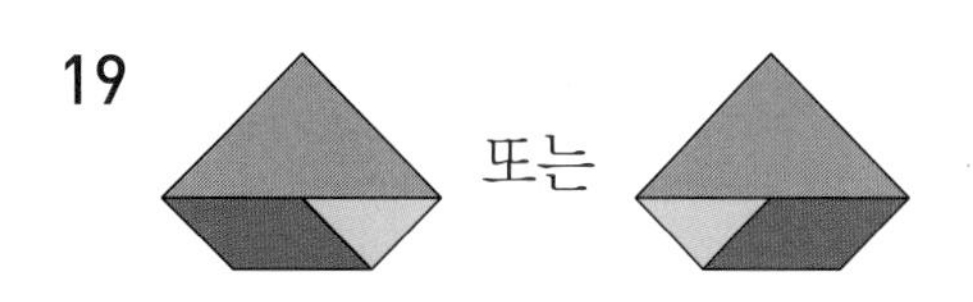

20 자르기 전의 색종이의 변의 수는 4개입니다. 따라서 지우는 변의 수가 6개인 육각형 모양을 만들었습니다.

학력진단 전략 3회 124~127쪽

01 (　　)
(　　)
(○)

02 3, 5 ; 9, 12, 15 ; 15

03 3 ; 6, 6, 6, 18

04 15, 20, 25 ; 25

05

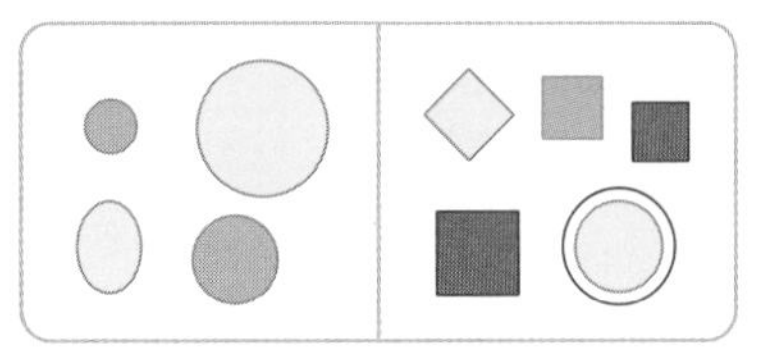

06 ⓒ에 ○표

07 돌고래

08 4, 3

09 3, 2, 4

10 6배

11 3배

12 (1) 4, 4, 20 (2) 5, 5, 20

13 빨강

14 $9\times4=36$; 36자루

15 4가지

16 $8\times3=24$; 24포기

17 포도, 8

18 26마리

19 $2\times5=10$; 10명

20 24개

01 빨간색, 노란색으로 분류하였으므로 색깔에 따라 분류한 것입니다.

02 사탕의 수는 3씩 5묶음이므로 3－6－9－12－15로 뛰어 세면 사탕은 모두 15개입니다.

03 감이 6개씩 3묶음이므로 감의 수는 6의 3배입니다.
감의 수를 덧셈식으로 나타내면 $6+6+6=18$(개)입니다.

04 쿠키의 수는 5씩 5묶음입니다.
5씩 뛰어서 세면 쿠키는 25개입니다.

05 꼭짓점은 두 곧은 선이 만나는 점입니다.
원은 꼭짓점이 없으므로 왼쪽으로 옮겨야 합니다.

06 누가 분류하더라도 같은 결과가 나와야 하므로 ㉠, ㉡은 분류 기준으로 알맞지 않습니다.

07

동물	곰	돌고래	원숭이	토끼
수(명)	4	5	2	1

➡ $5>4>2>1$이므로 가장 많은 학생들이 좋아하는 동물은 돌고래입니다.

08 원 모양의 단추는 4개, 사각형 모양의 단추는 3개입니다.

09 원은 3장, 삼각형은 2장, 사각형은 4장 사용했습니다.

10 만두 18개를 3개씩 묶으면 6묶음입니다.
따라서 18은 3씩 6묶음이고 3의 6배입니다.

11 축구공의 수는 6개입니다.
야구공의 수는 6씩 3묶음이므로 6의 3배입니다.
따라서 야구공의 수는 축구공의 수의 3배입니다.

12 (1) 구슬을 5개씩 묶으면 4줄이므로 구슬의 수는 $5 \times 4 = 20$(개)입니다.
(2) 구슬을 4개씩 묶으면 5줄이므로 구슬의 수는 $4 \times 5 = 20$(개)입니다.

13 빨강을 좋아하는 학생은 11명, 노랑을 좋아하는 학생은 5명, 파랑을 좋아하는 학생은 9명입니다. $11 > 9 > 5$이므로 가장 많은 학생들이 좋아하는 색깔은 빨강입니다.

14 사인펜의 수는 9씩 4묶음이므로 $9 \times 4 = 36$(자루)입니다.

15 붙임딱지의 모양은 ○, ◇, △, ♡으로 4가지입니다.

16 배추는 8포기씩 3줄입니다.
따라서 배추의 수는 8씩 3묶음이므로 $8 \times 3 = 24$(포기)입니다.

17 $16 > 8 > 5$이므로 가장 많은 학생들이 좋아하는 과일은 포도입니다.
포도를 좋아하는 학생은 귤을 좋아하는 학생보다 $16 - 8 = 8$(명) 더 많습니다.

18 분류한 동물들의 수를 더하면 전체가 되므로 농장에 있는 동물의 수는
$8 + 13 + 5$
$= 21 + 5 = 26$(마리)입니다.

19 2명씩 앉을 수 있는 칸이 5칸이므로 열차에 탈 수 있는 사람은 모두 $2 \times 5 = 10$(명)입니다.

20 케이크는 8조각이므로 필요한 체리의 수는 3의 8배입니다. 따라서 필요한 체리는 $3 \times 8 = 24$(개)입니다.

메 모

정답은
이안에
있어!

수학
전략

배움으로 행복한 내일을 꿈꾸는

천재교육 커뮤니티 안내

교재 안내부터 구매까지 한 번에!

천재교육 홈페이지

천재교육 홈페이지에서는 자사가 발행하는 참고서,
교과서에 대한 소개는 물론 도서 구매도 할 수 있습니다.
회원에게 지급되는 별을 모아 다양한 상품 응모에도
도전해 보세요.

구독, 좋아요는 필수! 핵유용 정보 가득한

천재교육 유튜브 <천재TV>

신간에 대한 자세한 정보가 궁금하세요?
참고서를 어떻게 활용해야 할지 고민인가요?
공부 외 다양한 고민을 해결해 줄 채널이 필요한가요?
학생들에게 꼭 필요한 콘텐츠로 가득한 천재TV로 놀러 오세요!

다양한 교육 꿀팁에 깜짝 이벤트는 덤!

천재교육 인스타그램

천재교육의 새롭고 중요한 소식을 가장 먼저 접하고 싶다면?
천재교육 인스타그램 팔로우가 필수!
누구보다 빠르고 재미있게 천재교육의 소식을 전달합니다.
깜짝 이벤트도 수시로 진행되니 놓치지 마세요!